CEDU(쎄듀)는 A **C**omprehensive **E**nglish e**DU**cation(종합적 영어교육)의 약자입니다.

저자

김기훈 現 ㈜ 쎄듀 대표이사
現 메가스터디 영어영역 대표강사
前 서울특별시 교육청 외국어 교육정책자문위원회 위원

저서 천일문 / 천일문 Training Book / 천일문 GRAMMAR
어법끝 / 어휘끝 / 첫단추 / 쎈쓰업 / 파워업 / 빈칸백서 / 오답백서
쎄듀 본영어 / 거침없이 Writing / 쓰작 / 리딩 릴레이 / 리딩 플랫폼
Grammar Q / Reading Q / Listening Q 등

쎄듀 영어교육연구센터
쎄듀 영어교육센터는 영어 콘텐츠에 대한 전문지식과 경험을 바탕으로
최고의 교육 콘텐츠를 만들고자 최선의 노력을 다하는 전문가 집단입니다.

인지영 책임연구원

마케팅 콘텐츠 마케팅 사업본부
영업 문병구
제작 정승호
인디자인 편집 올댓에디팅
디자인 쎄듀 디자인팀
영문교열 Stephen Daniel White

중학
영어

쓰작

쓰기 + 작문

2

중학 내신

서술형 완벽대비

Features 구성과 특징

<쓰작> 시리즈는 단순히 '문법 학습을 위한 영작 연습'에서 벗어나, '영작을 위한 도구로서의 문법 지식'을 담고 있으며, 교과서에 가장 자주 등장하는 어휘와 표현으로 다양한 구문을 써 볼 수 있도록 구성했습니다.

1 한 페이지로 끝내는
중2 공통 핵심 문법 요소별 서술형 대비!

❶ 문장을 쓰는 데 꼭 필요한 기본 문법 개념과 원리를 확인한 후,

❷ 다양한 기출 유형으로 통합 서술형을 효과적으로 대비할 수 있도록 구성했습니다.

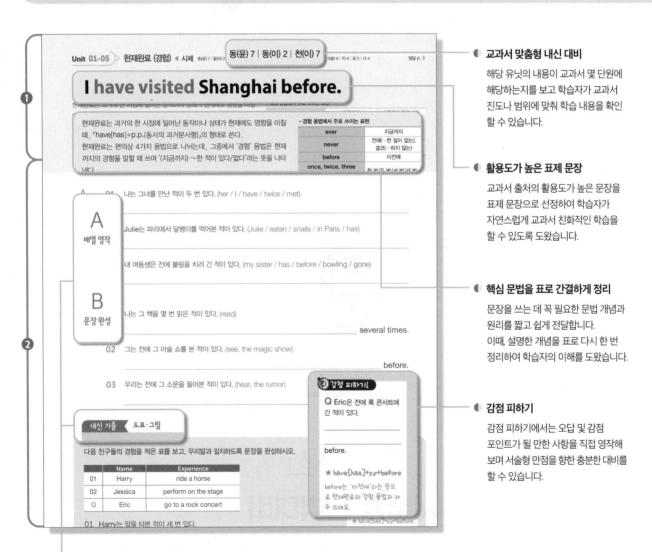

교과서 맞춤형 내신 대비

해당 유닛의 내용이 교과서 몇 단원에 해당하는지를 보고 학습자가 교과서 진도나 범위에 맞춰 학습 내용을 확인할 수 있습니다.

활용도가 높은 표제 문장

교과서 출처의 활용도가 높은 문장을 표제 문장으로 선정하여 학습자가 자연스럽게 교과서 친화적인 학습을 할 수 있도록 도왔습니다.

핵심 문법을 표로 간결하게 정리

문장을 쓰는 데 꼭 필요한 문법 개념과 원리를 짧고 쉽게 전달합니다.
이때, 설명한 개념을 표로 다시 한 번 정리하여 학습자의 이해를 도왔습니다.

감점 피하기

감점 피하기에서는 오답 및 감점 포인트가 될 만한 사항을 직접 영작해 보며 서술형 만점을 향한 충분한 대비를 할 수 있습니다.

배열 영작 → 문장 완성 → 내신 기출

체계적인 3단계 쓰기 훈련을 통해 문장 쓰기가 수월해집니다.
영작의 기본 틀을 잡는 것은 물론 내신 서술형에 대한 자신감을 얻을 수 있습니다.

2 최신 서술형 유형 대비를 위한
내신 서술형 잡기

최신 서술형 유형이 100% 반영된 챕터별 <내신 서술형 잡기>를 통해 적용 및 실전 대비가 가능합니다. 1단계 → 2단계 → 3단계로 서술형 유형 난도에 따라 문제를 구성하여, 가장 기본적인 유형뿐 아니라 고난도 유형도 확실히 연습할 수 있도록 했습니다.

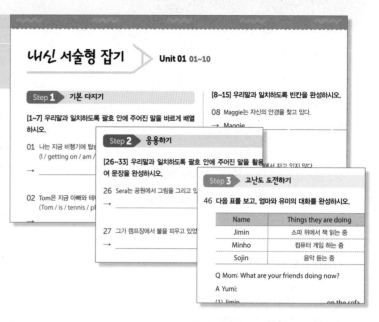

내신 서술형 잡기 ▷ Unit 01 01~10

Step 1 기본 다지기

[1~7] 우리말과 일치하도록 괄호 안에 주어진 말을 바르게 배열하시오.

01 나는 지금 비행기에 탑승
(I / getting on / am /

→ ___

02 Tom은 지금 아빠와 테
(Tom / is / tennis / pl

Step 2 응용하기

[26~33] 우리말과 일치하도록 괄호 안에 주어진 말을 활용하여 문장을 완성하시오.

26 Sera는 공원에서 그림을 그리고 있

→ ___

27 그가 캠프장에서 불을 피우고 있었

[8~15] 우리말과 일치하도록 빈칸을 완성하시오.

08 Maggie는 자신의 안경을 찾고 있다.

→ Maggie ___

Step 3 고난도 도전하기

46 다음 표를 보고, 엄마와 유미의 대화를 완성하시오.

Name	Things they are doing
Jimin	소파 위에서 책 읽는 중
Minho	컴퓨터 게임 하는 중
Sojin	음악 듣는 중

Q Mom: What are your friends doing now?

A Yumi:

(1) Jimin ___ on the sofa

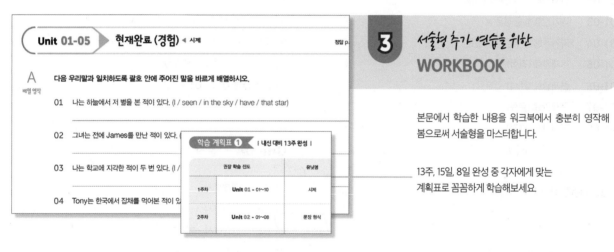

Unit 01-05 ▷ 현재완료 (경험) ◀ 시제 | 정답 p.

A 다음 우리말과 일치하도록 괄호 안에 주어진 말을 바르게 배열하시오.

배열 영작

01 나는 하늘에서 저 별을 본 적이 있다. (I / seen / in the sky / have / that star)

___

02 그녀는 전에 James를 만난 적이 있다.

___

03 나는 학교에 지각한 적이 두 번 있다. (I /

___

04 Tony는 한국에서 잡채를 먹어본 적이

3 서술형 추가 연습을 위한
WORKBOOK

본문에서 학습한 내용을 워크북에서 충분히 영작해 봄으로써 서술형을 마스터합니다.

13주, 15일, 8일 완성 중 각자에게 맞는 계획표로 꼼꼼하게 학습해보세요.

학습 계획표 ① | 내신 대비 13주 완성 |

	권장 학습 진도	유닛명
1주차	Unit 01 - 01~10	시제
2주차	Unit 02 - 01~08	문장 형식

특별 부록 구성

교과서별 문법 분류표와 연계표, 의사소통 기능문 연계표, 의사소통 기능문 모음을 제공하여, 학년별로 반드시 학습해야 하는 내용뿐 아니라, 그 내용이 본 책 어느 유닛에 해당하는지도 한눈에 확인할 수 있습니다.

무료 부가서비스
www.cedubook.com

① 어휘 리스트
② 어휘 테스트
③ 주요 의사소통 기능문 (영작/해석)

Contents 목차

중2 영어 교과서에서 어떤 문법을 다루고 있는지 확인해 보세요.

단원	동아(윤)	동아(이)	천재(이)	천재(정)	미래엔	능률(김)	능률(양)
1	• 4형식(동사+간접목적어+직접목적어) • both A and B	• to부정사의 형용사적 용법 • 명령문, and/or	• 주격 관계대명사 • 접속사 if	• to부정사의 형용사적 용법 • 접속사 that	• 주격 관계대명사 • 접속사 while, before, after	• 동명사의 명사적 용법 • 2형식 감각동사	• 의문사 which • 재귀대명사
2	• 조동사 have to/don't have to • to부정사의 부사적 용법(목적)	• 현재완료시제 • ask/want/tell+목적어+to부정사	• 목적격 관계대명사 • 의문사+to부정사	• 접속사 if • 지각동사+목적어+목적격 보어	• 현재완료시제 • each ~ + 단수 동사	• 주격 관계대명사 • 빈도부사	• 수동태 • not only A but also B
3	• 수동태 • want+목적어+to부정사	• 수동태 • 접속사 if	• 가주어, 진주어 (it ~ to부정사) • to부정사의 형용사적 용법	• 현재완료시제 • 접속사 though, although	• to부정사의 형용사적 용법 • 가주어, 진주어 (it ~ to부정사)	• 현재완료시제 • so … that ~	• 가주어, 진주어 (it ~ to부정사) • 부사 enough
4	• 주격 관계대명사 • 접속사 if	• 주격 관계대명사 • 최상급	• 수동태 • 원급	• 주격 관계대명사 • 목적격 관계대명사	• 목적격 관계대명사 • so … that ~	• 수동태 • 비교급	• 현재완료시제 • so that ~
5	• 목적격 관계대명사 • call+목적어+목적격 보어(명사)	• 가주어, 진주어 (it ~ to부정사) • 지각동사+목적어+목적격 보어	• want+목적어+to부정사 • 접속사 before, after	• 의문사+to부정사 • 형용사를 목적격 보어로 취하는 동사	• 접속사 if • 원급	• 목적격 관계대명사 • 감정분사	• 주격 관계대명사 • 조동사 had better
6	• 지각동사+목적어+목적격 보어 • so … that ~	• 원급 • 접속사 though, although	• 사역동사+목적어+목적격 보어 (동사 원형) • too … to부정사	• a few/a little • 수동태	• 수동태 • something+형용사	• 가주어, 진주어 (it ~ to부정사) • 간접의문문	• 간접의문문 • Here+동사+주어
7	• 현재완료시제 • 가주어, 진주어 (it ~ to부정사)	• so … that ~ • 목적격 관계대명사	• 현재완료시제 • 현재분사/과거분사	• 현재분사/과거분사 • 가주어, 진주어 (it ~ to부정사)	• 형용사를 목적격 보어로 취하는 동사 • 사역동사+목적어+목적격 보어 (동사 원형)	• want+목적어+to부정사 • 접속사 if	• to부정사의 형용사적 용법 • 조동사 must
8	• 간접의문문 • because of	• something+형용사 • 간접의문문	• 최상급 • 간접의문문	• so … that ~ • 사역동사+목적어+목적격 보어 (동사 원형)	• 지각동사+목적어+목적격 보어 • ask/want/tell+목적어+to부정사		• ask+목적어+to부정사 • a few/few

단원	비상	YBM(박)	YBM(송)	지학	금성	다락원
1	• 동명사의 명사적 용법 • 형용사를 목적격 보어로 취하는 동사	• to부정사의 형용사적 용법 • 접속사 that	• 최상급 • to부정사의 부사적 용법(목적)	• one/the other • 접속사 if	• 접속사 if • 부가의문문	• a few/a little • few/little • so that ~ • 비교급
2	• 접속사 if • want/tell+목적어+to부정사	• 의문사+to부정사 • 원급	• to부정사의 형용사적 용법 • 사역동사+목적어+목적격 보어 (동사원형)	• 의문사+to부정사 • 주격 관계대명사	• 의문사+to부정사 • so that ~	• 특수구문(생략) • 지각동사+목적어+목적격 보어 • to부정사의 부사적 용법
3	• 수동태 • to부정사의 형용사적 용법	• 사역동사+목적어+목적격 보어 (동사원형) • help+목적어+(to)+동사원형 • 접속사 if	• 의문사+to부정사 • 주격 관계대명사	• 목적격 관계대명사 • ask+목적어+to부정사	• to부정사의 형용사적 용법 • 강조의 do	• each+단수명사 • 가주어, 진주어 (it ~ to부정사) • 분사구문
4	• 주격 관계대명사 • 지각동사+목적어+목적격 보어	• 주격 관계대명사 • -thing+형용사	• 현재완료시제 • 접속사 if	• to부정사의 형용사적 용법 • 현재완료시제	• 간접의문문 • 수동태	• 현재완료시제 • 접속사 though, although • 형용사를 목적격 보어로 취하는 동사
5	• 현재완료시제 • 목적격 관계대명사	• 수동태 • so … that ~	• 부가의문문 • 수동태	• 수동태	• … enough to부정사 • 현재완료시제	• 주격 관계대명사 • 전치사+동사원형-ing • too … to부정사
6	• 가주어, 진주어 (it ~ to부정사) • 원급	• 가주어, 진주어 (it ~ to부정사) • not only A but also B	• so … that ~ • 목적격 관계대명사	• so … that ~ • 원급	• 주격 관계대명사 • 가주어, 진주어 (it ~ to부정사)	• 간접의문문 • 비교급 • 사역동사+목적어+목적격 보어 (동사원형)
7	• 사역동사+목적어+목적격 보어 (동사원형) • 간접의문문	• ask/want/tell+목적어+to부정사 • 목적격 관계대명사	• 지각동사+목적어+목적격 보어 • 가주어, 진주어 (it ~ to부정사)	• 가주어, 진주어 (it ~ to부정사) • How come ~?	• 목적격 관계대명사 • 간접의문문	• 의문사+to부정사 • don't need to • 원급
8	• so … that ~ • 현재분사/과거분사	• 현재완료시제 • 조동사 may	• 동사+목적어+목적격 보어(to부정사) • 현재분사/과거분사	• 사역동사+목적어+목적격 보어 (동사원형) • 접속사 though, although	• too … to부정사 • 가정법 과거	• not only A but also B • one/the other • 대동사 do
9			• 관계부사 • 간접의문문			
S1		• 간접의문문 • 최상급				
S2		• 지각동사+목적어+목적격 보어 • too … to부정사				

본 분류표는 참고 자료일 뿐임을 알려 드립니다.

중2 영어 교과서 13종 문법 연계표 | 2015 개정 교육과정 |

쓰작의 내용이 내 교과서의 몇 단원에 해당하는지 여기서 확인하세요.

단원	목차	동아(윤)	동아(이)	천재(이)	천재(정)	미래엔	능률(김)	능률(양)	비상	YBM(박)	YBM(송)	지학	금성	디락원
시제	현재진행형													
	과거진행형													
	현재완료 (완료)	7	2	7	3	2	3	4	5	8	4	4	5	4
	현재완료 (결과)	7	2	7	3	2	3	4	5	8	4	4	5	4
	현재완료 부정문	7	2	7	3	2	3	4	5	8	4	4	5	4
	현재완료 의문문	7	2	7	3	2	3	4	5	8	4	4	5	4
문장형식	감각동사＋형용사						1							
	수여동사＋직접목적어＋전치사＋간접목적어	1												
	동사＋목적어＋목적격 보어(명사)	5												
	동사＋목적어＋목적격 보어(형용사)				5	7			1					4
	동사＋목적어＋목적격 보어(to부정사)	3	2	5		8	7	8	2	7	8	3		
	지각동사＋목적어＋목적격 보어	6	5		2	8			4	S2	7			2
	사역동사＋목적어＋목적격 보어			6	8	7				7	3	2	8	6
	help＋목적어＋목적격 보어									3				
부정사	명사적 용법													
	형용사적 용법		1	3	1	3		7	3	1	2	4	3	
	부사적 용법	2									1			2
	부정사의 부정													
	가주어, 진주어	7	5	3	7	3	6	3	6	6	7	7	6	3
	의미상 주어													
	의문사＋to부정사			2	5					2	3	2	2	7
	too … to부정사			6						S2			8	5
	… enough to부정사												5	
동명사	주어나 보어로 쓰인 동명사						1		1					
	동명사와 to부정사								1					
	동명사의 관용 표현								1					5
분사	현재분사			7	7				8		8			
	과거분사			7	7				8		8			
	감정분사 – 현재분사						5							
	감정분사 – 과거분사						5							
관계대명사	관계대명사 who	4,5	4,7	1,2	4	1,4	2	5	4,5	4,7	3,6		6	5
	관계대명사 which		4,7	1			2,5			4,7		2,3		5
	관계대명사 that	4,5	7		4	1,4				4,5	4,7	6	7	
	관계대명사 whose													
조동사	must						7							
	should				3		8		5	1	2	2	8	6
	have to	2												
	don't have to	2												
	had better						2	5	4	2				
	would like to												7	

단원	목차	동아(윤)	동아(이)	천재(이)	천재(정)	미래엔	능률(김)	능률(양)	비상	YBM(박)	YBM(송)	지학	금성	다락원
수동태	현재시제					8						7		
	과거시제	3	3	4	6	6	4	2	6	5	5	5	4	
	미래시제	3	3	4	6	6	4	2	6	5	5	5	4	
	부정문	3	3	4	6	6	4	2	6	5	5	5	4	
	의문문	3	3	4	6	6	4	2	6	5	5	5	4	
접속사	명령문+and/or		1											
	while					1								
	as soon as													
	until													
	so that ∼							4					2	1
	so … that ∼	6	7		8	4	3		8	5	6	6		9
	if	4	3	1	2	5	7		2	3	4	1	1	
	though/although		6		3							8		4
	명사절 접속사 that				1					1				
	both A and B	1												8
	either A or B													
	not A but B													
	not only A but also B							2		6				8
	B as well as A													
대명사와 형용사	some/any													
	something/anything/nothing+형용사		8			6				4				
	few/little			6				8						1
	a few/a little			6				8						1
	each/every/all					2								3
	one/another/the other												1	8
	물질명사의 수량 표현													
	재귀대명사							1						
비교	원급을 이용한 표현		6	4		5			6	2		6		7
	less than													
	비교급 and 비교급													
	which/who를 이용한 비교급													
	최상급을 이용한 표현		4	8						S1	1			
의문사 주요 구문	간접의문문	8	8	8			6	6	7	S1	9	4		6
	Do you know 의문사 ∼?			7	5					3	3			
	what 주요구문													
	which 주요구문		3					1	7	5	5	7		3
	how 주요구문					8						7		

본 분류표는 참고 자료일 뿐임을 알려 드립니다.

중2 영어 교과서에서 어떤 의사소통 기능문을 다루고 있는지 확인해 보세요.

주제		동아(윤)	동아(이)	천재(이)	천재(정)	미래엔	능률(김)	능률(양)	비상	YBM(박)	YBM(송)	지학	금성	다락원
안부	안부 묻고 답하기													1
경험	경험 묻고 답하기		4	7		3	3		3		6			
문제	문제/고민 묻기	5		3					5	1				
문제	해결 방법 알려 주기								1					
능력	능력 여부 묻기/능력 표현하기				5	1	7			3	3		8	
취미와 관심사	여가 활동 묻기	1	4											
	관심 묻고 답하기				7	8	1		1				1	5
	좋아하는 것 표현하기									3	3		1	5
	선호 묻고 답하기		3			6		1	7	5	5			3
의도/계획	의도나 계획 묻고 말하기	6		1	2, 8		6			4	1	1		
정보	길/위치 묻고 답하기	2	5			2				5			5	
	날씨 묻고 답하기				3									
	소요 시간 묻고 답하기		5				6							
	빈도 묻고 답하기					8								
	물건 사기	3												
	용도/방법 묻기		6	7			4							
	구체적 정보 묻기	1							7			7		
	보고하기												2	
의견	의견 묻고 말하기				1	2		7	8	4				3
	의견 표현하기									7	6		3	
	동의/반대하기							2	8				6	2
	만족/불만족 묻기		7								6			
	강조하기							3		7				
	추측하기		8											
이유	이유 묻고 답하기		3											
확인	알고 있는지 묻기	7	6	8	3			4			8	8	3	2
	알고 있음/모르고 있음 표현하기					7					6		7	9
	이해 점검하기												4	
	궁금증 표현하기	7							6	6			4	
	상기시켜 주기			6		7			2	2	9			
	기억 여부 묻고 말하기				4								5	
	확실성 정도 표현하기		2			1	4					6		
	오해 지적하기												6	

주제		동아(윤)	동아(이)	천재(이)	천재(정)	미래엔	능률(김)	능률(양)	비상	YBM(박)	YBM(송)	지학	금성	다락원
묘사	외모/성격 묘사하기	4	2	5										
	진술하기							1						
	비교하기								6					
제안과 권유	도움 제안하기								4			3		7
	약속 정하기	6		3	2	5					9			
	제안하기		1			5	5	5		1				
	음식 권하기			2										
감사와 기원	감사하기					4								
	칭찬하기/칭찬에 답하기				7							3		8
	격려/기원하기								4			8		8
감정 표현	기쁨/유감 표현하기											4		
	희망/기대 표현하기			5	1			3	2	4	1, 5	7	2	4
	놀람 표현하기			8	6					8				
	걱정 표현하기						4	2			4	2		
	만족/불만족/화냄 표현하기			6	8			8						
담화 구성	주제 소개하기												7	
	주의 끌기											1		
	열거하기				5							5		
	전화하거나 받기							5						
요청	허락/허가 요청하기	8		4			1	6						6
	설명 요청하기	4		2	6		3		3	7	8	5		9
	반복 요청하기							6						7
	도움 요청하기		8			4	5							
	조언 구하고 답하기		1				7							6
	추천 요청하고 답하기		7			6	2				8			
	생각할 시간 요청하기				4									
당부	충고/조언/의무 표현하기			1			2	5				2	8	1
	당부/금지하기	5, 8		4	3			8			2	2	4	4
가능성	가능성 말하기							7			7			

본 분류표는 참고 자료일 뿐임을 알려 드립니다.

- 중학교 2학년 영어 교과서에 수록된 의사소통 기능문들을 주제별로 분류했습니다.
- 여러 번 반복해서 보고, 교재 자료실에 있는 시험지로 점검해 보세요.

경험

● 경험 묻고 답하기

A : Have you ever traveled to another country?
너는 다른 나라로 여행 가본 적이 있니?

B : Yes, I have. It was a wonderful experience.
응, 가본 적 있어. 그건 멋진 경험이었어.

문제

● 문제/고민 묻기

A : What's wrong?
무슨 일이야?

B : I have a headache.
두통이 있어.

능력

● 능력 여부 묻기/능력 표현하기

A : Do you know how to solve this puzzle?
너는 이 퍼즐을 어떻게 푸는지 알아?

B : Sure. I'll show you how.
물론이지. 내가 어떻게 하는지 보여 줄게.

A : What are you good at?
너는 뭘 잘하니?

B : I'm good at jumping rope.
나는 줄넘기를 잘해.

취미와 관심사

● 여가 활동 묻기

A : What do you usually do in your free time?
너는 주로 여가 시간에 뭘 하니?

B : I usually listen to music.
나는 주로 음악을 들어.

● 관심 묻고 답하기

A : What are you interested in?
너는 무엇에 관심이 있니?

B : I'm interested in baseball.
나는 야구에 관심이 있어.

좋아하는 것 표현하기

A : What do you enjoy doing when you have free time?
너는 한가할 때 뭘 하는 걸 좋아하니?

B : I enjoy painting pictures of people in the park.
나는 공원에서 사람들을 그림 그리는 걸 좋아해.

● 선호 묻고 답하기

A : There are two versions of the *Mona Lisa*. Which do you prefer?
두 가지 버전의 모나리자 작품이 있어. 너는 무엇을 더 선호하니?

B : I prefer Botero's *Mona Lisa* to da Vinci's.
나는 다빈치의 모나리자보다 보테로의 모나리자를 더 선호해.

의도/계획

● 의도나 계획 묻고 말하기

A : What are you planning to do this weekend?
너는 이번 주말에 무엇을 할 계획이니?

B : I'm planning to see a movie.
나는 영화를 볼 계획이야.

정보

● 길/위치 묻고 답하기

A : How can I get to the post office?
우체국에 가려면 어떻게 해야 하나요?

B : Go straight one block and turn right. It'll be on your right.
한 블록 직진하고 오른쪽으로 꺾으세요. 우체국은 오른쪽에 있을 거예요.

● 소요 시간 묻고 답하기

A : How long does it take to get to school?
학교 가는 데 얼마나 걸리니?

B : It takes 20 minutes.
20분 걸려.

● 용도/방법 묻기

A : Do you know how to make fried rice?
너는 볶음밥을 어떻게 만드는지 아니?

B : Sure, it's easy. First, cut the vegetables into small pieces.
물론이지. 그건 쉬워. 첫째로, 채소를 작은 조각으로 잘라.

구체적 정보 묻기

A : What kind of music are you going to play?
너는 어떤 종류의 음악을 연주할 거니?

B : I'm going to play rock music.
나는 록 음악을 연주할 거야.

의견

의견 묻고 말하기

A : What do you think of my bike?
내 자전거에 대해서 어떻게 생각해?

B : It looks light and fast.
가볍고 빨라 보여.

의견 표현하기

A : I'm going to fly a drone.
나는 드론을 날릴 거야.

B : That sounds like fun.
재미있게 들린다. (재미있을 것 같네.)

동의/반대하기

A : I think it's great that many people see my posts.
많은 사람이 내 게시물을 보는 건 참 좋은 것 같아.

B : I'm (not) with you on that.
나도 그렇게 생각해. / 나는 그렇게 생각하지 않아.

만족/불만족 묻기

A : How do you like this skirt?
이 치마 어때?

B : It's colorful. I like it.
색상이 화려하네. 마음에 들어.

강조하기

A : What should we do to win?
우리는 이기기 위해 무엇을 해야 하나요?

B : It's important to hit the ball hard.
공을 세게 치는 것이 중요해.

확인

알고 있는지 묻기

A : Do you know what the capital of Peru is?
너는 페루의 수도가 어딘지 아니?

B : Yes, it's Lima.
응, 리마야.

알고 있음/모르고 있음 표현하기

A : I want to go to Danyang.
나는 단양에 가고 싶어.

B : Why?
왜?

A : I heard there are famous caves in Danyang.
단양에 유명한 동굴이 있다고 들었거든.

궁금증 표현하기

A : This flower is bigger than a person.
이 꽃은 사람보다 더 커.

B : Really? Now I'm curious about the flower.
정말? 이제 그 꽃에 대해 궁금해졌어.

상기시켜 주기

A : I'm going to go hiking.
나는 하이킹하러 갈 거야.

B : Don't forget to take a bottle of water.
물 한 병을 챙겨가는 걸 잊지 마.

기억 여부 묻고 말하기

A : I can't remember your phone number.
나는 네 전화번호가 기억나지 않아.

B : It's 010-1234-5678.
010-1234-5678이야.

A : Oh, now I remember.
오, 이제 기억나.

확실성 정도 표현하기

A : Sam plays the guitar really well.
Sam은 기타를 아주 잘 연주해.

B : I'm sure he will get first place in the contest.
나는 그가 대회에서 1등 할 거라고 확신해.

외모/성격 묘사하기

A : What does your cat look like?
네 고양이는 어떻게 생겼니?

B : It's small and it has grey fur.
몸집이 작고 회색 털을 가졌어.

제안과 권유

도움 제안하기

A : You have many dishes to wash. Can I give you a hand?
설거지해야 할 접시가 많네. 내가 도와줄까?

B : That's kind of you.
너는 참 친절하구나.

약속 정하기

A : What time and where should we meet?
몇 시에 어디서 만날까?

B : How about meeting at 2:30 in front of Star Movie Theater?
Star 영화관 앞에서 2시 30분에 보는 게 어때?

A : OK. See you then.
그래. 그때 보자.

제안하기

A : Why don't we see a magic show?
마술 공연을 보러 가는 게 어때?

B : That's a good idea.
좋은 생각이야.

감사와 기원

칭찬하기/칭찬에 답하기

A : I've finished drawing.
나는 그림을 다 그렸어.

B : Nice work!
잘 그렸구나!

A : I'm glad you like it.
마음에 든다니 다행이야.

격려/기원하기

A : My serves were not strong enough.
내 (테니스) 서브가 충분히 세지 않았어.

B : You're a great player. You'll do better next time.
너는 훌륭한 선수야. 다음엔 더 잘할 거야.

감정 표현

희망/기대 표현하기

A : What will you do this weekend?
이번 주말에 뭐할 거야?

B : I will go to the zoo. I'm looking forward to seeing the animals.
동물원에 갈 거야. 나는 동물들을 보기를 기대하고 있어.

놀람 표현하기

A : Did you know that dogs can smile?
너는 개들이 미소 지을 수 있다는 걸 알았니?

B : Really? That's surprising!
정말? 참 놀랍다!

걱정 표현하기

A : I'm worried about your health.
나는 네 건강이 걱정돼.

B : Don't worry. I'm going to the doctor tomorrow.
걱정하지 마. 나는 내일 진찰 받으러 갈 거야.

만족/불만족/화냄 표현하기

A : I'm not happy with this restaurant.
나는 이 식당이 만족스럽지 않아.

B : What's the problem?
뭐가 문제니?

A : The food is too salty.
음식이 너무 짜.

담화 구성

열거하기

A : First, draw a circle. Second, put a star inside. Then, put a triangle on top of the circle.
첫째, 원을 하나 그려. 둘째, 원 안에 별을 하나 그려 넣어. 그런 다음, 원 꼭대기에 삼각형을 그려.

B : Did I draw it correctly?
내가 알맞게 그렸니?

A : Yes, you did. / No, you didn't.
응, 그랬어. / 아니, 틀렸어.

● 허락/허가 요청하기

A : May I take a picture here?

여기서 사진을 찍어도 될까요?

B : Yes, you may. / No, you may not.

네, 그러세요. / 아니요, 안 됩니다.

● 설명 요청하기

A : What does "I am all ears." mean?

'I'm all ears.'는 무슨 뜻이니?

B : It means "I'm listening."

그건 '나는 귀 기울이고 있어.'라는 뜻이야.

A : I see.

그렇구나.

● 반복 요청하기

A : Is the library open on weekends?

도서관은 주말마다 여나요?

B : It's open only on Saturdays from 9 to 6.

토요일에만 9시부터 6시까지 엽니다.

A : Can you say that again?

다시 말씀해 주시겠어요?

B : The library is open every Saturday from 9 to 6.

도서관은 토요일마다 9시부터 6시까지 엽니다.

● 도움 요청하기

A : Can you help me move these books?

내가 이 책들을 옮기는 걸 도와주겠니?

B : Sure. / I'm sorry, but I can't.

물론이야. / 미안해, 그럴 수 없어.

● 조언 구하고 답하기

A : What do I need to do?

내가 무엇을 해야 할까?

B : You need to read a lot of books.

너는 많은 책을 읽을 필요가 있어.

● 추천 요청하고 답하기

A : Could you recommend a book for me?

나에게 책 한 권을 추천해주겠니?

B : Well, why don't you read *The Flying Pan*?

음, '하늘을 나는 팬'을 읽어보는 게 어때?

A : Great idea! Thanks.

좋은 생각이야! 고마워.

● 충고/조언/의무 표현하기

A : I'm always late for school. What should I do?

나는 항상 학교에 지각해. 내가 어떻게 해야 할까?

B : You should set an alarm on your smartphone.

너는 휴대폰에 알람을 설정해둬야 해.

● 당부/금지하기

A : Can I eat this pizza?

이 피자를 먹어도 될까요?

B : Sure. Just make sure you wash your hands first.

물론이지. 먼저 손부터 씻으렴.

● 가능성 말하기

A : Is it possible for you to text with your eyes closed?

너는 눈을 감은 채로 문자를 보낼 수 있니?

B : Sure. I can do that.

물론이지. 할 수 있어.

Emma **is wearing** a red coat.

현재진행형은 '~하고 있다, ~하는 중이다'라는 뜻으로, 지금 진행 중인 일을 나타내거나 '~할 것이다'라는 뜻으로 확실히 정해진 가까운 미래의 일을 나타낸다. 긍정문은 「주어+is[are]+동사원형+-ing」의 형태로 쓴다. 단, 소유(have), 지각(see), 감정(love), 인식(know) 동사는 진행형으로 쓰지 않는다.

대부분의 동사	동사원형+-ing	read → reading
-e로 끝나는 동사	e를 빼고+-ing	give → giving
-ie로 끝나는 동사	ie를 y로 고치고+-ing	lie → lying
「단모음+단자음」으로 끝나는 동사	마지막 자음을 한 번 더 쓰고+-ing	swim → swimming

A
배열 영작

01 나는 지금 그의 옆에 앉아 있다. (am / I / now / sitting / next to him)

_____

02 나의 아버지가 정원에서 꽃에 물을 주고 계신다. (is / my father / flowers / watering / in the garden)

_____

03 그녀는 다음 주에 L.A.로 떠날 거야. (is / she / L.A. / leaving for / next week)

_____

B
문장 완성

01 한 여자아이가 열차에서 내리고 있다. (get off, the train)

A girl _____.

02 우리 삼촌은 탁자를 옮기고 계신다. (move, a table)

My uncle _____.

03 우리 언니랑 나는 과일을 좀 사고 있다. (buy, some fruit)

_____.

내신 기출 ▷ 문장 전환

다음 주어진 문장을 현재진행형으로 바꿔 쓰시오.

01 A woman feeds the cats in the street.

→ _____

02 Children look at the pandas in the zoo.

→ _____

03 Mina swims in the pool.

→ _____

감점 피하기!

Q He has a hamburger for lunch.

→ _____

_____

_____

★ 동사 have의 진행형

have가 '먹다'라는 뜻으로 동작을 나타낼 때는 진행형으로 쓸 수 있어요.

What are you talking about now?

현재진행형의 부정문		주어+is[are]+not+동사원형+-ing	
현재진행형의 의문문		의문사가 없는 현재진행형의 의문문	의문사가 있는 현재진행형의 의문문
	질문	Is[Are]+주어+동사원형+-ing ~?	의문사+is[are]+주어+동사원형+-ing ~?
	대답	긍정으로 대답: Yes, 주어+is[are]. 부정으로 대답: No, 주어+is[are] not.	대답은 Yes/No로 하지 않고, 구체적으로 답함

• 부정문과 의문문의 대답에서 be동사와 not을 축약하여 is not은 isn't로, are not은 aren't로 쓸 수 있다.
• 의문사가 주어일 때는 be동사 뒤에 바로 「동사원형+-ing」가 이어진다. **ex** Who **is talking** about it?
                                                                              누가= 주어

A
배열 영작

01 Grace는 머리를 묶고 있지 않다. (Grace / is / tying / her hair / not)

_____

02 관광객들이 그 박물관을 찾고 있나요? (are / the museum / looking for / the tourists)

_____

03 너는 언제 서울로 이사 갈 거니? (are / you / when / Seoul / moving to)

_____

B
문장 완성

01 그는 손을 씻고 있니? (wash)

_____ his hands?

02 너는 어디에서 사진을 찍고 있니? (take pictures)

Where _____ ?

03 우리 언니는 피아노를 연주하고 있지 않다. (play the piano)

_____ .

내신 기출 대화 완성

다음 그림을 보고, 괄호 안에 주어진 말을 활용하여 대화를 완성하시오. (단, B에 쓰인 표현을 사용할 것)

01
A: _____ now? (what, watch)
B: He's watching a soccer game.

02
A: _____ apples? (eat)
B: No, they aren't eating apples.
    They're eating ice cream.

감점 피하기!

Q
A: _____
   you? (who, call)
B: My dad is calling me.

★ 현재진행형 의문문의 주어 확인

현재진행형의 의문문에서 의문사 who가 문장의 주어이므로 is 뒤에 따로 주어를 쓰지 않고 「동사원형+-ing」를 써요.

I was waiting for the bus.

과거진행형은 '~하고 있었다, ~하던 중이었다'라는 뜻으로, 과거의 특정 시점에 진행 중이었던 일을 나타낼 때 쓴다. 긍정문은「주어+was[were]+동사원형+-ing」의 형태로 쓰며, then 또는 at that time처럼 과거를 나타내는 시간 부사(구)나「when+주어+과거동사」와 함께 쓰기도 한다.

A 배열 영작

01 나는 너에게 문자 메시지를 보내고 있었다. (I / text messages / sending / to / was / you)

_____

02 Haley는 그때 영국에 살고 있었다. (living / Haley / then / was / in England)

_____

03 우리는 거리에서 퍼레이드를 보고 있었다. (we / were / the parade / watching / on the street)

_____

B 문장 완성

01 수진이는 친구들과 셀카를 찍는 중이었다. (take, selfies)

Sujin _____ with her friends.

02 네가 나에게 전화했을 때 나는 그녀와 이야기하고 있었다. (talk with)

_____ when you called me.

03 Jane과 Eric은 오늘 아침에 자전거를 타고 있었다. (ride, bikes)

_____ .

내신 기출 조건 영작

다음은 호진이가 어제 친구들과 주고받았던 문자 메시지이다. 밑줄 친 우리말을 괄호 안의 표현을 활용하여 과거진행형 문장으로 완성하시오.

| Me: Who's coming to my house? <u>나는 치킨을 주문하고 있어.</u> (6:00 p.m.) | Yura: I'm coming! <u>나는 버스를 타는 중이야.</u> I'll be there soon. (6:10 p.m.) | Minho: I'm so sorry, but I can't go. <u>나는 남동생이랑 축구를 하고 있어.</u> (7:00 p.m.) |

01 Hojin _____ . (order, chicken)

02 Yura _____ . (get on)

03 Minho and his brother _____ . (play)

감점 피하기!

Q

Me: 나는 유라와 컴퓨터 게임을 하고 있어. Come to my house after soccer. (7:10 p.m.)

Yura and Hojin

_____

_____

(play, a computer game)

He was not looking at you.

과거진행형의 부정문		주어+was[were]+not+동사원형+-ing
과거진행형의 의문문	**의문사가 없는 과거진행형의 의문문**	**의문사가 있는 과거진행형의 의문문**
	질문　Was[Were]+주어+동사원형+-ing ~?	의문사+was[were]+주어+동사원형+-ing ~?
	대답　긍정으로 대답: Yes, 주어+was[were]. 부정으로 대답: No, 주어+was[were] not.	대답은 Yes/No로 하지 않고, 구체적으로 답함

• 부정문과 의문문의 대답에서 be동사와 not을 축약하여 was not은 wasn't로, were not은 weren't로 쓸 수 있다.

A
배열 영작

01 우리는 도서관에서 공부를 하고 있지 않았다. (not / we / were / studying / in the library)

_____

02 그녀는 그때 안경을 끼고 있지 않았다. (she / wearing / not / then / was / her glasses)

_____

03 네 컴퓨터는 그날 잘 작동하고 있었니? (your computer / working / was / well / that day)

_____

B
문장 완성

01 너는 그때 집에 있었니? (stay at home)

_____ then?

02 그는 1시간 전에 숙제를 하고 있지 않았다. (do one's homework)

_____ an hour ago.

03 너는 언제 그들과 만나고 있었니? (meet)

_____ ?

내신 기출　대화 완성

다음 괄호 안에 주어진 말을 활용하여 과거진행형으로 대화를 완성하시오.

01 A: _____ an online class at 9 a.m.? (take)

　　 B: Yes, I was.

02 A: _____ in the pool at 4 p.m.? (swim)

　　 B: No, I wasn't. I _____ then. (sleep)

03 A: John _____ his dog then. (walk)

　　 B: Right. He _____ his dog. (wash)

감점 피하기!

Q
A: Why _____

_____ medicine? (take)

B: They had a bad cold.

★ 과거진행형 의문문에
서의 수 일치

주어가 they이므로 복수형 be
동사 were를 사용해서 과거진
행형 의문문을 만들어야 해요.

I have visited Shanghai before.

현재완료는 과거의 한 시점에 일어난 동작이나 상태가 현재에도 영향을 미칠 때, 「have[has]+p.p.(동사의 과거분사형)」의 형태로 쓴다.
현재완료는 편의상 4가지 용법으로 나뉘는데, 그중에서 '경험' 용법은 현재까지의 경험을 말할 때 쓰며 '(지금까지) ~한 적이 있다/없다'라는 뜻을 나타낸다.

• 경험 용법에서 주로 쓰이는 표현

ever	지금까지	의문문에 주로 쓰임
never	전에(…한 일이 없는), 결코(…하지 않는)	부정문에 주로 쓰임
before	이전에	
once, twice, three [four ...]+times(횟수)	한 번/두 번/세 번/네 번...	

A 배열 영작

01 나는 그녀를 만난 적이 두 번 있다. (her / I / have / twice / met)

_____

02 Julie는 파리에서 달팽이를 먹어본 적이 있다. (Julie / eaten / snails / in Paris / has)

_____

03 내 여동생은 전에 볼링을 치러 간 적이 있다. (my sister / has / before / bowling / gone)

_____

B 문장 완성

01 나는 그 책을 몇 번 읽은 적이 있다. (read)

_____ several times.

02 그는 전에 그 마술 쇼를 본 적이 있다. (see, the magic show)

_____ before.

03 우리는 전에 그 소문을 들어본 적이 있다. (hear, the rumor)

_____ .

내신 기출　도표·그림

다음 친구들의 경험을 적은 표를 보고, 우리말과 일치하도록 문장을 완성하시오.

	Name	Experience
01	Harry	ride a horse
02	Jessica	perform on the stage
Q	Eric	go to a rock concert

01 Harry는 말을 타본 적이 세 번 있다.

_____ three times.

02 Jessica는 몇 번 무대에서 공연한 적이 있다.

_____ several times.

감점 피하기!

Q Eric은 전에 록 콘서트에 간 적이 있다.

_____

before.

★ have[has]+p.p+before
before는 '이전에'라는 뜻으로 현재완료의 경험 용법과 자주 쓰여요.

It has rained since last Tuesday.

현재완료의 '계속' 용법은 과거에 일어난 일이 현재까지 계속되고 있을 때 쓰며, '계속 ~해왔다'라는 뜻을 나타낸다. ago나 yesterday처럼 과거를 나타내는 시간 부사(구)와 같이 쓰지 않는 것에 유의한다.

• 계속 용법에서 주로 쓰이는 표현

for	+기간(a month/five years/a long time …)	~동안
since	+시작 시점(February/2000/last month …)	~부터, ~이후로

A 배열 영작

01 그는 2월부터 하와이에 살았다. (February / he / has / since / lived / in Hawaii)

_____

02 그녀는 Ken을 오랫동안 알고 지냈다. (Ken / she / has / for / known / a long time)

_____

03 나는 한 달 동안 같은 책을 읽었다. (I / read / have / for / the same book / a month)

_____

B 문장 완성

01 그들은 어린 시절부터 가장 친한 친구였다. (best friends)

They _____ since childhood.

02 그는 그 사고 이후로 기억 상실로 고통받고 있다. (suffer from, memory loss)

_____ since the accident.

03 그 상점은 지난달부터 쭉 비어 있다. (store, empty)

_____ .

내신 기출 문장 완성

다음 우리말과 일치하도록 〈보기〉에서 알맞은 표현을 골라 문장을 완성하시오.

보기 ▶ play tennis   take violin lessons   learn German   live in the country

01 나는 5년 동안 바이올린 레슨을 받았다.

I _____ five years.

02 Kate는 3월부터 테니스를 쳤다.

Kate _____ March.

03 그들은 2000년부터 시골에서 살았다.

They _____ 2000.

감점 피하기!

Q 우리는 작년부터 독일어를 배웠다.

We _____

_____ last year.

★ **부사구 확인**

현재완료의 계속 용법에서는 과거의 어느 시점을 나타내는 부사(구) ago, yesterday, in+연도 등을 쓰지 않아요. since last year는 '작년부터'라는 계속의 의미를 나타내요.

The TV show has just started.

현재완료의 '완료' 용법은 과거에 일어난 일이 현재에 완료되었을 때 쓰며,
'막[벌써/이미] ~했다'라는 뜻을 나타낸다. 완료 용법에서 주로 쓰는 부사로는
already, just, yet가 있다.

already	벌써, 이미	주로 have[has]와 p.p. 사이에 씀
just	방금, 막	
yet	부정문: 아직 의문문: 벌써, 이미	주로 문장 끝에 씀

A
배열 영작

01 엄마가 벌써 피자를 주문하셨다. (ordered / pizza / my mom / already / has)

_____

02 그녀는 Danny와 아직 만난 적이 없다. (she / Danny / has / met / yet / not)

_____

03 우리 팀은 그 프로젝트를 방금 끝냈다. (our team / the project / just / has / finished)

_____

B
문장 완성

01 Sienna는 방금 샤워를 했다. (just, take a shower)

Sienna _____.

02 나는 이사를 하기로 벌써 결정했다. (already, decide)

_____ to move.

03 Jake는 내 전화에 이미 답을 했다. (already, return, call)

_____.

내신 기출 ▷ 도표·그림

다음은 Anna가 할 일을 적고, 수행 여부를 표시한 목록이다. 괄호 안에 주어진 말을 활용하여
문장을 완성하시오.

	Things to do	
01	clean my room	○
02	feed my fish	○
Q	write a report	×

01 Anna _____. (already)

02 Anna _____. (just)

⊙ 감점 피하기!

Q Anna _____

_____

_____. (yet)

★ 부사 확인

현재완료 완료 용법의 부정문
에서는 주로 문장 끝에 부사
yet(아직)을 써요.

Luke has gone to Sydney.

현재완료의 '결과' 용법은 과거에 한 일의 결과가 현재까지 영향을 미칠 때 쓰며, '~해 버렸다 (그래서 지금은 ~한 상태이다)'라는 뜻을 나타낸다.

A
배열 영작

01 Daniel은 자신의 차를 세차했다. (Daniel / has / his car / washed)

_____

02 나는 큰 실수를 했다. (have / I / a big mistake / made)

_____

03 폭풍우가 치는 동안 나무 몇 그루가 쓰러졌다. (fallen down / several trees / have / during the storm)

_____

B
문장 완성

01 내 고양이가 내 컵을 깨버렸다. (break, cup)

My cat _____.

02 그들은 뒷마당의 잔디를 베어버렸다. (cut, the grass)

_____ in the backyard.

03 그의 가족은 도시로 이사했다. (move, the city)

_____.

내신 기출 ▶ 조건 영작

다음 우리말과 일치하도록 〈보기〉에서 알맞은 동사를 골라 문장을 완성하시오.

| 보기 | lose | break | leave | go |

01 기차가 그 역을 떠났다. (기차는 지금 이곳에 없다.)

_____

02 나는 버스에서 내 휴대전화를 잃어버렸다. (나는 아직 내 휴대전화를 찾지 못했다.)

_____

03 Ted는 자신의 카메라를 고장 냈다. (그의 카메라는 여전히 작동하지 않는다.)

_____

감점 피하기!

Q Mark는 베이징에 갔다. (그는 지금 이곳에 없다.)

_____

★ have gone to(결과) vs have been to(경험)

'~해 버렸다'라는 뜻은 have gone to로 써요.
have been to는 '~가 본 적이 있다'라는 뜻의 현재완료의 경험 용법에 해당하므로 주의해야 해요.

The airplane has not arrived yet.

현재완료의 부정문은 have[has]와 p.p. 사이에 not이나 never를 넣어 「주어+have[has]+not[never]+p.p.」의 형태로 쓴다. 보통 have[has]와 not은 축약해서 쓴다.

인칭대명사	현재완료의 부정	축약형
I / You	have not	haven't
He / She / It	has not	hasn't
We / You	have not	haven't
They		

A
배열 영작

01 그는 아직 나에게 이메일을 보내지 않았다. (an email / he / to me / sent / hasn't / yet)

_____

02 그들은 3월 이후로 운동하지 않았다. (haven't / they / since March / exercised)

_____

03 나는 전에 꽃을 사본 적이 전혀 없다. (I / before / have / bought / flowers / never)

_____

B
문장 완성

01 나의 부모님은 아직 버스 터미널에 도착하시지 않았다. (arrive)

My parents _____ at the bus terminal yet.

02 Emma와 나는 3년 동안 산에 오르지 않았다. (climb a mountain)

Emma and I _____ for three years.

03 그는 그 사고 이후로 병원에 입원한 적이 없다. (be, in the hospital)

_____ since the accident.

내신 기출 오류 수정

다음 문장에서 어법상 **틀린** 부분을 찾아 바르게 고치시오. (단, 축약형을 사용할 것)

01 I don't have finished my work yet.

_____ → _____

02 My uncle didn't live in Toronto since last year.

_____ → _____

03 Yuri and I never eat blue cheese before.

_____ → _____

⊙ 감점 피하기!

Q They haven't gone to the movies last night.

_____ →

_____

★ 부사 확인

과거를 나타내는 부사구 last night은 현재완료 시제와 같이 쓸 수 없어요.

Have you met Liz before?

현재완료의 의문문은 「Have[Has]+주어+p.p. ~?」의 형태로 쓴다. 긍정으로 대답할 때는 「Yes, 주어+have[has].」로, 부정으로 대답할 때는 「No, 주어+haven't[hasn't].」로 쓴다. 단, 의문사가 있으면 「의문사+have[has]+주어+p.p. ~?」의 형태로 쓰며, 이때 Yes나 No로 대답하지 않고 구체적으로 답한다.

A 배열 영작

01 너는 새로 오신 선생님을 본 적이 있니? (you / seen / have / the new teacher)

_____

02 비가 벌써 그쳤나요? (stopped / yet / raining / has / it)

_____

03 그는 이 가게에서 티라미수를 먹어본 적 있니? (has / Tiramisu / tried / he / in this shop)

_____

B 문장 완성

01 그들이 여기서 10개월 동안 살았나요? (live)

_____ for ten months?

02 그녀의 여동생은 이미 저녁을 먹었니? (have)

_____ yet?

03 너는 수화를 배워본 적이 있니? (learn, sign language)

_____ ?

내신 기출 조건 영작

다음 우리말과 일치하도록 B의 대답을 활용하여 현재완료 의문문으로 대화를 완성하시오.

01 A: _____ (그는 자신의 고양이들을 찾았니?)

B: Yes, he has just found them.

02 A: _____ (너는 그 웹사이트를 확인해봤니?)

B: No, I haven't checked it out yet.

03 A: _____ (그는 여기서 얼마나 오래 일했니?)

B: He has worked here for 2 years.

감점 피하기!

Q
A: _____
(너는 어떻게 지냈니?)
B: Good, but I have been a little busy.

★ 의문사 확인

의문사가 있는 의문문은 Yes나 No로 답하지 않고 구체적으로 답해요.

내신 서술형 잡기 ▷ Unit 01 01~10

Step 1 기본 다지기

[1~7] 우리말과 일치하도록 괄호 안에 주어진 말을 바르게 배열하시오.

01 나는 지금 비행기에 탑승하고 있다.
(I / getting on / am / now / the plane)

→ _____

02 Tom은 지금 아빠와 테니스를 치고 있니?
(Tom / is / tennis / playing / with his dad)

→ _____
_____

03 나는 내 책상을 치우고 있었다.
(my desk / was / I / cleaning)

→ _____

04 그녀는 작년에 병원에서 일하고 있지 않았다.
(she / not / working / was / at a hospital / last year)

→ _____
_____

05 그는 벌써 그 집에 도착했다.
(he / arrived / has / already / at the house)

→ _____

06 나는 몇 년 동안 무지개를 본 적이 없다.
(a rainbow / I / have / seen / not / in years)

→ _____

07 너는 Jin에 대해 들어본 적이 있니?
(Jin / you / have / ever / heard / of)

→ _____

[8~15] 우리말과 일치하도록 문장을 완성하시오.

08 Maggie는 자신의 안경을 찾고 있다.
→ Maggie _____ _____ _____
her glasses.

09 내 고양이는 침대에서 자고 있지 않다.
→ My cat _____ _____ _____
on the bed.

10 우리 엄마는 잡지를 읽고 계셨다.
→ My mom _____ _____ a magazine.

11 너는 어젯밤에 노래하고 있었니?
→ _____ _____ _____ last
night?

12 나는 결코 바이올린 수업에 늦은 적이 없다.
→ I _____ _____ _____
_____ for a violin class.

13 그는 2015년 이후로 뉴욕에 살았다.
→ He _____ _____ in New York since
2015.

14 학교 도서관이 방금 문을 열었다.
→ The school library _____ _____
_____.

15 Gary는 지난달 이후로 부산에 머무르고 있니?
→ _____ _____ _____ in Busan
_____ last month?

[16~25] 우리말을 영어로 옮긴 문장에서 어법이나 의미가 <u>틀린</u> 부분을 찾아 바르게 고치시오.

16 (Julie는 자기 친구에게 편지를 쓰고 있다.)

Julie is writting a letter to her friend.

_____ → _____

17 (너는 내 사전을 가지고 있니?)

Are you having my dictionary?

_____ → _____

18 (우리 아버지는 내 자전거를 고치고 계셨다.)

My father were fixing my bike.

_____ → _____

19 (날씨가 추워지고 있지 않다.)

It was getting not cold.

_____ → _____

20 (나는 해산물을 먹으려고 여러 번 시도해 봤다.)

I tried to eat seafood several times.

_____ → _____

21 (그는 이미 목욕을 끝냈다.)

He already has finished taking a bath.

_____ → _____

22 (Jenny는 1년 동안 중국어를 배웠다.)

Jenny has learned Chinese since a year.

_____ → _____

23 (나는 어제 밖에 나가지 않았다. 하루 종일 비가 왔었다.)

I haven't went outside yesterday. It was rainy all day.

_____ → _____

24 (우리는 아직 뒷마당에 꽃을 심지 않았다.)

We haven't planted flowers in the backyard already.

_____ → _____

25 (너는 오토바이를 타본 적이 있니?)

Have you never ridden a motorcycle?

_____ → _____

Step 2 응용하기

[26~33] 우리말과 일치하도록 괄호 안에 주어진 말을 활용하여 문장을 완성하시오.

26 Sera는 공원에서 그림을 그리고 있니? (draw a picture)

→ _____ in the park?

27 그가 캠프장에서 불을 피우고 있었나요? (make a fire)

→ _____ at the campsite?

28 우리 형은 지난 월요일 이후로 체육관에 가지 않았다.
(go to the gym)

→ My brother _____
since last Monday.

29 그들은 이 집으로 막 이사했다. (move into)

→ They _____ this house.

30 그는 그때 쓰레기를 내다 버리고 있었다. (take out the trash)

→ He _____ at that time.

31 내 남동생이 집에 왔을 때, 나는 소파에 누워 있었다. (lie, the sofa)

→ When my brother got home, _____

_____ .

32 너는 전에 고양이를 길러본 적이 있니? (have a cat)

→ _____ before?

33 그는 자신의 할머니를 찾아뵌 적이 있다. (visit, grandmother)

→ He _____ .

[34~41] 다음 문장을 괄호 안의 지시대로 바꿔 쓰시오.

34 They watch an action movie. [과거진행형으로]

→ _____

35 Eric runs to the bank. [현재진행형 부정문으로]

→ _____

36 Have you finished your homework? [주어를 she로]

→ _____

37 My father waters the plants. [현재진행형으로]

→ _____

38 My dog has eaten anything since yesterday.
[현재완료 부정문으로]

→ _____

_____

39 Kate takes a bath alone. [과거진행형 의문문으로]

→ _____

40 I met several famous actors. [현재완료형으로]

→ _____

41 He has washed the dishes. [현재완료 의문문으로]

→ _____

[42~45] 다음 괄호 안에 주어진 말을 활용하여 대화를 완성하시오.

42

A: What are you doing now?

B: _____ _____ _____ my
math homework. (do)

A: How about your sister?

B: _____ _____ _____ comic
books. (read)

43

A: You speak Spanish very well.

B: I _____ _____ it for two years.
(learn)

A: _____ _____ _____
_____ to Spain? (be)

B: Yes. I've been there once.

44

A: _____ _____ Jiho _____
with? (talk)

B: He was talking with Mr. Hong.

A: _____ Mr. Hong _____ science?
(teach)

B: No, he is teaching math.

45

A: Is Rob still sleeping?

B: No. He _____ _____ _____
breakfast. (have, already)

A: _____ _____ _____ his
homework? (finish)

B: Not yet. He is doing it now.

46 다음 표를 보고, 엄마와 유미의 대화를 완성하시오.

Name	Things they are doing
Jimin	소파 위에서 책 읽는 중
Minho	컴퓨터 게임 하는 중
Sojin	음악 듣는 중

Q Mom: What are your friends doing now?

A Yumi:

(1) Jimin _____ on the sofa.

(2) Minho _____ .

(3) Sojin _____ .

47 다음 문장이 자연스럽게 이어지도록 〈보기〉에서 알맞은 것을 골라 빈칸을 완성하시오. (단, 현재완료형으로 쓸 것)

〈보기〉
· I didn't clean my room.
· Chris didn't have anything all day.
· Somebody took my sneakers.

(1) _____ .

He's very hungry.

(2) _____ .

I can't find them.

(3) _____ .

It's very messy.

48 다음 밑줄 친 ⓐ~ⓔ에서 어법상 틀린 것을 찾아 기호를 쓰고, 바르게 고치시오.

My friend, Clara ⓐ has stayed in Seoul ⓑ for last month. She ⓒ has visited N Seoul Tower. She ⓓ has tried many kinds of Korean food. She ⓔ is leaving for Beijing tomorrow.

(   ) → _____

49 다음 Peter의 어제 일과표를 보고, 과거진행형을 활용하여 문장을 완성하시오.

Time	Things to do
9:00 ~ 11:00 a.m.	swim in the pool
12:00 ~ 1:00 p.m.	have lunch with Tony
1:00 ~ 3:00 p.m.	study Chinese
3:00 ~ 5:00 p.m.	play the violin
5:00 ~ 7:00 p.m.	write a report

(1) Peter _____

from noon for an hour.

(2) He _____ between 3 and 5.

(3) He _____ from 5 to 7.

50 다음 그림을 보고, 주어진 표현을 활용하여 대화를 완성하시오.

Egypt   China

David: (1) _____ ?

(be, Egypt)

Minju: No, I haven't. How about you?

David: (2) _____

_____ . I saw the pyramids.

(there, with my family)

Minju: I've seen them in pictures.

David: Have you visited other countries?

Minju: Yes, I have. (3) _____

_____ . I saw

the Great Wall there. (visit, with my sister)

The little dogs look happy.

look, sound, feel, taste, smell 등은 감각을 나타내는 동사로, 뒤에 형용사가 온다. 이때 형용사는 주어의 상태를 설명하는 주격 보어이며, 우리말로는 부사처럼(~하게) 해석된다. 단, 감각동사 뒤에 명사(구)가 오면, '~처럼, ~같이'라는 뜻의 전치사 like가 반드시 필요하다.

look, sound, feel, taste, smell	+형용사	~하게 보이다[들리다, 느껴지다, 맛이 나다, 냄새가 나다]
	+like+명사(구)	~처럼 보이다[들리다, 느껴지다, 맛이 나다, 냄새가 나다]

A 배열 영작

01 네 목소리는 언제나 달콤하게 들려. (sounds / your voice / sweet / always)

_____

02 그 호텔은 성처럼 보인다. (a castle / the hotel / like / looks)

_____

03 그 식당의 스테이크는 맛이 끔찍했다. (the steak / tasted / at the restaurant / terrible)

_____

B 문장 완성

01 이 가죽 지갑은 매끄럽게 느껴진다. (smooth)

This leather wallet _____.

02 이 김치는 매운 맛이 난다. (spicy)

This kimchi _____.

03 그 빵은 허브 같은 냄새가 난다. (herbs)

_____.

내신 기출 ▶ 오류 수정

다음 문장에서 어법상 틀린 부분을 찾아 바르게 고치시오.

01 This chocolate cake tastes like great.

_____ → _____

02 Her voice sounds so sadness.

_____ → _____

03 The library building looks a row of books.

_____ → _____

🎯 감점 피하기!

Q She looks beautifully.

_____ →

_____

★ 감각동사+형용사

우리말로 '아름답게'라고 해석된다고 부사형을 쓰면 안 돼요. 감각동사 뒤에는 형용사를 써야 해요.

Daniel sent a message to me.

give, send, tell, buy, make, ask 등은 목적어를 두 개(간접목적어, 직접목적어) 가지는 동사인데, 전치사 to, for, of를 써서 두 목적어의 순서를 바꿀 수 있다. '~에게 …을 해 주다'라는 의미를 나타낸다는 점에서 수여동사라고 불리기도 한다. 수여동사는 동사에 따라 함께 쓰이는 전치사가 다르므로 유의한다.

to를 쓰는 동사	give, send, tell, lend, show, write, pass 등
for를 쓰는 동사	buy, make, cook, find, get 등
of를 쓰는 동사	ask, inquire 등

A 배열 영작

01 나는 할머니를 위해 밀크티를 만들어 드렸다. (I / my grandmother / made / for / milk tea)

_____

02 부탁 하나 드려도 될까요? (I / may / ask / you / of / a favor)

_____

03 삼촌이 나에게 자전거를 보내주셨다. (my uncle / me / sent / to / a bike)

_____

B 문장 완성

[전치사를 사용할 것]

01 제 강아지를 찾아주시겠어요? (find, dog)

Will you _____ me?

02 나는 엄마께 가끔 편지를 써드린다. (write, letters)

I sometimes _____ my mom.

03 그녀는 우리에게 해산물 스파게티를 요리해주었다. (cook, seafood spaghetti)

_____ .

내신 기출 문장 전환

다음 문장을 to, for, of 중 알맞은 전치사를 사용하여 바꿔 쓰시오.

01 He lent me his umbrella.

→ _____

02 I got my friends some gifts.

→ _____

03 My brother often asks me a favor.

→ _____

감점 피하기!

Q I bought her some roses.

→ _____

_____

★ 목적어가 깨인 문장

목적어가 깨인 문장으로 바꿀 때 간접목적어 앞에 동사의 종류에 따라 전치사 to, for, of 중 알맞은 전치사를 써야 해요.

My dad calls me "Sunshine."

「주어+동사+목적어+목적격 보어」 구문에서 목적어를 설명하는 목적격 보어 자리에는 명사, 형용사, to부정사 등이 올 수 있는데, 여기서는 명사가 오는 경우를 다룬다. 목적격 보어로 명사가 오면 '목적어=목적격 보어'의 관계가 된다. 목적격 보어로 명사를 쓰는 대표적인 동사로는 call, name, make, elect, keep, find, think 등이 있다.

call, name, make, elect, keep, find, think	+목적어	+목적격 보어 (명사)	목적어를 ~로 부르다[이름을 짓다, 만들다, 선출하다, 유지하다, 알다, 생각하다]

A
배열 영작

01 우리는 그 소방관을 영웅이라고 생각한다. (we / a hero / think / the firefighter)

_____

02 사람들은 바흐를 '음악의 아버지'라고 부른다. (people / Bach / the "Father of Music" / call)

_____

03 미나와 나는 그것을 비밀로 했다. (Mina and I / a secret / kept / it)

_____

B
문장 완성

01 그 영화가 그녀를 슈퍼스타로 만들었다. (make, a superstar)

The movie _____ .

02 너는 그것이 문제라는 것을 알았니? (find, a problem)

Did you _____ ?

03 나는 그 개에게 'Bolt'라고 이름을 지어주었다. (name)

_____ .

내신 기출 ▶ 문장 완성

다음 〈보기〉에서 알맞은 표현을 골라 문장을 완성하시오.

| 보기 | the mayor | a cook | a ballerina | Little Messi |

01 Ann knew a lot of recipes, so I thought _____

_____ .

02 He plays soccer very well, so we call _____

_____ .

03 Mr. Davis was a hard worker, so people elected _____

_____ .

감점 피하기!

Q My daughter was good at dancing, so I made _____

_____

_____ .

★ **목적어와 목적격 보어 (명사) 구분**

동사 뒤에 (대)명사와 명사가 연달아 나오지만, 앞의 (대)명사가 목적어이고, 뒤의 명사는 목적어를 보충하는 말이에요.

Rainy days make me sad.

「주어+동사+목적어+목적격 보어」 구문에서 목적격 보어로 형용사가 올 경우 목적어의 성질이나 상태를 설명한다. 이 구문의 대표적인 동사로는 make, keep, leave, find, consider, think 등이 있다.

make, keep, leave	+목적어	+목적격 보어 (형용사)	목적어를 ~하게 만들다[유지하다, 두다]
find			목적어가 ~하다는 것을 알게 되다
consider, think			목적어가 ~하다고 여기다[생각하다]

A 배열 영작

01 나의 고양이가 소파를 더럽게 만들었다. (the sofa / my cat / dirty / made)

_____

02 Katie는 그가 매우 정직하다는 것을 알게 되었다. (Katie / him / found / honest / very)

_____

03 몇 개의 양초들이 내 방을 밝게 유지했다. (my room / some candles / kept / bright)

_____

B 문장 완성

01 우리 할머니는 그 창문을 항상 열어 두신다. (leave, open)

My grandmother always _____ .

02 나는 그 장난감이 아이들에게 안전하다고 생각한다. (consider, safe)

I _____ for children.

03 그들은 그 수학 시험이 어렵다는 것을 알게 되었다. (find, the math exam, difficult)

_____ .

내신 기출 ▶ 대화 완성

다음 그림을 보고, 괄호 안에 주어진 표현을 활용하여 대화를 완성하시오.

01 A: What is this penguin doing?

B: It is _____ .
(keep, the egg, warm)

02 A: What was in the box?

B: I _____ .
(find, empty)

감점 피하기!

Q
A: How was the story about a monster?
B: I _____
_____ .
(think, strange)

★ 동사+목적어+목적격 보어(형용사)

목적격 보어로 형용사가 아닌 부사를 쓰지 않도록 주의해야 해요.

I want you to stay here.

「주어+동사+목적어+목적격 보어」 구문에서 목적격 보어로 to부정사가 오는 경우이다. 이 구문의 대표적인 동사로는 want, expect, tell, ask, advise, order 등이 있다. 이때 목적어는 to부정사의 동작이나 상태를 표현하는 주체가 된다.

want, expect			목적어가 ~하기를 원하다[기대하다]
tell, ask	+목적어	+목적격 보어 (to부정사)	목적어가 ~하라고 말하다[요청하다]
advise, order			목적어가 ~하라고 충고하다[명령하다]

A
배열 영작

01 그녀에게 너의 여동생을 돌봐 달라고 부탁해봐. (ask / to / her / your sister / take care of)

_____

02 부모는 자신의 아이들이 건강하기를 바란다. (parents / want / to / their children / be / healthy)

_____

03 선생님은 Fred에게 불을 끄라고 말했다. (Fred / told / turn off / the teacher / to / the light)

_____

B
문장 완성

01 나는 Tom에게 농구공을 가져오라고 말했다. (tell, bring)

I _____.

02 Anna는 내가 자신의 동아리에 가입하기를 기대했다. (expect, join, club)

Anna _____.

03 그녀는 Mike가 일찍 집에 오길 원한다. (want, come home)

_____.

내신 기출 ❭ 문장 완성

다음 엄마의 말을 읽고, 내용을 전달하는 문장을 완성하시오.

01 Mom: Will you wash the dishes, Yumi?

02 Mom: Please clean the living room, Yujin.

03 Mom: Yubin, you should take some medicine.

01 Mom wants _____.

02 Mom tells _____.

03 Mom advises _____.

🎯 **감점 피하기!**

Q Mom: Can you help me, Yura?

Mom asks _____

_____

★ ask+목적어+목적격 보어(to부정사)

동사 ask는 목적격 보어로 to부정사를 써요. 이때, 목적어는 to부정사의 동작을 하는 주체예요.

I saw him enter the library.

지각동사는 감각 기관을 이용해 대상을 인식하는 동사로 see, watch, look (at), hear, listen (to), feel 등이 이에 해당한다.
「주어+지각동사+목적어+목적격 보어」 구문에서 목적격 보어로 동사원형을 쓰지만, 동작의 진행 상태를 강조할 때는 현재분사(-ing)를
쓰기도 한다.

see, watch, look (at)			목적어가 ~하는 것을 보다
hear, listen (to)	+목적어	+목적격 보어	목적어가 ~하는 것을 듣다
feel		(동사원형/현재분사)	목적어가 ~하는 것을 느끼다

A
배열 영작

01 그는 밖에서 개가 짖는 소리를 들었다. (a dog / he / bark / heard / outside)

_____

02 나는 네가 공을 가지고 노는 것을 보았다. (I / you / play / saw / with a ball)

_____

03 Taylor는 그녀가 밤에 노래하는 것을 들었다. (Taylor / her / sing / listened to / at night)

_____

B
문장 완성

01 그녀는 길에서 어린 소녀가 울고 있는 것을 보았다. (see, a little girl, cry)

She _____ on the street.

02 사람들은 그가 그림 그리는 것을 지켜보고 있다. (watch, paint)

People are _____.

03 Mike는 기차가 출발하는 소리를 들었다. (hear, the train, leave)

_____.

내신 기출 ▷ 문장 전환

다음 두 문장을 같은 뜻의 한 문장으로 바꿔 쓰시오.

01 I looked at him. + He was watering the plants.

→ _____

02 I heard her. + She was playing the guitar.

→ _____

03 I felt her. + She was touching my shoulder.

→ _____

약점 피하기!

Q I saw a horse. + It was running on the grass.

→ _____

_____

★ 지각동사+목적어+목적격 보어(동사원형/현재분사)

지각동사 see는 목적격 보어로 to부정사를 쓸 수 없어요. 동사원형 또는 동작의 진행 상태를 강조할 때 -ing로 써요.

Let me introduce myself.

사역동사는 상대에게 어떤 행위를 시키는 동사로 make(강요), have(지시), let(허가) 등의 동사가 이에 해당한다.
「주어+사역동사+목적어+목적격 보어」 구문에서 목적격 보어는 반드시 동사원형을 써야 한다.

make			목적어가 ~하게 하다[강제로 시키다]
have	+ 목적어	+목적격 보어	목적어가 ~하게 하다[요청하여 시키다]
let		(동사원형)	목적어가 ~하게 하다[허용하다]

A 배열 영작

01 제가 가장 좋아하는 만화를 보게 해주세요. (watch / me / let / my favorite cartoon)

_____

02 그 표지판은 우리가 직진하도록 했다. (go straight / the sign / us / had)

_____

03 너무 많은 일은 그가 피곤함을 느끼게 했다. (too much work / him / feel / made / tired)

_____

B 문장 완성

01 나의 부모님은 내가 내 친구와 놀게 해주셨다. (let, play)

My parents _____ with my friend.

02 그녀가 저에게 전화하게 해주세요. (make, call)

Please _____.

03 Joe는 자신의 남동생에게 노트북을 가져오게 했다. (have, bring, a laptop)

_____.

내신 기출 ▷ 오류 수정

다음 문장에서 어법상 <u>틀린</u> 부분을 찾아 바르게 고쳐 쓰시오.

01 He made a robot delivered food.

_____ → _____

02 Mom had me finishes my homework.

_____ → _____

03 I let my children to go out and play.

_____ → _____

감점 피하기!

Q This movie makes me felt sad.

_____ →

_____

★ 사역동사+목적어+목적격 보어(동사원형)

make가 사역동사로 쓰이면 목적격 보어로 명사, 형용사가 아닌 동사원형을 써요.

Tom helped me (to) do the dishes.

「주어+help+목적어+목적격 보어」 구문에서는 목적격 보어로 동사원형과 to부정사 둘 다 쓸 수 있다.
구어체에서는 동사원형으로 주로 쓰지만, 둘의 의미상의 차이는 없다.

help	+ 목적어	+ 목적격 보어 (동사원형/to부정사)	목적어가 ~하는 것을 돕다

A 배열 영작

01 네가 수영 배우는 것을 내가 도와줄게. (help / swim / I'll / to / learn / you / to)

_____

02 그들은 내가 소파를 옮기는 것을 도와주었다. (they / me / move / helped / to / the sofa)

_____

03 요가는 몸이 유연해지는 것을 도와준다. (yoga / the body / become / helps / flexible)

_____

B 문장 완성

01 그 경찰관은 내가 아들을 찾는 것을 도와주었다. (find)

The policeman _____.

02 내가 식탁을 차리는 것을 도와줄래? (set the table)

Can you _____?

03 나는 내 형이 보고서 쓰는 것을 도와주었다. (write one's report)

_____.

내신 기출 ▷ 조건 영작

다음 우리말과 일치하도록 〈보기〉에서 알맞은 표현을 골라 빈칸을 완성하시오.

| 보기 | cook dinner | feel better | wash his car | pick up trash |

01 나는 우리 엄마가 저녁을 요리하시는 것을 도와드린다.

I help _____.

02 Peter는 어제 자신의 아빠가 세차하는 것을 도와드렸다.

Peter helped _____ yesterday.

03 음악은 네가 기분이 좋아지도록 도와줄 수 있다.

Music can help _____

감점 피하기!

Q 나는 Emma가 쓰레기 줍는 것을 도와주었다.

I helped _____

_____

_____.

★ help+목적어+목적격 보어(동사원형)

help는 목적격 보어로 동사원형 또는 to부정사를 둘 다 쓸 수 있어요.

[1~7] 우리말과 일치하도록 괄호 안에 주어진 말을 바르게 배열하시오.

01 그 케이크는 토끼 얼굴처럼 보인다.
(a rabbit's face / looks / the cake / like)

→ _____

02 나의 누나는 나에게 재미있는 농담을 한다.
(my sister / me / tells / funny / to / jokes)

→ _____

03 그는 그 시험이 매우 어렵다는 것을 알았다.
(he / the test / very / difficult / found)

→ _____

04 그는 나에게 수업에 집중하라고 말했다.
(he / me / to / pay attention to / told / the class)

→ _____

_____

05 나는 그 소년이 바다로 뛰어가는 것을 보았다.
(I / the boy / run / saw / to / the sea)

→ _____

06 엄마는 내가 손을 다시 씻게 했다.
(Mom / wash / made / my hands / me / again)

→ _____

07 John은 내가 교실 청소하는 것을 도와준다.
(helps / clean / me / to / John / the classroom)

→ _____

[8~14] 우리말과 일치하도록 문장을 완성하시오.

08 그녀의 얼굴은 아기 같아 보인다.

→ Her face _____ _____ a baby.

09 그에게 주스 좀 주시겠어요?

→ Can you give some _____ _____

_____?

10 많은 정보가 우리를 피곤하게 만든다.

→ Lots of information _____ _____

_____.

11 많은 사람들이 그 팀이 이기기를 기대한다.

→ Many people _____ the team _____

_____.

12 나는 그들이 축구하는 것을 지켜보았다.

→ I _____ _____ _____ soccer.

13 그 선생님은 우리에게 에세이를 쓰게 했다.

→ The teacher _____ _____

_____ an essay.

14 GPS는 사람들이 그들의 위치를 알아내도록 도와준다.

→ GPS _____ _____ _____ their

location.

15
(그녀는 아픈 사람처럼 보였다.)

She looked a sick person.

_____ → _____

16
(Joseph은 자신의 말에게 당근을 좀 주었다.)

Joseph gave some carrots for his horse.

_____ → _____

17
(우리는 그런 빵을 스콘이라고 부른다.)

We call scones such bread.

_____ → _____

18
(너는 네 방을 따뜻하게 유지하니?)

Do you keep your room warmly?

_____ → _____

19
(그녀가 내게 자기를 도와 달라고 부탁했다.)

She asked me help her.

_____ → _____

20
(나는 엄마가 나를 부르시는 것을 들었다.)

I heard my mom to call me.

_____ → _____

21
(그 운동은 그가 살을 빼도록 도와주었다.)

The exercise helped him losing weight.

_____ → _____

Step 2 응용하기

[22~27] 우리말과 일치하도록 괄호 안에 주어진 말을 활용하여 문장을 완성하시오.

22 그 그림이 Picasso를 유명하게 만들었다. (make, famous)

→ The painting _____.

23 Fred는 내게 자전거를 빌려 달라고 부탁했다. (ask, lend)

→ Fred _____ him my bike.

24 그녀는 자기 아이들에게 고기를 요리해주었다. (cook, meat)

→ She _____ her children.

25 내 목소리가 이상하게 들리니? (sound, strange)

→ Does _____?

26 나는 누군가 나를 만지는 것을 느꼈다. (feel, touch)

→ I _____
me.

27 엄마는 내가 할머니를 돌보게 했다. (have, take)

→ Mom _____ care of my grandmother.

[28~33] 다음 밑줄 친 부분을 괄호 안의 말로 바꿔 전체 문장을 다시 쓰시오.

28 My dad <u>bought</u> new sneakers for me. (sent)

→ _____

29 She <u>wanted</u> her students to be quiet. (made)

→ _____

30 The food smells <u>bad</u>. (fish)

→ _____

31 My uncle <u>had</u> a baby cry. (heard)

→ _____

32 He <u>made</u> me make a plan. (wanted)

→ _____

33 A good sleep <u>helps</u> you to feel better. (makes)

→ _____

[34~37] 다음 괄호 안에 주어진 말을 활용하여 대화를 완성하시오.

34
A: What did he do this morning?

B: I saw _____ _____ in the pool.

He's a good swimmer. (swim)

35
A: You _____ tired. What's wrong? (look)

B: I had a lot of work today. I'm so tired.

A: I advise you _____ _____ a warm

bath. (take)

36
A: Can you help me?

B: Sure. What is it?

A: Dad asked _____ _____ _____

this box upstairs. (move)

B: OK. I will _____ _____ _____

move it. (help)

37
A: What is his nickname?

B: My family _____ _____ "Cookie

Monster." (call)

A: Does he _____ _____ a cookie?

(look)

B: No, but he loves cookies.

38 보미가 친구들에게 받은 선물을 보고, 괄호 안에 주어진 말을 활용하여 다음 문장을 완성하시오.

from Jenny   from Jisu

(1) Jenny _____

Bomi. (give, flowers)

(2) Jisu _____

Bomi. (buy, a wallet)

39 다음 표를 보고, 괄호 안에 주어진 말을 활용하여 Chris가 친구들에게 어제 부탁한 일을 나타내는 문장을 완성하시오.

	Name	Things I asked for
(1)	Linda	buy some milk
(2)	Brian	feed my dogs
(3)	Susan	play my new piano

(1) Chris _____. (have)

(2) Chris _____. (make)

(3) Chris _____. (let)

40 다음 우리말과 일치하도록 주어진 〈조건〉에 맞게 문장을 완성하시오.

〈조건〉

1. hear, sing을 사용할 것

2. 동작의 진행을 강조하여 쓸 것

3. 모두 4단어로 쓸 것

(나는 숲에서 새들이 지저귀는 것을 들었다.)

_____ in the forest.

41 다음 밑줄 친 ⓐ~ⓔ에서 어법상 **틀린** 것을 찾아 기호를 쓰고, 바르게 고치시오.

> I ⓐ made some cookies. They ⓑ look trees. They smell very ⓒ good and ⓓ taste like peanut butter. I feel so ⓔ happy.

(   ) → _____

42 다음 대화를 읽고, 괄호 안에 주어진 말을 활용하여 문장을 완성하시오. (단, 과거시제로 쓸 것)

> Liz: I want to use the Wi-Fi. Can you help me?
> Rob: Sure. Enter your student ID number and click the Yes button.

(1) Liz _____ to use the Wi-Fi. (ask)

(2) Rob _____ her student ID number and _____ the Yes button. (tell)

To love **is to understand.**

to부정사의 명사적 용법은 to부정사가 '~하는 것, ~하기'라는 뜻으로 쓰여 명사처럼 문장에서 주어, 목적어, 보어 역할을 하는 것이다.
여기서는 to부정사가 주어와 보어로 쓰인 경우를 주로 다룬다.

주어 역할	문장의 첫머리에서 주어로 쓰인 경우는 흔하지 않으며, 단수 취급함	
목적어 역할	want, wish, hope, need, decide, plan, expect 등의 목적어로 씀	~하는 것, ~하기
보어 역할	주어나 목적어를 보충 설명함	

A
배열 영작

01 내 목표는 의사가 되는 것이다. (become / my goal / to / is / a doctor)

_____

02 Jenny는 새 가방을 사기를 원한다. (Jenny / buy / wants / a new bag / to)

_____

03 오토바이를 타는 것은 위험하다. (dangerous / ride / is / to / a motorcycle)

_____

B
문장 완성

01 오래된 동전을 수집하는 것이 그의 취미이다. (collect, coins)

_____ is his hobby.

02 나는 그 영화를 다시 보기로 결정했다. (decide, watch)

I _____ the movie again.

03 우리 삼촌의 직업은 집을 짓는 것이다. (job, build houses)

_____ .

내신 기출 ◀ 문장 완성

다음 괄호 안에 주어진 표현을 활용하여 문장을 완성하시오.

01 I'm getting fat. _____ is my goal. (lose weight)

02 Nami's hobby is _____ . (play soccer)

03 _____ isn't easy. I have to take good care
of it. (keep a pet)

04 They planned _____ tonight. (go to a movie)

감점 피하기!

Q You only eat meat.

_____

good for your health.
(eat vegetables)

★ **to부정사 주어의 단수
취급**

주어로 쓰인 to부정사는 단수
취급해요. 바로 앞에 명사가 복
수형이라고 복수 동사를 쓰지
않도록 주의해야 해요.

I have something to tell you.

to부정사의 형용사적 용법은 to부정사가 '~할, ~하는'이라는 뜻으로 쓰여 형용사처럼 명사나 대명사를 꾸미는 역할을 하는 것이다. 이때 to부정사는 명사나 대명사 뒤에 오는데, 만약 to부정사가 꾸미는 명사가 전치사의 목적어일 때는 「명사+to부정사+전치사」의 순서로 쓰며 전치사를 빠뜨리지 않도록 유의한다. **ex** I don't have *a pen* **to write**. (×) → I don't have *a pen* **to write with**. (○)

A
배열 영작

01 그는 신을 운동화를 찾지 못했다. (sneakers / he / to / find / didn't / wear)

_____

02 나는 먹을 것이 필요해. (something / need / eat / I / to)

_____

03 여기에 건강을 유지하는 몇 가지 요령이 있다. (some tips / here are / healthy / to / stay)

_____

B
문장 완성

01 Tom은 친구를 웃게 만드는 능력이 있다. (ability, make)

Tom has the _____ his friends laugh.

02 나에게 쓸 종이 한 장을 빌려줄래? (a sheet of, write)

Can you lend me _____ ?

03 이 도서관에는 읽을 책들이 많다. (read, in this library)

_____ .

내신 기출 ▷ 오류 수정

다음 문장에서 어법상 틀린 부분을 찾아 바르게 고치시오.

01 I have an idea saving money.

_____ → _____

02 Nick is a good person to talking with.

_____ → _____

03 Do you have any plans meet her?

_____ → _____

⊙ 감점 피하기!

Q I need a chair to sit.

_____ →

_____

★ 명사+to부정사+전치사

명사를 수식하는 to부정사에 전치사가 있어야 완전한 의미가 되는 경우, 「명사+to부정사+전치사」의 순서로 써야 해요.

It's good to see you again.

to부정사의 부사적 용법은 to부정사가 부사처럼 동사, 형용사, 부사 또는 문장 전체를 꾸미는 역할을 하는 것이다. 주로 아래의 4가지 용법으로 쓰인다.

목적	~하기 위해서	to 대신 in order to를 쓸 수 있음 (목적의 의미 강조)
감정의 원인	~해서, ~하게 되어	to부정사 앞에 감정을 나타내는 형용사(glad, happy, sad, sorry, good 등)가 옴
판단의 근거	~하다니	must나 can't be와 같은 조동사와 함께 쓰임
결과	(…해서) ~하다	-

A
배열 영작

01 그녀는 그를 보게 되어 행복했다. (see / she / happy / to / him / was)

_____

02 나는 내 꿈을 이루기 위해 열심히 공부했다. (I / make / hard / to / studied / my dream / come true)

_____

03 우리는 그 사고 소식을 듣고 슬펐다. (we / to / hear / were / sad / about the accident)

_____

B
문장 완성

01 그는 돈을 벌기 위해 서점에서 일했다. (earn)

He worked in the bookstore _____.

02 그 아이는 산타클로스를 보게 되어 기뻤다. (delighted, see)

The kid _____ Santa Claus.

03 우리는 너와 함께라서 기뻐. (glad, be)

_____.

내신 기출 ▶ 문장 전환

다음 두 문장을 to부정사를 활용하여 한 문장으로 바꿔 쓰시오.

01 Ann was happy. + She got a good grade.

→ _____

02 I'm going to the library. + I want to return books.

→ _____

03 They were sorry. + They were late for the ceremony.

→ _____

🎯 감점 피하기!

Q He grew up + He is a famous movie director.

→ _____

_____

_____

★ to부정사 부사적 용법의 의미 확인

그가 자라서 결과적으로 유명한 감독이 된 것이므로, 결과를 나타내는 부사적 용법의 to부정사에 해당해요.

Steve decided not to move to Sydeny.

to부정사의 부정은 「not+to+동사원형」의 형태로 쓴다.

명사적 용법		~하지 않기로, ~하지 말라고
부사적 용법	목적	~하지 않기 위해서, ~하지 않도록
	감정의 원인	~하지 못해서
	판단의 근거	~하지 못하다니

A
배열 영작

01 그 그림을 건드리지 않도록 조심하세요. (the painting / to / be / careful / not / touch)

_____

02 그들은 나에게 시내에 가지 말라고 말했다. (told / not / they / me / go downtown / to)

_____

03 그녀는 그와 함께 있지 못해서 슬펐다. (she / him / to / be / with / sad / was / not)

_____

B
문장 완성

01 나는 잠이 들지 않기 위해서 커피를 마셨다. (fall asleep)

I drank coffee _____.

02 그 오류를 발견하지 못하다니 넌 어리석음이 틀림없어. (find the error)

You must be foolish _____.

03 Ben은 거짓말을 하지 않기로 약속했다. (promise, tell a lie)

_____.

내신 기출 〉 문장 완성

다음 우리말과 일치하도록 괄호 안에 주어진 말을 활용하여 문장을 완성하시오.

01 Kelly는 불필요한 것을 사지 않도록 노력한다. (buy)

Kelly tries _____ unnecessary things.

02 그녀는 나에게 창문을 열지 말라고 부탁했다. (open, the window)

She asked me _____.

03 그는 컴퓨터 게임을 하지 않기로 결심했다. (play, computer games)

He decided _____.

감점 피하기!

Q Tom은 약속에 늦지 않기 위해 버스를 탔다.
Tom took a bus _____ _____ for the appointment. (late)

★ to부정사의 부정
to부정사의 부정은 「not+to+동사원형」의 순서로 써야 해요. 형용사(late) 앞에는 be동사의 원형인 be로 써야 해요.

It is important to vote.

「It ～ to부정사」 구문은 to부정사가 주어인 경우 문장의 맨 뒤로 보내고 그 자리에 형식상 주어 It 을 넣은 것이다. 이때 It은 아무 의미가 없어 가주어(가짜 주어)라고 부르고, 뒤로 옮겨간 to부정 사를 진주어(진짜 주어)라고 부른다. 이 구문은 주어 역할을 한다는 점에서 to부정사의 명사적 용 법으로 볼 수 있다.

> ※ It ～ to부정사 구문
> To drink milk is good for your health.
>   주어
> → It is good for your health to drink milk.
> 가주어   진주어

A
배열 영작

01 눈사람을 만드는 것은 재미있다. (fun / make / to / a snowman / is / it)

_____

02 물 없이 사는 것은 불가능하다. (live / is / without / water / it / to / impossible)

_____

03 외국어를 배우는 것은 흥미롭다. (to / interesting / it / foreign languages / is / learn)

_____

[가주어를 사용할 것]

B
문장 완성

01 놀이동산에 가는 것은 흥미진진하다. (exciting, go)

_____ to the amusement park.

02 젖은 머리로 자는 것은 좋지 않다. (bad, sleep)

_____ with wet hair.

03 산에 오르는 것은 건강에 좋다. (healthy, climb)

_____.

| 내신 기출 | 문장 전환 |

다음 문장을 「It ～ to부정사」 구문을 활용하여 같은 뜻의 문장으로 바꿔 쓰시오.

01 To break bad habits is difficult.

→ _____

02 To make good friends is important.

→ _____

03 To ride a bike during a storm is dangerous.

→ _____

> **감점 피하기!**
>
> **Q** To take pictures of animals is interesting.
>
> → _____
>
> _____
>
> _____
>
> ★ 가주어 It
>
> 가주어 It을 지시대명사로 흔 동하여 '그것'으로 해석하지 않도록 주의해야 해요.

It was hard **for me** to believe him.

문장의 주어와 to부정사의 행위자가 다를 경우에 실제 행위자를 써주는데, 이를 '의미상 주어'라고 한다. 일반적으로 「for/of+목적격」의 형태로 쓴다. 단, 실제 행위자가 불특정 다수나 일반인인 경우에는 의미상 주어를 생략한다.

for+목적격	to부정사 앞에 일반 형용사가 있는 경우
of+목적격	to부정사 앞에 사람의 성격이나 특징을 나타내는 형용사(kind, nice, wise, foolish, silly, careless 등)가 있는 경우

A
배열 영작

01 Oliver는 테니스를 치는 것이 어렵다. (is / difficult / Oliver / it / to / play tennis / for)

_____

02 돈을 낭비하다니 그녀는 어리석었다. (it / her / of / foolish / to / was / waste / her money)

_____

03 내가 너를 만난 것은 행운이다. (is / me / you / lucky / for / it / to / meet)

_____

B
문장 완성

[의미상 주어를 사용할 것]

01 그들이 이 강에서 수영하는 것은 위험하다. (dangerous, swim)

_____ in this river.

02 내게 길을 알려주다니 넌 친절하구나. (nice, show)

_____ me the way.

03 그녀는 빙판에서 스케이트를 타는 것이 쉽다. (easy, skate, on the ice)

_____ .

내신 기출 ▶ **오류 수정**

다음 문장에서 어법상 <u>틀린</u> 부분을 두 군데 찾아 바르게 고치시오.

01 It is very kind for you inviting us.

_____ → _____

02 It is possible you overcame stress.

_____ → _____

03 It is important for his to follows the school rules.

_____ → _____

감점 피하기!

Q It is necessary of him seeing a dentist.

_____ →

_____

★ **for+목적격**

easy, difficult, important, necessary, natural, possible 등의 형용사가 있으면 의미상 주어 앞에 전치사 for를 써요.

I didn't know what to do then.

「의문사(what, who(m), when, where, how)+to부정사」 구문은 명사처럼 쓰이며, 문장에서 주로 목적어 역할을 한다.
이 구문은 「의문사+주어+should+동사원형」으로 바꿔 쓸 수 있다. 「why+to부정사」로는 쓰지 않는 것에 유의한다.

what+to부정사	무엇을 ~할지	where+to부정사	어디서 ~할지
who(m)+to부정사	누구를[에게] ~할지		
when+to부정사	언제 ~할지	how+to부정사	어떻게 ~할지

A
배열 영작

01 Kevin은 만화 그리는 법을 배웠다. (Kevin / how / learned / draw / to / cartoons)

_____

02 나는 언제 Matt와 만나야 하는지 잊었다. (I / Matt / when / meet / forgot / to)

_____

03 그녀는 탁자를 어디에 둘지 물었다. (she / put / asked / to / where / the table)

_____

[「의문사+to부정사」 구문을 사용할 것]

B
문장 완성

01 아버지가 내게 스케이트보드 타는 법을 가르쳐주셨다. (ride)

My father taught me _____ a skateboard.

02 어디에서 식료품을 살 수 있는지 알려 주실래요? (get)

Could you tell me _____ the groceries?

03 그는 자신의 부모님을 위해 무엇을 드릴지 정하지 못했다. (decide, give)

_____.

내신 기출 대화 완성

다음 그림을 보고, 괄호 안에 주어진 표현과 「의문사+to부정사」 구문을 활용하여 대화를 완성
하시오.

01  A: Do you know _____ ?
(buy some fruit)
B: Yes, go to the Grand Market.

02  A: Do you know _____ ?
(make kimchi)
B: No. But I want to learn how.

⚡ 감점 피하기!

Q
A: Do you know _____
_____ ?
(believe)
B: Yes, our parents.

★ who(m)+to부정사
흔히 구어체에서 의문사 who
가 whom을 대신하여 「who+to
부정사(누구에게 ~할지)」 또는
「whom+to부정사(누구를 ~할
지)」로 쓸 수 있어요.

The tea is too hot to drink.

「too+형용사/부사+to부정사」 구문은 '너무 …해서 ~할 수 없다'라는 뜻을 나타내며, 「so+형용사/부사+that+주어+cannot[can't]+동사원형」 구문과 바꿔 쓸 수 있다. 이 구문에서 문장에서의 주어와 to부정사의 주어가 다를 때는 to부정사의 의미상 주어를 활용하여 to 앞에 「for+목적격」 을 쓴다.

too+형용사/부사+(for+의미상 주어)+to부정사	너무 …해서 ~할 수 없다
= so+형용사/부사+that+주어+cannot[can't]+동사원형	

A 배열 영작

01 너무 추워서 나갈 수 없다. (cold / too / it / is / to / go out)

_____

02 그는 너무 슬퍼서 아무 말도 할 수 없다. (he / say / sad / is / too / to / anything)

_____

03 나는 너무 배가 고파서 잠들지 못했다. (I / hungry / too / was / to / fall asleep)

_____

B 문장 완성

[「too … to부정사」 구문을 사용할 것]

01 나는 너무 졸려서 영화를 볼 수 없었다. (sleepy, watch)

I was _____ the movie.

02 그 개는 너무 빨리 달려서 내가 잡을 수 없었다. (fast, catch)

The dog ran _____ it.

03 이 닭고기는 너무 매워서 먹을 수가 없다. (spicy, eat)

_____ .

내신 기출 ▶ 문장 전환

다음 문장을 「too … to부정사」 구문을 활용하여 같은 뜻의 문장으로 바꿔 쓰시오.

01 Ken was so sick that he couldn't eat anything.

→ _____

02 My parents are so busy that they can't play with me.

→ _____

03 I was so tired that I couldn't walk my dog.

→ _____

감점 피하기!

Q These shoes are so big that you can't wear them.

→ _____

_____

_____

★ 「too … to ~」 구문으로의 전환

「so … that ~」 구문에서는 반드시 목적어를 써야 하지만 「too … to ~」 구문에서는 목적어를 쓰면 안 돼요.

The movie is good enough to watch twice.

「형용사/부사+enough+to부정사」 구문은 '~할 만큼 충분히 …한/하게'라는 뜻을 나타내며, 「so+형용사/부사+that+주어+can[could]+동사원형」 구문과 바꿔 쓸 수 있다. 이때, 과거형이면 can 대신 could를 쓴다. 「too … to부정사」 구문과 달리 형용사/부사가 enough 앞에 오는 것에 유의한다. 이 구문에서도 to부정사의 의미상 주어가 필요하면 to 앞에 「for+목적격」을 쓴다.

A 배열 영작

01 바다에서 수영할 만큼 충분히 따뜻하다. (it's / swim / enough / warm / to / in the sea)

_____

02 Emily는 혼자 잘 만큼 충분히 나이가 들었다. (old / sleep / Emily / enough / to / alone / is)

_____

03 그는 우리가 들을 만큼 충분히 크게 말했다. (he / enough / loudly / for / to / us / spoke / hear)

_____

B 문장 완성

01 그 경기장은 30,000명이 들어갈 만큼 충분히 크다. (big, hold)

The stadium is _____ 30,000 people.

02 이 책은 하루에 읽을 만큼 충분히 재미있다. (interesting, read)

This book _____ in a day.

03 그 문제는 내가 풀 만큼 충분히 쉽다. (easy, solve)

_____ .

내신 기출 ▶ 문장 전환

다음 문장을 「… enough to부정사」 구문을 활용하여 같은 뜻의 문장으로 바꿔 쓰시오.

01 My phone is so small that it can fit in my pocket.

→ _____

02 The chair is so comfortable that I can sleep in it.

→ _____

03 The runner ran so fast that he could break a record.

→ _____

감점 피하기!

Q He is so strong that he can pull a car.

→ _____

_____

_____

★ enough의 위치 확인

명사를 꾸밀 때는 enough가 명사 앞에 오지만, 형용사나 부사를 꾸밀 때는 enough가 형용사 또는 부사 뒤에 와요.

Making new friends is important.

동명사는 동사원형 뒤에 -ing를 붙인 것으로 명사처럼 쓰는 말이다. '~하는 것, ~하기'라는 뜻으로 쓰여 문장에서 주어, 목적어, 보어 역할을 한다. 형태상으로는 현재분사와 동일하지만, 동명사는 명사 역할을 하고 현재분사는 형용사 역할을 한다는 점에서 다르다. 동명사가 주어로 쓰이면 항상 단수 취급하여 단수형 동사를 쓴다는 점에 유의한다.

주어 역할	~하는 것, ~하기	단수 취급하여 단수형 동사와 함께 씀
보어 역할		주어나 목적어를 보충 설명함

A
배열 영작

01 다른 이들을 돕는 것은 행복을 가져다준다. (happiness / others / helping / brings)

_____

02 새로운 것들을 배우는 데는 시간이 걸린다. (learning / time / new / takes / things)

_____

03 Ted의 취미는 음식 사진을 찍는 것이다. (pictures / is / Ted's hobby / taking / of food)

_____

[동명사를 사용할 것]

B
문장 완성

01 일찍 일어나는 것은 나에게 쉽지 않다. (get up)

_____ isn't easy for me.

02 그녀의 꿈은 건축가가 되는 것이다. (become)

Her dream _____ an architect.

03 내 취미는 만화를 보는 것이다. (hobby, watch cartoons)

_____.

내신 기출 오류 수정

다음 문장에서 어법상 틀린 부분을 찾아 바르게 고치시오.

01 Swim without a warm-up is dangerous.

_____ → _____

02 His job is write stories for children.

_____ → _____

03 Drinking water help us keep healthy.

_____ → _____

감점 피하기!

Q Kate's hobby is camp in the woods.

_____ → _____

★ 현재분사 vs 동명사

be동사 뒤에 -ing가 나온다고 모두 현재진행형의 현재분사는 아니에요. 여기서는 be동사의 보어 역할을 하므로 동명사로 쓰였어요. 현재분사는 형용사 역할을 해요.

He began going to the gym.

문장에서 「to+동사원형」 또는 「동사원형+-ing」이 목적어 자리에 쓰여 '~하는 것을, ~하기를'라는 뜻으로 쓰이기도 한다. 동사에 따라 목적어로 동명사나 to부정사 중 하나만 쓰거나, 둘 다 쓰기도 한다. 둘 다 쓰는 경우에는 목적어의 형태(to부정사/동명사)에 따라 의미가 달라지기도 하는데, 여기서는 의미의 변화가 없는 경우를 주로 다룬다.

목적어로 동명사만 쓰는 동사	enjoy, finish, imagine, give up, practice, stop …	~했던 것을 …하다(과거의 행동)
목적어로 to부정사만 쓰는 동사	want, hope, wish, need, decide, plan …	~할 것을 …하다(미래의 행동)
목적어로 동명사와 to부정사 모두 쓰는 동사	like, love, hate, start, begin, continue …	의미 변화 없음

A 배열 영작

01 나는 이곳에 계속 머무를 거야. (I'll / continue / stay / to / here)

_____

02 대부분의 아이들은 동물원에 가는 것을 아주 좋아한다. (going / most children / love / to the zoo)

_____

03 그는 내 컴퓨터 수리를 끝내지 못했다. (he / my computer / didn't / fixing / finish)

_____

B 문장 완성

01 우리 아빠는 가족을 위해 요리하는 것을 즐기신다. (enjoy, cook)

My dad _____ for my family.

02 Maggie는 정원에서 그림을 그리기 시작했다. (start, draw)

Maggie _____ pictures in the garden.

03 그녀는 바이올린을 수업을 받기 시작했다. (begin, take violin lessons)

_____.

내신 기출 조건 영작

다음 우리말과 일치하도록 주어진 〈조건〉에 맞게 괄호 안에 주어진 말을 활용하여 문장을 완성하시오.

> 조건 동사에 따라, 목적어로 동명사나 to부정사를 사용할 것

01 우리는 체육관에서 운동하는 것을 포기했다. (give up, exercise)

_____ at the gym.

02 그들은 전기 자동차를 판매할 계획이다. (plan, sell, electric cars)

_____

03 내 여동생은 도시로 이사 가기를 희망한다. (wish, move to)

_____

감점 피하기!

Q 나는 꽃향기를 맡는 것을 그만두었다. (stop, smell)

_____

_____

★ 동사 stop+-ing(목적어)

동사 stop은 목적어로 동명사만 쓰며, to부정사가 올 경우 '~하기 위해'라는 뜻의 목적을 의미해요.

I dreamed of becoming a lawyer.

동명사는 전치사의 목적어로도 쓰이는데, 전치사 뒤에는 항상 명사 형태가 오므로 동사에 -ing를 붙여 동명사로 만든 것이다.
동명사가 전치사의 목적어로 사용된 표현들은 꼭 외워두어야 한다.

be busy+동명사	~하느라 바쁘다	be worth+동명사	~할 만한 가치가 있다
be afraid of+동명사	~을 두려워하다	be used to+동명사	~하는 데 익숙하다
feel like+동명사	~하고 싶다	dream of+동명사	~을 꿈꾸다
spend+시간/돈+동명사	~하는 데 시간/돈을 쓰다	look forward to+동명사	~하기를 기대하다
on+동명사	~하자마자	cannot[can't] help+동명사	~하지 않을 수 없다

A 배열 영작

01 나는 그 질문에 대답하는 것이 두려워. (I'm / answering / afraid of / the question)

_____

02 그들은 세차를 하느라 두 시간을 보냈다. (they / washing / spent / their car / two hours)

_____

03 John은 그녀의 생각을 받아들이지 않을 수 없었다. (John / her idea / help / couldn't / accepting)

_____

B 문장 완성

01 그녀는 아파트에서 사는 데 익숙하다. (be used to, live)

She _____ in an apartment.

02 그 문제는 토론할 가치가 있다. (worth, discuss)

The matter _____.

03 공항에 도착하자마자, Daniel은 자신의 부모님께 전화를 드렸다. (arrive at, call)

_____.

내신 기출 ◀ 대화 완성

다음 그림을 보고, 괄호 안에 주어진 표현과 동명사를 활용하여 대화를 완성하시오.

01

A: How is Marie doing these days?

B: She _____ for the trip.
     (busy, prepare)

02

A: How about ordering a pizza for dinner?

B: I _____.
     (feel like, eat out)

감점 피하기!

Q
A: I have to go now.
Thank you for inviting me.
B: We _____
with you again.
(look forward, talk)

★ 전치사의 목적어 역할
look forward to의 to가 전치사이므로 뒤에 동사원형이 아닌 동명사를 써야 해요.

정답 p. 12

Step 1 기본 다지기

[1~10] 우리말과 일치하도록 괄호 안에 주어진 말을 바르게 배열하시오.

01 그녀의 취미는 조개껍데기를 모으는 것이다.
(collect / to / her hobby / is / seashells)

→ _____

02 나에게 할 말이 있니?
(you / do / have / to / tell / something / me)

→ _____

03 나는 수업에 늦지 않으려고 일찍 일어났다.
(be / not / I / late for / to / school / got up early)

→ _____

04 동물들을 우리에 가두는 것은 잘못된 것이다.
(wrong / it / to / animals / is / keep / in cages)

→ _____

05 Mike가 저녁 식사를 요리하는 것은 쉽다.
(Mike / it / is / for / to / easy / dinner / cook)

→ _____

06 나는 파티에 무엇을 입을지 정했다.
(what / I / decided / wear / to / at the party)

→ _____

07 그의 생각은 너무 어려워서 이해할 수 없다.
(his idea / is / understand / difficult / to / too)

→ _____

08 그 궁전은 방문할 만큼 충분히 아름답다.
(the palace / visit / is / enough / beautiful / to)

→ _____

09 영어로 일기를 쓰는 것은 어렵다.
(a diary / is / keeping / hard / in English)

→ _____

10 그 여자아이는 종이에 계속 그림을 그렸다.
(drawing / continued / pictures / the girl / on the paper)

→ _____
_____

[11~20] 우리말과 일치하도록 문장을 완성하시오.

11 그의 꿈은 영화감독이 되는 것이다.
→ His dream is _____ _____ a movie
director.

12 런던에는 볼 것들이 많다.
→ There are many things _____ _____
in London.

13 그녀는 그의 농담에 웃지 않으려고 노력했다.
→ She tried _____ _____ _____
at his joke.

14 너는 친절하게 말하기가 어렵니?
→ Is it difficult _____ _____
_____ _____ kindly?

15 그녀는 어디로 가야 할지 나에게 물었다.
→ She asked me _____ _____
_____.

16 Peter는 너무 어려서 혼자 수영할 수 없다.
→ Peter is _____ _____ _____
_____ alone.

17 그는 작가가 될 수 있을 만큼 충분히 창의적이다.

→ He is _____ _____ _____ be

a writer.

18 음악을 듣는 것은 나를 행복하게 한다.

→ _____ _____ _____ makes

me happy.

19 Ben은 이를 닦는 것을 싫어한다.

→ Ben _____ _____ his teeth.

20 집에 도착하자마자, 나는 점심을 먹었다.

→ _____ _____ home, I had lunch.

[21~31] 우리말을 영어로 옮긴 문장에서 어법이나 의미가 <u>틀린</u> 부분을 찾아 바르게 고치시오.

21
> (그의 직업은 거리를 청소하는 것이다.)
> His job is clean the streets.

_____ → _____

22
> (나는 살 집을 찾았다.)
> I found a house to live.

_____ → _____

23
> (그들은 그 사실을 듣고 놀랐니?)
> Were they surprised hear the truth?

_____ → _____

24
> (포기하지 않는 것이 중요하다.)
> It's important to not give up.

_____ → _____

25
> (그것을 비밀로 하는 것이 중요하다.)
> That is important to keep it secret.

_____ → _____

26
> (그 문제를 풀다니 그는 영리했다.)
> It was smart for him to solve the problem

_____ → _____

27
> (너는 언제 그를 만나야 할지 알고 있니?)
> Do you know when to meeting him?

_____ → _____

28
> (날씨가 소풍 갈 만큼 충분히 따뜻하다.)
> It's enough warm to go on a picnic.

_____ → _____

29
> (설거지는 나를 짜증 나게 한다.)
> Washing dishes make me annoyed.

_____ → _____

30
> (TV를 꺼 주실래요?)
> Would you mind to turn off the TV?

_____ → _____

31
> (나는 지금 자고 싶지 않아.)
> I don't feel like to sleep now.

_____ → _____

[32~36] 우리말과 일치하도록 괄호 안에 주어진 말을 활용하여 문장을 완성하시오.

32 David는 너무 바빠서 나를 도와줄 수 없었다. (too, busy, help)

→ David was _____ me.

33 나는 함께 놀 친구들이 필요하다. (play)

→ I need _____ .

34 그녀는 오디션에 통과하기를 기대하고 있다. (look forward, pass)

→ She is _____
the audition.

35 너는 이것들을 재활용하는 방법을 아니? (how, recycle)

→ Do you know _____ these?

36 나는 실수를 하지 않으려고 노력한다. (make)

→ I try _____ a mistake.

[37~41] 다음 두 문장이 같은 의미가 되도록 빈칸을 완성하시오.

37 To take a walk in the morning is good.

= _____ _____ good _____
_____ a walk in the morning.

38 He can't finish reading the book because he was so tired.

= He was _____ _____ _____
_____ reading the book.

39 I have no idea where I should stay.

= I have no idea _____ _____
_____ .

40 He began washing his dog.

= He began _____ _____ his dog.

41 He is so strong that he can lift these boxes.

= He is _____ _____ _____
_____ these boxes.

[42~45] 다음 괄호 안에 주어진 말을 활용하여 대화를 완성하시오.

42
A: What do you want to be in the future?
B: I like to draw pictures, so I _____
_____ _____ an artist. (want, be)
A: That's a wonderful dream.

43
A: You look tired. What's up?
B: I stayed up all night _____ _____
for the exams. (study)
A: That's not good for your health. _____
_____ important _____
_____ well. (sleep)

44
A: Did you finish cleaning your room?
B: No. I'm _____ _____ my
homework. (busy, do)
A: You promised _____ _____ your
room. (clean)
B: Sorry. I'll do it now.

45
A: Mr. Wilson, I have something _____
_____ you. (tell)
B: What is it? Go ahead.
A: I don't have friends _____ _____
_____ . (talk with)
B: How about talking to Amy? She's very kind.

46 다음 괄호 안에 주어진 표현을 활용하여 미나가 오늘 해야
할 일을 완성하시오.

(1) 나는 쓸 보고서가 있어.
I have _____.
(a report, write)

(2) 나는 살 책들이 있어.
_____
_____.
(books, buy)

(3) 나는 돌봐야 할 여동생이 있어.
_____
_____.
(a sister, take care of)

47 다음 대화를 읽고, to부정사를 활용하여 문장을 완성하시오.

A: Where are you going, Jimin?
B: I'm going to the bakery. I'll buy a cake. Today is
my mother's birthday.
A: Did you buy a present for her?
B: Not yet. What should I buy for her?
A: How about a necklace?
B: That sounds good.

(1) Jimin is going to the bakery _____
_____.

(2) Jimin wants _____
for his mother.

48 다음 밑줄 친 ⓐ~ⓔ에서 어법상 **틀린** 것을 찾아 기호를
쓰고, 바르게 고치시오.

My hobby is ⓐplaying chess with my grandfather.
I also enjoy ⓑto make model airplanes. I dream of
ⓒbecoming a pilot. I would like ⓓto fly in the
sky. I'll do my best ⓔto achieve my dream.

(_____) → _____

49 다음 그림을 보고, 괄호 안에 주어진 표현을 활용하여
「too … to부정사」 또는 「… enough to부정사」 구문의
문장으로 쓰시오.

(1)	(2)	(3)

(1) This tea is _____. (hot, drink)
(2) She is _____ the top shelf.
    (tall, reach)
(3) My brother was _____.
    (sick, go out)

50 다음 우리말과 일치하도록 주어진 〈조건〉에 맞게 문장을
완성하시오.

〈조건〉
1. impossible, solve, the puzzle을 활용할 것
2. 가주어 it을 사용할 것
3. 모두 9단어로 쓸 것

(네가 그 퍼즐을 푸는 것은 불가능하다.)

_____
_____

The girl wearing sandals is Amy.

분사는 동사에서 파생된 말로 현재분사와 과거분사 두 가지가 있는데, 현재분사는 동사 뒤에 -ing를 붙여 만들고, 과거분사는 -ed를 붙여 만든다. 현재분사는 능동(~하는)이나 진행(~하는 중인)의 의미를 나타내며, 단독으로 쓰이면 명사 앞에서 명사를 수식하고 수식어구를 동반하면 명사 뒤에서 명사를 수식한다. 현재분사는 동명사와 형태상 동일하지만 현재분사는 형용사, 동명사는 명사 역할을 한다는 점에서 다르므로 유의한다.

형태	의미	쓰임
동사+-ing	능동(~하는), 진행(~하는 중인)	현재분사+명사
		명사+현재분사+수식어구

A
배열 영작

01 잔디밭에서 놀고 있는 여자아이를 봐. (on the grass / the girl / look at / playing)

_____

02 그녀는 자고 있는 아기 옆에서 잠들었다. (she / next to / a sleeping / baby / fell asleep)

_____

03 네 남동생이 그림을 그리고 있는 아이니? (a picture / is / the kid / your brother / drawing)

_____

B
문장 완성

01 탁자 위에서 타고 있는 양초들은 아름답다. (burn, candles)

The _____ on the table are beautiful.

02 우리 아버지가 하늘을 날고 있는 연을 만드셨다. (fly, in the sky)

My father made the kite _____.

03 Susie는 청바지를 입고 있는 학생을 좋아한다. (wear, blue jeans)

_____.

내신 기출 ▶ 도표·그림

다음 그림을 보고, 우리말과 일치하도록 괄호 안의 표현을 활용하여 문장을 완성하시오.

| 01 | 02 | Q |

01 너는 수영장에서 수영하고 있는 남자아이를 아니?

Do you know _____ in the pool? (swim)

02 내 여동생은 그녀를 향해 짖는 그 개를 무서워한다.

My sister is afraid of _____ at her. (bark)

🎯 **감점 피하기!**

Q 자전거를 타고 있는 두 사람이 있다.

There are two people

_____.

(ride bikes)

★ **명사와 동사 관계 확인**

two people이 '자전거를 타고 있는'이라는 진행의 의미이므로 과거분사가 아닌 현재분사로 써요.

What is the language spoken in India?

과거분사는 동사 뒤에 -ed를 붙여 만든 것으로, 수동(~되어진)이나 완료(~된)의 의미를 나타낸다. 과거분사가 단독으로 쓰이면 명사 앞에서 명사를 수식하고, 수식어구를 동반하면 명사 뒤에서 명사를 수식한다.

형태	의미	쓰임
동사+-ed	수동(~되어진), 완료(~된)	과거분사+명사
		명사+과거분사+수식어구

A 배열 영작

01 나는 아침 식사로 볶음밥을 먹었다. (I / fried / rice / ate / for breakfast)

_____

02 이것은 Hemingway가 쓴 소설이다. (is / Hemingway / the novel / by / written / this)

_____

03 Ann은 사탕으로 가득 찬 상자를 받았다. (the box / Ann / filled with / received / candies)

_____

B 문장 완성

01 눈으로 덮인 산을 보세요. (cover with)

Look at the mountain _____.

02 그들은 방에서 숨겨진 메시지들을 찾고 있다. (hide, messages)

They are looking for the _____ in the room.

03 그는 1800년대에 지어진 집에 산다. (the house, build, in the 1800s)

_____.

내신 기출 ▷ 문장 완성

다음 우리말과 일치하도록 괄호 안에 주어진 동사를 과거분사로 활용하여 문장을 완성하시오.

01 나는 이번 주에 깨진 창문을 수리할 거야.

I will fix the _____ this week. (broke)

02 Tracy는 엄마가 구운 쿠키들을 좋아한다.

Tracy likes _____ by her mom. (bake)

03 꽃병에 꽂힌 꽃들은 장미이다.

The _____ in the vase are roses. (put)

감점 피하기!

Q Harry는 점심으로 삶은 감자를 먹었다.
Harry ate _____
_____ for lunch. (boil)

★ **과거분사의 위치 확인**
'삶아진 감자'라는 뜻의 수동의 의미를 나타내므로 과거분사가 명사 앞에 나오는 순서로 써요.

She says baseball is boring.

감정분사는 감정을 나타내는 동사에서 만들어진 분사가 형용사처럼 쓰이는 것이다. 감정을 일으키는 대상에는 현재분사(~하게 하는)를 쓰고, 감정을 느끼는 주체에는 과거분사(~하게 되는)를 쓰는 것이 원칙이다. 감정을 일으키는 대상은 사람이든 사물이든 모두 현재분사(-ing)를 쓴다.

interesting	재미있는	boring	지루하게 하는
exciting	신나게 하는	tiring	피곤하게 하는
amazing	놀라운	shocking	충격적인
surprising	놀라게 하는	annoying	짜증 나게 하는
pleasing	기쁘게 하는	disappointing	실망스러운

A 배열 영작

01 축구 경기를 보는 것은 흥미진진하다. (soccer / is / watching / exciting)

_____

02 그 호텔의 수영장은 매우 실망스러웠다. (very / disappointing / was / The hotel's pool)

_____

03 한국 역사 이야기는 재미있었다. (the story / was / about / interesting / Korean history)

_____

B 문장 완성

01 나의 남동생의 기억력은 놀랍다. (amaze)

My brother's memory _____ .

02 그녀는 그에 대한 흥미로운 이야기를 알고 있다. (interest, story)

She knows an _____ about him.

03 그 사고는 충격적이었다. (accident, shock)

_____ .

내신 기출 ◀ 문장 완성

다음 우리말과 일치하도록 괄호 안에 주어진 표현을 활용하여 문장을 완성하시오.

01 그 뉴스는 정말 놀라웠다. (news, really, surprise)

_____

02 그의 행동은 나를 짜증 나게 한다. (behavior, annoy)

_____

03 나는 그의 지루한 연설을 들었다. (listen, bore, speech)

_____

감점 피하기!

Q 그 영화의 결말은 감동적이다. (ending of, movie, touch)

_____

_____

_____

★ 주어와 분사의 관계 확인

'영화의 결말'이 감동을 일으키는 대상이므로 touch는 현재분사(-ing)로 써요.

I'm satisfied with my hair.

감정을 느끼는 주체에는 과거분사(-ed)를 쓴다. 단, 살아있는 대상만이 감정을 느낄 수 있으므로 감정을 나타내는 과거분사는 대체로 사람이 주어일 때 쓰지만 항상 그런 것은 아니므로 유의한다.

interested	재미를 느낀	bored	지루해 하는
excited	신난	tired	피곤한
amazed	놀란	shocked	충격을 받은
surprised	놀란	annoyed	짜증난
pleased	기쁜	disappointed	실망한

A 배열 영작

01 나는 수학 수업이 지루하다. (with / bored / the math class / I'm)

_____

02 우리는 그 경치에 놀랐다. (surprised / we / were / at the view)

_____

03 Brad는 그 소식을 듣고 기뻐했다. (Brad / the news / pleased / to hear / was)

_____

B 문장 완성

01 Kate는 내 선물에 만족했다. (satisfy)

Kate _____ with my present.

02 나는 반려동물 사진 찍는 것에 관심이 있다. (interest)

_____ in taking pictures of pets.

03 우리 엄마는 내 성적에 실망하셨다. (mom, disappoint)

_____ with my grade.

내신 기출 ▶ 오류 수정

다음 문장에서 어법상 틀린 부분을 찾아 바르게 고치시오.

01 The driver was shocking by the accident.

_____ → _____

02 The people in the stadium were all exciting.

_____ → _____

03 They were amazing by Dave's idea.

_____ → _____

감점 피하기!

Q My annoyed boyfriend makes me angry.

_____ →

_____

★ 주어와 분사의 관계 확인

주어가 사람이라고 무조건 과거분사를 쓰지 않아요. 지루한 감정을 일으키는 대상이 boyfriend이므로 과거분사가 아닌 현재분사로 써야 해요.

Step 1 기본 다지기

[1~4] 우리말과 일치하도록 괄호 안에 주어진 말을 바르게 배열하시오.

01 나는 나에게 미소 짓는 그 남자가 좋다.
   (I / smiling at / the man / like / me)

→ _____

02 Luke는 지난주에 중고차를 한 대 샀다.
   (Luke / car / a / bought / used / last week)

→ _____

03 그의 수업은 매우 지루했다.
   (lecture / really / his / was / boring)

→ _____

04 우리는 그들의 공연에 실망했다.
   (we / their performance / disappointed / were / with)

→ _____

   _____

[5~8] 우리말과 일치하도록 문장을 완성하시오.

05 입구 쪽으로 달려가는 남자아이를 보았니?

→ Did you see _____ _____

   _____ to the entrance?

06 그는 자신의 고장 난 자전거를 문 옆에 두었다.

→ He put _____ _____ _____

   by the door.

07 나의 선생님의 이야기는 감동적이었다.

→ My teacher's story _____ _____.

08 나는 한국 음식에 관심이 있다.

→ I _____ _____ in Korean food.

[9~12] 우리말을 영어로 옮긴 문장에서 어법이나 의미가 틀린 부분을 바르게 고치시오.

09 (파란색 셔츠를 입은 여자가 창문을 열었다.)
   The woman wear a blue shirt opened the window.

   _____ → _____

10 (아이들이 낙엽 위에서 놀고 있다.)
   Children are playing on the falling leaves.

   _____ → _____

11 (너의 제안은 나에게 매우 흥미롭다.)
   Your suggestion is very interested to me.

   _____ → _____

12 (나는 그 소문을 듣고 충격을 받았다.)
   I was shocking to hear the rumor.

   _____ → _____

Step 2 응용하기

[13~16] 우리말과 일치하도록 괄호 안에 주어진 말을 활용하여 문장을 완성하시오.

13 우리는 그의 용기에 놀랐다. (surprise)

→ We _____ at his courage.

14 그 모바일 게임은 흥미진진하다. (excite)

→ The mobile game _____.

15 그의 새 영화는 놀라웠다! (amaze)

→ His new movie _____!

16 그녀는 그의 말에 짜증이 났었다. (annoy)

→ She _____ by his words.

[17~20] 다음 두 문장을 한 문장으로 완성하시오.

17 The boy is my son. He is playing the violin.

→ _____ is my son.

18 I bought a new bag. It was made by my favorite designer.

→ I bought _____

_____.

19 I know the woman. She is holding flowers.

→ I know _____.

20 He got a letter. It was written in English.

→ He got _____.

[21~22] 다음 빈칸에 주어진 동사의 알맞은 형태를 넣어 대화를 완성하시오.

21
A: Have you read the _____ _____ *Cosmos*? (book, call)

B: Yes. It's a story about space. The story was _____ to me. (interest)

A: I want to read the book, too.

B: I'll lend it to you.

22
A: Do you like winter sports?

B: Yes. Skiing is very _____. Do you ski? (excite)

A: No, I'm too _____. (scare)

23 다음 (a), (b)의 빈칸에 공통으로 들어갈 알맞은 단어를 〈보기〉에서 골라 알맞은 형태로 바꿔 쓰시오.

〈보기〉	draw	make	break

(1) (a) Tom likes the movies _____ by the director.

   (b) I'm looking at my brother _____ pasta in the kitchen.

(2) (a) He'll buy the picture _____ by a famous artist.

   (b) The man _____ a picture is my uncle.

(3) (a) Please fix the _____ elevator.

   (b) I saw the boy _____ the vase.

24 다음 우리말과 일치하도록 주어진 〈조건〉에 맞게 문장을 완성하시오.

〈조건〉
1. play the piano를 사용할 것
2. 분사가 명사를 뒤에서 수식할 것
3. 모두 7단어로 쓸 것

(피아노를 치고 있는 소녀는 Sally이다.)

_____

25 다음 Brian의 일기를 보고, 괄호 안의 표현을 활용하여 밑줄 친 우리말을 영작하시오.

Saturday, June 18

Today I went to the baseball stadium. The game (1) 매우 재미있었다. (2) 나는 흥분을 느꼈다 when my favorite player hit a home run. My team lost in the end. But (3) 나는 만족했다 with the game.

(1) The game _____. (interest)

(2) _____ when my favorite player hit a home run. (feel, excite)

(3) But _____ with the game. (satisfy)

The car is made by a German company.

'태'란 주어와 동사의 관계를 말하는데, 행위의 주체가 주어이면 능동태(~가 …하다), 행위의 대상이 주어이면 수동태(~가 …하게 되다)이다. 수동태는 행위의 대상이나 사건을 강조할 때 「be동사+p.p.(과거분사)+by+행위자」의 형태로 쓴다. 행위자가 중요하지 않거나 분명하지 않을 때, 일반적인 사람들(we, they, people)일 때는 「by+행위자」를 종종 생략한다.

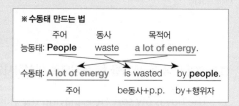

A
배열 영작

01 내 컴퓨터는 종종 내 여동생에 의해 사용된다. (my sister / my computer / is / by / often / used)

_____

02 이 작은 식물들은 Anna에 의해 길러진다. (Anna / these / small plants / are / by / grown)

_____

03 우리 교실은 매일 청소된다. (cleaned / every day / is / my classroom)

_____

B
문장 완성

01 크리켓은 호주 사람들에게 사랑받는다. (love)

Cricket _____ Australians.

02 포르투갈어는 브라질에서 쓰인다. (speak)

Portuguese _____ in Brazil.

03 그는 많은 사람들에게 존경받는다. (respect, many)

_____ .

내신 기출 ▶ 문장 전환

다음 문장을 수동태로 바꿔 쓰시오.

01 Works of art inspire fashion.

→ _____

02 Jessica looks after the dog.

→ _____

03 A Finnish company makes the wooden tables.

→ _____

감점 피하기!

Q They cook our meals.

→ _____

_____

★ by+행위자(목적격)

능동태의 주어는 수동태에서 「by+행위자」로 바뀌는데, 이때 행위자는 반드시 목적격으로 써야 해요.

This picture was painted by Picasso.

수동태의 시제는 be동사에 의해 결정되는데, 수동태 과거시제의 문장에서는 동사를 「was [were]+p.p.」의 형태로 쓴다.
수동태 구문에서는 행위자를 밝히지 않는 경우가 많지만, 반드시 행위자가 필요하거나 행위자가 없으면 의미 전달이 불충분할 때 「by+행위자」를 쓴다.

> ※「by+행위자」를 쓰는 경우
> • 행위자가 필요한 경우
>   The Eiffel Tower was built by Gustave Eiffel.
> • 의미 전달이 불충분한 경우
>   *Don Giovanni* was written by Mozart.

A 배열 영작

01 이 영화는 내 친구에 의해 감독 되었다. (this movie / my friend / directed / was / by)

_____

02 내 자전거는 아버지에 의해 수리되었다. (my father / my bike / was / by / fixed)

_____

03 이 꽃들은 학생들에 의해 심어졌다. (students / were / these flowers / by / planted)

_____

B 문장 완성

01 많은 나무가 기업들에 의해 베어졌다. (cut down)

Many trees _____ the companies.

02 〈노인과 바다〉는 Ernest Hemingway에 의해 쓰였다. (write)

The Old Man and the Sea _____ Ernest Hemingway.

03 한글은 1443년에 세종대왕에 의해 창제되었다. (Hangeul, create, King Sejong)

_____ in 1443.

내신 기출 ▶ 도표·그림

다음 그림을 보고, 괄호 안에 주어진 동사를 활용하여 각각의 사람이 가진 물건을 설명하는 문장을 완성하시오. (단, 과거시제를 사용할 것)

Olivia	Emily	Ted	Q

01 The sneakers _____ by Olivia. (buy)

02 The bags _____. (make)

03 The cap _____. (bring)

> 🎯 감점 피하기!
>
> Q The grapes _____
>   _____ at the
> market. (sell)
>
> ★ 수동태의 과거시제
> 수동태가 과거시제일 때는
> was나 were 뒤에 동사원형이
> 아닌 과거분사(p.p.)의 형태로
> 써야 하는 것에 유의해야 해요.
> He was love by me. (x)

You will always be remembered.

수동태 미래시제의 문장에서는 동사를 「will+be+p.p.」의 형태로 쓴다. 수동태 구문에서는 행위자를 밝히지 않는 경우가 많아서 「by+행위자」는 흔히 생략된다.

A
배열 영작

01 나의 새 책이 곧 출시될 것이다. (my new book / be / will / soon / released)

_____

02 결과가 15분 후에 공개될 것이다. (the result / shown / in 15 minutes / be / will)

_____

03 저녁은 남자아이들에 의해 준비될 것이다. (will / the boys / be / dinner / prepared / by)

_____

B
문장 완성

[will을 사용할 것]

01 그 학생들은 Karen 선생님에 의해 이끌어질 것이다. (lead)

The students _____ Ms. Karen.

02 그 놀이공원은 많은 사람들에 의해 방문될 것이다. (visit)

The amusement park _____ a lot of people.

03 그 보고서는 오늘 Ken에 의해 마무리될 것이다. (report, finish)

_____ .

내신 기출 대화 완성

우리말과 일치하도록 A의 질문에 쓴 표현을 활용하여 다음 대화를 완성하시오. (단, 수동태를 사용할 것)

01 A: When will they play the football match?

B: _____ this Friday night. I'm so excited!

(그 경기는 이번 주 금요일 밤에 열릴 거야.)

02 A: I heard the company will invent a great robot.

B: That's right. Even _____ in the future.

(심지어 더 대단한 로봇들이 미래에 발명될 거야.)

감점 피하기!

Q
A: What will deliver this medicine?

B: _____

_____ a drone.

(그 약품은 드론에 의해 배달될 겁니다.)

★ 조동사+동사원형

will 뒤에 오는 be동사는 반드시 원형으로 써야 해요.

This picture was not taken by me.

수동태 현재와 과거시제의 부정문에서는 동사를 「be동사+not+p.p.」의 형태
로, 수동태 미래시제의 부정문에서는 동사를 「will not[won't]+be+p.p.」의 형
태로 쓴다.

수동태 현재/과거시제	주어+be동사[is/are/was/were]+not+p.p. ~
수동태 미래시제	주어+will not[won't]+be+p.p. ~

A
배열 영작

01 새 도서관은 시내에 지어지지 않았다. (the new library / wasn't / downtown / built)

_____

02 그 일은 그에 의해 끝나지 않을 것이다. (him / the work / by / won't / done / be)

_____

03 그 선생님은 학생들에게 존경받지 않는다. (the students / isn't / respected / the teacher / by)

_____

B
문장 완성

01 모든 울타리가 Tom에 의해 칠해지지 않았다. (paint)

All the fences _____ Tom.

02 그 사진들은 내 블로그에 올라가지 않을 거야. (will, post)

The pictures _____ on my blog.

03 오래된 오븐 때문에 닭고기가 잘 요리되지 않는다. (the chicken, cook)

_____ because of an old oven.

내신 기출 ▷ 문장 전환

다음 문장을 수동태로 바꿔 쓰시오. (단, 축약형을 사용할 것)

01 The company doesn't use this system.

→ _____

02 Bad weather didn't hurt the crops.

→ _____

03 They won't open the store for three days.

→ _____

🎯 감점 피하기!

Q Minho didn't write the memo.

→ _____

_____

★ 시제 일치

과거시제 부정문의 수동태를
만들 때 주어의 수와 인칭도
함께 고려해서 과거분사(p.p.)
앞에 was not 또는 were not
으로 써야 해요.

Were you invited to the party?

의문사가 없는 수동태의 의문문은 평서문의 주어와 be 동사의 위치를 바꿔서 만들고, 의문사가 있는 수동태의 의문문은 be동사 앞에 의문사를 쓴다.

	현재/과거시제	미래시제
의문사가 없는 수동태 의문문	Be동사+주어+p.p. ~?	Will+주어+be+p.p. ~?
의문사가 있는 수동태 의문문	의문사+be동사+주어+p.p. ~?	의문사+will+주어+be+p.p. ~?

A 배열 영작

01 스모그는 대기 오염에 의해 초래되나요? (caused / is / air pollution / by / smog)

_____

02 저 나무는 너희 아버지께서 심으셨니? (that tree / your father / planted / by / was)

_____

03 그 책은 어디에서 찾았니? (the book / where / was / found)

_____

B 문장 완성

01 카카오 열매가 초콜릿을 만드는 데 사용되나요? (cacao beans, use)

_____ to make chocolate?

02 축구는 10명의 선수에 의해 경기가 진행되나요? (soccer, play)

_____ with ten players?

03 이 쿠키들은 어젯밤에 구워졌나요? (these cookies, bake)

_____ ?

내신 기출 〉 문장 완성

다음 괄호 안에 주어진 말을 활용하여 밑줄 친 부분을 묻는 질문을 수동태로 완성하시오.
(단, 대화에 쓰인 표현을 사용할 것)

01 A: The guests arrived at the office this morning.

B: They were taken there <u>by bus</u>, weren't they?

_____ to the office? (how, the guests)

02 A: The global company will build a hospital <u>in Vietnam</u>.

B: Right. It's a hospital for children.

_____ the global company?

(where, the hospital)

감점 피하기!

Q
A: David directed the movie <u>last year</u>.
B: That's cool. I didn't know that.

_____
_____ David?
(when, the movie)

★ 의문사가 있는 수동태 의문문

의문사가 있는 수동태는 의문사를 맨 앞에 써야 해요.

정답 p. 17

Step 1 ▷ 기본 다지기

[1~5] 우리말과 일치하도록 괄호 안에 주어진 말을 바르게 배열하시오.

01 이 요리는 한국 사람들에게 잡채라고 불린다.
(Koreans / is / this dish / called / *japchae* / by)

→ _____

02 내 자전거는 내 남동생에 의해 고장 났다.
(my little brother / broken / by / was / my bike)

→ _____

03 일부 직업은 로봇으로 대체될 것이다.
(some jobs / robots / will / replaced / be / by)

→ _____

04 이 편지는 내가 감추지 않았다.
(this letter / me / wasn't / by / hidden)

→ _____

05 그 자동차는 Jake에 의해 운전되었니?
(Jake / was / by / the car / driven)

→ _____

[6~10] 우리말과 일치하도록 문장을 완성하시오.

06 제주도는 매년 수천 명의 관광객들에 의해 방문된다.

→ Jeju Island _____ _____
thousands of tourists every year.

07 그 가수는 많은 사람들에 의해 사랑받았다.

→ The singer _____ _____
many people.

08 주문하신 물건은 내일 배송될 것입니다.

→ Your order _____ _____
_____ tomorrow.

09 그녀는 가족과 친구들에게 환영받지 못했다.

→ She _____ _____ _____
_____ her family and friends.

10 이 우표들은 우체국에서 팔리니?

→ _____ _____ _____
_____ at the post office?

[11~15] 우리말을 영어로 옮긴 문장에서 어법이나 의미가 <u>틀린</u> 부분을 찾아 바르게 고치시오.

11
(음악은 작곡가들에 의해 작곡된다.)
Music is compose by songwriters.

_____ → _____

12
(이 가방은 내 이모에 의해 만들어졌다.)
This bag is made by my aunt.

_____ → _____

13
(그 낡은 아파트는 곧 철거될 것이다.)
The old apartment will tear down soon.

_____ → _____

14
(그 영화는 밴쿠버에서 촬영되지 않았다.)
The movie wasn't be shot in Vancouver.

_____ → _____

15
(이 사진은 어디에서 찍혔니?)
Where was taken this picture?

_____ → _____

[16~18] 우리말과 일치하도록 괄호 안에 주어진 말을 활용하여 문장을 완성하시오.

16 그 자선 단체는 많은 기업들의 후원을 받았다. (support)

→ The charity ＿＿＿＿＿＿＿＿＿＿＿＿＿ by many companies.

17 이 서류는 Smith 씨에 의해 검토될 것이다. (review)

→ This document ＿＿＿＿＿＿＿＿＿＿＿＿＿.

18 대부분의 기계는 컴퓨터들로 통제된다. (control)

→ Most machines ＿＿＿＿＿＿＿＿＿＿＿＿＿.

[19~21] 다음 문장을 괄호 안의 지시대로 바꿔 쓰시오.

19 They sold fast foods at schools. [수동태 부정문으로]

→ ＿＿＿＿＿＿＿＿＿＿＿＿＿＿＿＿＿
＿＿＿＿＿＿＿＿＿＿＿＿＿＿＿＿＿

20 Nick deletes the file. [과거시제 수동태로]

→ ＿＿＿＿＿＿＿＿＿＿＿＿＿＿＿＿＿

21 Lots of tourists love Turkey. [수동태 의문문으로]

→ ＿＿＿＿＿＿＿＿＿＿＿＿＿＿＿＿＿

[22~23] 다음 빈칸에 알맞은 말을 넣어 대화를 완성하시오.

22
A: By whom was *Little Women* written?
B: It ＿＿＿＿＿ ＿＿＿＿＿ ＿＿＿＿＿
  Louisa May Alcott. (write)
A: ＿＿＿＿＿ ＿＿＿＿＿ ＿＿＿＿＿ into a
  movie? (make)
B: Yes, the movie is really good.

23
A: I want something cold to drink.
B: Delicious smoothies ＿＿＿＿＿ ＿＿＿＿＿
  at this shop. They ＿＿＿＿＿ ＿＿＿＿＿
  with fresh fruit. (sell, make)

24 다음 표를 보고, 괄호 안의 동사를 활용하여 수동태로 문장을 완성하시오.

건축물	Park Guell
건축가	Antoni Gaudi (1852년 스페인 출생)
특이 사항	UNESCO 세계문화유산 지정

(1) Park Guell ＿＿＿＿＿＿＿＿＿＿＿ Antoni Gaudi. (build)

(2) Antoni Gaudi ＿＿＿＿＿＿＿＿＿ in 1852 in Spain. (bear)

(3) Park Guell ＿＿＿＿＿＿＿＿＿ a World Heritage Site ＿＿＿＿＿＿＿＿＿. (name)

25 다음 〈보기〉에서 알맞은 말을 골라 적절한 시제를 활용하여 문장을 완성하시오.

〈보기〉	hold	close	invent

(1) The World Cup ＿＿＿＿＿＿＿＿＿ every 4 years.

(2) Paper ＿＿＿＿＿＿＿＿＿ in China.

(3) The gate ＿＿＿＿＿＿＿＿＿ a keeper tonight.

He is the man who created Mickey Mouse.

관계대명사는 두 문장을 연결하는 접속사와 앞에 나온 명사(선행사)를 대신하는 대명사의 역할을 동시에 한다. 관계대명사 who나 whom은 선행사가 사람일 때 쓰는데, 관계대명사절에서 관계대명사가 주어 역할을 하면 주격 관계대명사 who, 목적어 역할을 하면 목적격 관계대명사 who(m)을 쓴다. 목적격 관계대명사는 생략 가능하며 보통 whom 보다 who를 더 많이 쓴다.

선행사 \ 격	사람	사물, 동물	모두 가능
주격	who	which	that
목적격	who(m)	which	that

A
배열 영작

01 그는 많은 한국인이 좋아하는 축구선수이다. (is / he / like / many Koreans / a soccer player / who)

_____

02 그녀를 도와주었던 남자는 우리 오빠였다. (my brother / the man / who / her / helped / was)

_____

03 나는 체스하기를 좋아하는 소녀를 발견했다. (I / likes to / a girl / found / who / play chess)

_____

B
문장 완성

[who(m)를 사용할 것]

01 그녀가 내가 기다리고 있는 사람이다. (wait for)

She is the person _____.

02 전화를 받았던 그 여자는 상냥했다. (answer the phone)

_____ was kind.

03 우리가 어제 만났던 그 남자는 유명한 건축가이다. (meet, famous, architect)

_____.

내신 기출 ◁ 문장 전환

다음 두 문장을 who(m)를 활용하여 한 문장으로 바꿔 쓰시오.

01 The boy is Kevin. + He is working at the restaurant.
→ The boy _____ is Kevin.

02 Do you know the student? + The reporter interviewed him.
→ Do you know the student _____?

03 I have a friend + She draws cartoons.
→ I have a friend _____.

감점 피하기!

Q He hates the people.
+ The people tell lies.
→ He hates the people
_____.

★ 선행사의 수 일치
주격 관계대명사절 내에서 동사는 선행사(the people)의 수에 일치시켜야 해요.

The vase (which) I broke is yours.

선행사의 종류(사람, 사물, 동물)에 따라 관계대명사를 구분해 쓰는데, 관계대명사 which는 선행사가 사물이나 동물일 때 쓴다. 관계대명사 which는 주격과 목적격의 형태가 동일하며, 관계대명사가 목적격으로 쓰였을 경우에는 생략 가능하다. 목적격 관계대명사절 내에서는 관계대명사가 목적어를 대신하고 있으므로 관계대명사절에 목적어를 중복해서 쓰지 않도록 유의한다.

ex I like this shirt which my mom doesn't like it. (×)

A
배열 영작

01 네가 찍은 사진들을 보여줘. (show / took / me / you / the pictures / which)

_____

02 Sally는 내가 잡지에서 본 가방을 들고 있다. (Sally / I / saw / the bag / in the magazine / is holding)

_____

03 그는 낡은 의자를 버렸다. (he / the chair / was / which / threw out / old)

_____

[which를 사용할 것]

B
문장 완성

01 나는 네가 지난번에 요리한 수프를 먹고 싶어. (cook)

I want to eat the soup _____ the other day.

02 풀밭 위를 뛰어다니고 있는 토끼들이 귀엽다. (hop)

_____ on the grass are cute.

03 피자는 내가 가장 좋아하는 음식이다. (the food, like, the most)

_____ .

내신 기출 ▶ 문장 전환

다음 두 문장을 which를 활용하여 한 문장으로 바꿔 쓰시오.

01 My aunt keeps two dogs. + They look like sheep.

→ My aunt keeps two dogs _____ .

02 This is the table. + I made it by myself.

→ This is the table _____ .

03 He remembers the house. + He lived in the house before.

→ He remembers the house _____ .

🎯 감점 피하기!

Q Look at that house.
+ It has no windows.

→ Look at that house

_____

_____ .

★ 주격/목적격 관계대명사 구별

관계대명사 which 뒤에 동사가 나오면 주격 관계대명사이고, which 뒤에 주어가 나와 「which+주어+동사」의 어순이면 목적격 관계대명사예요.

Ian is the man that painted this picture.

관계대명사 that은 수식을 받는 선행사가 무엇을 가리키든 상관없이 who, whom, which를 대신할 수 있어서 가장 많이 쓰인다. 관계대명사 that은 주격 또는 목적격으로만 쓸 수 있고, 소유격으로는 쓰지 않는데, 이때 목적격 관계대명사로 쓰인 경우에는 생략 가능하다. 또한, that은 지시대명사, 접속사 등 다양하게 사용되므로 그 쓰임을 구분해야 한다.

관계대명사 that	that+불완전한 문장 (주어/목적어 생략)	This is the pencil that I borrowed ●. → 동사 borrowed의 목적어 없음
접속사 that	that+완전한 문장	He knew that he forgot it. → 「주어+동사+목적어」의 완전한 구조

A
배열 영작

01 네가 원하는 그 재킷은 다 팔렸다. (you / the jacket / is / that / want / sold out)

_____

02 그는 아름다운 마음씨를 가진 남자이다. (he / is / has / a man / a beautiful mind / that)

_____

03 제주도에 사는 분 계신가요? (there / lives / is / anybody / that / on Jeju Island)

_____

[that을 사용할 것]

B
문장 완성

01 이것은 그녀가 쓴 소설이다. (the novel, write)

This is _____.

02 공원 옆에 있는 카페에서 만나자. (the cafe, next to)

Let's meet at _____.

03 탁자 위에 있는 지갑은 내 것이다. (the wallet, on the table, mine)

_____

내신 기출 ▶ 문장 완성

다음 우리말과 일치하도록 괄호 안에 주어진 표현과 that을 활용하여 문장을 완성하시오.

01 그는 내가 추천했던 운동화를 샀다. (the sneakers, recommend)

He bought _____.

02 어제 열린 행사는 성공적이었다. (the event, hold)

_____ was successful.

03 줄을 서 있는 사람들이 많았다. (many people, stand in line)

There were _____.

🖊 감점 피하기!

Q 그는 내가 공원에서 Kate를 만난 것을 안다. (meet)
He knows _____ _____ in the park.

★ 관계대명사 that vs 접속사 that

관계대명사 that 뒤에는 주어 또는 목적어가 생략된 불완전한 구조가 오지만 접속사 that 뒤에는 「주어+동사(+목적어)」 구조의 완전한 절이 와요.

I have a friend whose name is Amy.

관계대명사 whose는 두 문장을 연결하는 접속사와 소유격 대명사의 역할을 하며, 선행사의 종류(사람, 사물, 동물)에 상관없이 쓸 수 있다. whose는 관계대명사절에서 뒤에 나오는 명사의 소유격 역할을 하므로, 반드시 뒤에 명사가 오는 점에 유의한다.

> ※ 소유격 관계대명사
> I have a cat. Its *tail* is long. (소유격)
> = I have a cat whose *tail* is long. (소유격 관대+명사)
>   (= ~ and its tail is long.)

A
배열 영작

01 그녀는 지붕이 노란색인 집에 산다. (yellow / roof / is / whose / lives in / she / a house)

_____

02 이름이 Arthur인 왕이 있었다. (there was / whose / a king / Arthur / name / was)

_____

03 Vincent는 귀가 갈색인 개를 기른다. (Vincent / a dog / has / are / whose / ears / brown)

_____

B
문장 완성

[whose를 사용할 것]

01 나는 색상이 파란 탁자를 사고 싶다. (color)

I want to buy a table _____.

02 파스타가 인기 있는 그 식당은 예약이 꽉 찼다. (pasta, popular)

The restaurant _____ is fully booked.

03 나는 언니가 배우인 한 여자아이를 만났다. (meet, an actress)

_____.

내신 기출 오류 수정

다음 문장에서 어법상 틀린 부분을 찾아 바르게 고치시오.

01 He bought the book which cover is red.

_____ → _____

02 I know a boy who mother is a famous artist.

_____ → _____

03 The woman who hair is blonde is my aunt.

_____ → _____

> **감점 피하기!**
>
> **Q** I met the boy brother whose writes poems.
>
> _____ →
>
> _____
>
> ★ whose의 쓰임
>
> 관계대명사 whose 뒤에는 항상 명사가 나오고, 그 명사의 소유격 역할을 해요.

Step 1　기본 다지기

[1~7] 우리말과 일치하도록 괄호 안에 주어진 말을 바르게 배열하시오.

01 별을 연구하는 과학자들이 어떤 특별한 실험을 했다.
(scientists / study / who / did / stars / a special experiment)

→ _____

_____

02 나는 사람들이 좋아하는 피겨 스케이트 선수가 될 거야.
(I / a figure skater / will / whom / people / like / become)

→ _____

_____

03 들판에서 풀을 뜯는 소들이 있다.
(cows / there are / are grazing / which / in the field)

→ _____

_____

04 세리는 내가 쓰고 있는 모자를 마음에 들어 한다.
(I / Seri / likes / which / am wearing / the cap)

→ _____

05 나는 어머니가 간호사인 친구가 있다.
(I / have / mother / a friend / a nurse / whose / is)

→ _____

06 이것은 1920년대에 지어진 기차역이다.
(this / that / is / was built / the train station / in the 1920s)

→ _____

_____

07 추억은 당신이 기억하는 어떤 것이다.
(you / a memory / remember / something / that / is)

→ _____

_____

[8~13] 우리말과 일치하도록 문장을 완성하시오.

08 요리하기 좋아하는 사람은 누구나 그 수업에 참여할 수 있다.

→ Anyone _____ _____ _____

_____ can join the class.

09 공원에서 만난 그 여자아이는 내 친구이다.

→ The girl _____ _____ _____

at the park is my friend.

10 나는 검은색 운동화를 살 것이다.

→ I'll buy the sneakers _____ _____

_____.

11 당신이 가지고 있는 문제는 허리 통증이다.

→ The problem _____ _____

_____ is back pain.

12 그는 취미가 캠핑인 친구들이 많다.

→ He has many friends _____ _____

_____ _____.

13 나는 내가 먹기를 원했던 음식을 주문했다.

→ I ordered the food _____ _____

_____ _____ _____.

[14~19] 우리말을 영어로 옮긴 문장에서 어법이나 의미가 틀린 부분을 찾아 바르게 고치시오.

14　(Mike는 그녀를 도와주는 사람이다.)
Mike is the person who help her.

_____ → _____

15

(내가 가장 사랑하는 여자는 우리 엄마이다.)

The woman whose I love most is my mother.

_____ → _____

16

(저것은 내가 버스에서 잃어버렸던 그 카메라야!)

That's the camera which lost on the bus!

_____ → _____

17

(아들이 작가인 남자가 가게를 열었다.)

The man who son is a writer opened a store.

_____ → _____

18

(우리 가족은 시내에서 멀리 떨어진 곳에서 산다.)

My family lives in a place whose is far from downtown.

_____ → _____

19

(그가 작곡한 노래들은 크게 히트했다.)

The songs whom he wrote were big hits.

_____ → _____

Step 2 응용하기

[20~23] 우리말과 일치하도록 괄호 안에 주어진 말과 관계대명사를 활용하여 문장을 완성하시오.

20 그 냄새는 그녀가 요리하고 있는 스테이크에서 나온다.

(the steak, cook)

→ The smell is from _____

_____ .

21 머리가 검은 그 여자는 우리 언니이다.

(hair, black)

→ _____ is my

sister.

22 특별한 재능을 가진 학생들이 있다.

(students, special talents)

→ There are _____ .

23 그는 내가 아는 사람이다. (someone, know)

→ He is _____ .

[24~27] 다음 두 문장을 관계대명사를 활용하여 한 문장으로 쓰시오.

24 The black dress is very popular. The actress wore it.

→ _____

_____

25 My mom wants to buy shoes. Their color is red.

→ _____

_____

26 I want to have a friend. He makes me happy.

→ _____

_____

27 There is a building. The building has five elevators.

→ _____

_____

[28~30] 다음 빈칸에 알맞은 말을 넣어 대화를 완성하시오.

28

A: He is the boy _____ _____ next door to me.

B: I heard he is very smart.

29

A: What a wonderful picture!

B: This is the _____ _____ my cousin _____. He is a famous artist.

30

A: What type of man do you like?

B: I like a _____ _____ mind is open.

A: That's Mike. People say that about him.

Step 3 고난도 도전하기

31 다음 표를 보고, 관계대명사 who를 활용하여 문장을 완성하시오.

이름	직업	한 일
Thomas Edison	inventor	invented the light bulb
Pablo Picasso	artist	painted *Guernica*

(1) Thomas Edison was _____

_____.

(2) Pablo Picasso _____

_____.

32 다음 우리말과 일치하도록 주어진 〈조건〉에 맞게 문장을 완성하시오.

〈조건〉

1. 관계대명사를 사용할 것

2. the person, respect, the most를 활용할 것

3. 빈칸에 모두 9단어로 쓸 것

(그는 세상에서 내가 가장 존경하는 분이었다.)

_____

_____ in the world.

33 다음 밑줄 친 ⓐ~ⓔ에서 어법상 틀린 것을 찾아 기호를 쓰고, 바르게 고치시오.

I have a friend ⓐ whose hobby is reading. He gave me a book ⓑ that he bought online. It is a book ⓒ which has lots of pictures. The pictures ⓓ whose were taken by famous photographers look so nice. It's the best book ⓔ that I've ever read.

(_____) → _____

34 다음 A에 어울리는 문장을 B에서 골라 그 기호를 쓰고, 관계대명사를 활용하여 한 문장으로 쓰시오.

	A
(1)	He has an uncle.
(2)	I called the girl.
(3)	She doesn't like the food.

	B
ⓐ	I met her yesterday.
ⓑ	It is very spicy.
ⓒ	His job is a firefighter.

(1) _____

_____

(2) _____

_____

(3) _____

_____

35 다음 그림을 보고, 괄호 안에 주어진 표현과 관계대명사를 활용하여 문장을 완성하시오.

Look at _____

_____. (people, sit on the bench)

You must keep your promise.

must는 '~해야 한다'는 강한 의무나 '~임이 틀림없다'는 강한 추측을 나타낸다. 부정형은 must not[mustn't]으로 쓰며 '~해서는 안 된다'라는 강한 금지를 나타낸다. 또한 must는 '~해야 한다'는 뜻으로 쓰일 때 have to와 바꿔 쓸 수 있다. 단, must/have to 부정형의 의미는 각각 다르므로 서로 바꿔 쓸 수 없음에 유의한다.

• must의 긍정과 부정

	형태	의미
긍정	must[have to]	강한 의무(~해야 한다)
		강한 추측(~임이 틀림없다)
부정	must not[mustn't]	강한 금지(~해서는 안 된다)

A
배열 영작

01 학생들은 교칙을 따라야 한다. (the school rules / obey / must / students)

_____

02 그 남자가 도둑인 게 틀림없다. (a thief / the man / be / must)

_____

03 나는 내일 이 편지들을 보내야 한다. (these letters / I / send / must / tomorrow)

_____

B
문장 완성

[must를 사용할 것]

01 고속도로에서 사고가 있었던 게 틀림없다. (an accident)

There _____ on the highway.

02 그들은 도서관에서 떠들어서는 안 된다. (make a noise)

They _____ in the library.

03 그 여자는 변호사인 게 틀림없다. (a lawyer)

_____.

내신 기출 ▷ 조건 영작

다음 우리말과 일치하도록 〈보기〉에서 알맞은 말을 골라 must를 활용하여 문장을 완성하시오.

| 보기 ✎ | stop | disturb | play | get |

01 모든 운전자는 멈춤 표시에 멈춰야 한다.

All drivers _____ at stop signs.

02 아이들은 성냥을 가지고 놀지 말아야 한다.

Kids _____ with matches.

03 호텔 객실 청소부는 손님을 방해하지 말아야 한다.

Hotel housekeepers _____ the guests.

🔊 **감점 피하기!**

Q 너는 어젯밤에 충분히 자야 했다.

You _____
enough sleep last night.

★ **must의 과거형**

must는 과거형이 없으므로, '~해야 했다'라는 과거의 의미를 나타낼 때는 have to의 과거형 had to를 써요.

We **should** plant more trees.

should는 '~해야 한다, ~하는 것이 좋다'라는 뜻으로 must에 비해 강제성이 약해 주로 가벼운 정도의 의무나 충고 등을 나타낸다.
부정형은 should not[shouldn't]으로 쓰며 '~하지 말아야 한다'라는 뜻의 금지를 나타낸다.

A
배열 영작

01 우리는 역사로부터 배워야 한다. (should / from history / learn / we)

_____

02 너는 종이를 낭비하지 말아야 한다. (you / not / should / waste / paper)

_____

03 나는 일주일에 한 번 식물에 물을 줘야 한다. (I / the plant / should / once a week / water)

_____

[should를 사용할 것]

B
문장 완성

01 너는 식사 후에 이를 닦아야 한다. (brush one's teeth)

_____ after meals.

02 그녀는 공원에서 꽃을 꺾지 말아야 한다. (pick, flowers)

_____ in the park.

03 Amy는 탄산음료를 마시지 말아야 한다. (drink, soda)

_____ .

내신 기출 | 도표·그림

다음 그림을 보고, 괄호 안에 주어진 표현과 should를 활용하여 상황에 맞는 조언을 완성하시오.

| 01 | 02 | Q |

01 The sink is full. You _____ .
　　　　　　　　　　　　　(wash the dishes)

02 You have a cold. You _____ .
　　　　　　　　　　　　　(play outside)

감점 피하기!

Q It's raining hard.
He _____
_____ .
(drive carefully)

★ 조동사+동사원형

should는 must[have to]보다
약한 의무나 충고를 나타내요.
또한, 조동사 뒤에는 항상 동사
원형을 써야 한다는 것을 잊지
마세요.

I have to go now.

have to는 '~해야 한다'는 의무나 필요를 나타내며 must와 바꿔 쓸 수 있다. 의문문은 「Do[Does]+주어+have to+동사원형 ~?」의 형태로 쓰는데, 이때 긍정의 대답은 「Yes, 주어+do[does].」로, 부정의 대답은 「No, 주어+don't[doesn't].」로한다. 또한 must는 과거형이나 미래형이 없기 때문에 have to를 사용하여 표현하며, 다른 조동사와 쓰일 때는 must가 아닌 have to를 쓴다는 점에 유의한다.

ex You **will must** go home. (×)

평서문	현재	have[has] to
	과거	had to
	미래	will have to
의문문	질문	Do[Does / Did]+주어+have to+동사원형 ~?
	응답	Yes, 주어+do[does]. (긍정)
		No, 주어+don't[doesn't]. (부정)

A 배열 영작

01 너는 조심해서 말해야 한다. (you / carefully / have to / speak)

_____

02 그녀가 수영을 배워야 하나요? (she / does / have / learn / swim / to / to)

_____

03 그는 이 제품을 확인해야 할 것이다. (will / check / have to / he / this product)

_____

B 문장 완성

[have to를 사용할 것]

01 Clara는 그들의 새로운 생각을 받아들여야 했다. (accept)

Clara _____ their new idea.

02 제 신분증을 당신에게 보여줘야 하나요? (show)

_____ my ID to you?

03 그는 매일 아침 우유를 배달해야 한다. (deliver)

_____ .

내신 기출 〉 조건 영작

다음 우리말과 일치하도록 괄호 안에 주어진 표현과 have to를 활용하여 문장을 완성하시오.

01 너는 모퉁이에서 우회전해야 한다. (turn right, at the corner)

_____

02 여기서 버스를 갈아타야 하나요? (change buses)

_____

03 우리는 오늘 아침 일찍 출발해야 했다. (leave)

_____

감점 피하기!

Q 그녀는 매일 자신의 개에게 먹이를 줘야 한다. (feed)

_____

_____

★ have to의 수/인칭/
시제 일치

have는 주어와 시제에 따라
형태가 변하는데, 주어가 3인칭
단수 현재형일 때는 has to를
써요.

You don't have to be afraid.

don't have to는 have to의 부정형으로, '~할 필요가 없다, ~하지 않아도 된다'라는 뜻으로 불필요를 나타낸다. have to와 마찬가지로 주어와 시제에 따라 형태가 변한다. 단, have to는 must와 바꿔 쓸 수 있지만, don't have to는 must not(~하면 안 된다)으로 바꿔 쓸 수 없고, don't need to와 바꿔 쓸 수 있다는 점에 유의한다.

현재	과거	미래
don't have[need] to doesn't have[need] to	didn't have[need] to	won't have[need] to

A
배열 영작

01 너는 우리와 함께 가지 않아도 된다. (go with / you / have to / us / don't)

_____

02 그녀는 나에게 두 번 말할 필요가 없었다. (didn't / she / have to / me / tell / twice)

_____

03 그는 그 신발을 교환하지 않아도 된다. (he / have to / exchange / doesn't / the shoes)

_____

[have to를 사용하여 축약형으로 쓸 것]

B
문장 완성

01 그들은 더 이상 집에 머물지 않아도 될 것이다. (stay)

They _____ at home any more.

02 나는 다이어트를 하지 않아도 된다. (go on a diet)

I _____.

03 그녀는 피곤하면 우리와 함께하지 않아도 된다. (join)

_____ if she is tired.

내신 기출 ▷ 오류 수정

다음 문장에서 어법 또는 문맥상 틀린 부분을 찾아 바르게 고치시오.

01 You have not to do your homework today.

_____ → _____

02 Amy don't has to take care of her little brother.

_____ → _____

03 She doesn't have to take a taxi yesterday.

_____ → _____

감점 피하기!

Q Today is Sunday. You must not get up early.

_____ →

_____

★ must not vs don't have[need] to

must not은 '~해서는 안 된다'라는 뜻의 강한 금지를 나타내고, don't have[need] to는 '~할 필요가 없다'라는 뜻의 불필요를 나타내요.

You had better go now.

had better는 '~하는 게 좋다[낫다]'라는 뜻으로 should보다는 강한 충고나 조언, 또는 이를 따르지 않으면 불이익을 당할 수 있다는 경고의 의미가 있다. had better는 'd better의 형태로 줄여 쓸 수 있으며, 주어에 따라 had better의 형태는 변하지 않는다. 부정형은 '~하지 않는 게 좋다'라는 뜻으로 「had better+not」으로 쓴다.

A
배열 영작

01 나를 내버려 두는 게 좋을 거야. (you / leave / had better / me / alone)

_____

02 그는 발밑을 조심하는 게 좋을 거야. (his step / had better / watch / he)

_____

03 그들은 그 집을 사지 않는 게 좋을 것이다. (they / not / had better / the house / buy)

_____

[had better를 사용할 것]

B
문장 완성

01 채소를 더 많이 먹는 게 좋을 거야. (eat)

You _____ more vegetables.

02 그녀는 그 제안을 놓치지 않는 게 좋을 것이다. (miss)

She _____ the proposal.

03 Ann은 늦게까지 깨어 있지 않는 게 좋을 거야. (stay up)

_____.

내신 기출 ◀ 문장 완성

다음 괄호 안에 주어진 표현과 had better를 활용하여 Andy에게 충고하는 문장을 완성하시오.

01 Andy has been busy, so he often skips breakfast.

He _____. (have breakfast)

02 Andy got up late, so he could be late for school.

He _____. (take a taxi)

03 Andy studied until late last night, so he's very tired.

He _____. (get some rest)

감점 피하기!

Q Andy can't sleep well, so he _____

_____

_____.

(drink coffee)

★ had better의 부정형

had better의 부정형을 쓸 때 not의 위치에 주의하세요. not은 had better 뒤에 와서 「had better+not+동사원형」순으로 써요.

I would like to thank you.

「주어+would like to+동사원형」 구문은 '주어가 ~하고 싶다'라는 뜻으로, 「주어+want to+동사원형」과 뜻은 같지만 더 정중한 표현이다. 보통 주어와 would는 'd의 형태로 줄여서 쓰며, to 없이 「주어+would like+명사」의 형태로도 쓴다. 또한 「Would you like to+동사원형 ~?」 형태의 의문문을 써서 '~하시겠어요?'라는 뜻의 권유나 제안을 나타낸다. 이때, 긍정의 대답은 「Yes, I would[I'd love to].」로, 부정의 대답은 「I'd like to[I'm sorry], but I can't.」 등으로 한다.

A
배열 영작

01 Justin은 혼자 여행을 가고 싶어 한다. (alone / would / like to / Justin / travel)

_____

02 나는 Jason에 대해 알고 싶다. (I'd / Jason / like to / know / about)

_____

03 이번 주 일요일에 등산할래요? (like to / this Sunday / go hiking / would / you)

_____

[would like to를 사용할 것]

B
문장 완성

01 그들은 점심으로 햄버거를 먹고 싶어 한다. (have, hamburgers)

They _____ for lunch.

02 그녀는 과학박물관에 가고 싶어 한다. (visit)

She _____ a science museum.

03 제 친구를 소개하고 싶습니다. (introduce)

_____.

내신 기출 ▷ 대화 완성

다음 그림을 보고, 괄호 안에 주어진 말과 would like to를 활용하여 대화를 완성하시오.
(단, A에 쓰인 동사를 사용할 것)

01

A: Are you ready to order?

B: Yes. I _____.
(a steak)

02

A: What would you like to have for dessert?

B: I _____.
(chocolate ice cream)

⊙ 감점 피하기!

Q
A: What would you like to drink?

B: I _____
_____
_____.
(a glass of water)

★ would like to+동사원형

would like to 뒤에는 동사원형이 와요.

[1~6] 우리말과 일치하도록 괄호 안에 주어진 말을 바르게 배열하시오.

01 나는 이제 작별 인사를 해야 해.
(I / say / must / now / goodbye)

→ _____

02 그는 다른 사람들을 놀리지 말아야 한다.
(he / should / others / not / make fun of)

→ _____

03 Oliver는 10시까지 작업을 끝내야 한다.
(Oliver / finish / the work / has / to / by ten)

→ _____

04 예약하실 필요가 없습니다.
(you / have to / make / don't / a reservation)

→ _____

05 너는 우산을 챙기는 게 좋을 거야.
(you / had / take / better / an umbrella)

→ _____

06 나는 저녁 식사 후에 산책하고 싶다.
(I'd / take a walk / like to / after dinner)

→ _____

[7~12] 우리말과 일치하도록 문장을 완성하시오.

07 너는 먼저 너 자신을 사랑하는 법을 배워야 한다.
→ You _____ _____ to love yourself
first.

08 나는 시장에서 식료품을 사야 한다.
→ I _____ _____ some groceries at the
market.

09 너는 내일 이 책을 반납해야 하니?
→ Do you _____ _____ _____
this book tomorrow?

10 당신이 원하지 않으면, 그를 만날 필요가 없습니다.
→ You _____ _____ _____
_____ him if you don't want to.

11 그는 새 장갑을 사는 게 좋을 것이다.
→ He _____ _____ _____ new
gloves.

12 제 생일 파티에 와주시겠어요?
→ _____ _____ _____
_____ _____ to my birthday party?

[13~18] 우리말을 영어로 옮긴 문장에서 어법이나 의미가 틀린 부분을 찾아 바르게 고치시오.

13 (Mike는 나에게 화가 난 게 틀림없어.)
Mike must angry with me.

_____ → _____

14 (그는 TV를 너무 많이 보지 말아야 한다.)
He should watch too much TV.

_____ → _____

15

(너는 어제 나에게 사실을 말해야 했다.)

You must tell me the truth yesterday.

_____ → _____

16

(Keith는 새 자전거를 살 필요가 없다.)

Keith don't have to buy a new bike.

_____ → _____

17

(너는 음식을 너무 많이 남기지 않는 게 좋을 거야.)

You had not better leave too much food.

_____ → _____

18

(나는 당신과 영화를 보러 가고 싶어요.)

I would like go to the movies with you.

_____ → _____

Step **2** 응용하기

[19~24] 우리말과 일치하도록 괄호 안에 주어진 말을 활용하여 문장을 완성하시오.

19 우리는 시간과 돈을 낭비해서는 안 된다. (should, waste)

→ _____ time and money.

20 제가 손을 다시 씻어야 하나요? (have to, wash one's hands)

→ _____ again?

21 그는 부모님에게 특별한 아이임이 틀림없다. (must, special)

→ _____ to his parents.

22 너는 아무 말도 할 필요가 없었다. (have to, say)

→ _____ anything.

23 Jimmy는 치과에 가는 게 좋을 것이다.

(had better, the dentist)

→ Jimmy _____.

24 나랑 같이 눈사람 만들래? (would, build, a snowman)

→ _____

with me?

[25~30] 다음 두 문장의 의미가 유사하도록 〈보기〉에서 조동사를 골라 알맞은 형태로 빈칸을 완성하시오.

〈보기〉 must   have to   had better   would like to

25 My sister must clean her room.

= My sister _____ _____ _____
her room.

26 You should not buy it.

= You _____ _____ _____
_____ it.

27 Don't be rude to others.

= You _____ _____ _____
_____ to others.

28 I want to invite you to my house.

= I _____ _____ _____
_____ you to my house.

29 Must you send a package to her today?

= _____ you _____ _____
_____ a package to her today?

30 She needs not come home early.

= She _____ _____ _____
_____ home early.

31

A: Did you eat breakfast?

B: No, and I didn't eat lunch either.

A: You _____ be very hungry.

32

A: I get a stomachache after each meal.

B: You _____ _____ eat slowly.

A: I know. You're right.

33

A: Why do you stay home?

B: I _____ _____ _____ go to

school today.

A: Then _____ _____ _____

_____ go swimming with me?

B: Yes, I'd love to.

34

A: Do you know the safety rules for the beach?

B: No, I don't.

A: Just remember this. You _____ _____

swim too far out.

Step 3 고난도 도전하기

35 다음 표를 보고, should를 활용하여 학생들이 해야 할 일
과 하지 말아야 할 일을 쓰시오.

	Dos		Don'ts
(1)	come to school on time	(3)	fall asleep in class
(2)	follow the school rules	(4)	fight with their friends

(1) Students _____

_____.

(2) They _____

_____.

(3) Students _____

_____.

(4) They _____

_____.

36 다음 우리말과 일치하도록 주어진 〈조건〉에 맞게 문장을
완성하시오.

〈조건〉

1. would like to, invite를 사용할 것

2. 축약형을 사용할 것

3. 모두 7단어로 쓸 것

(너를 저녁 식사에 초대하고 싶어.)

_____

[37~38] 다음 그림을 보고, 괄호 안에 주어진 표현과 조동사를
활용하여 대화를 완성하시오.

37

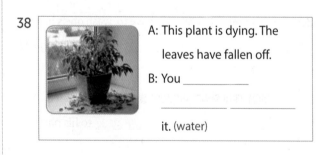

A: Would you like to play

soccer after school?

B: Sorry, I can't. I _____

_____ _____

for the exam. (study)

38

A: This plant is dying. The

leaves have fallen off.

B: You _____

_____ _____

it. (water)

39 다음 밑줄 친 ⓐ~ⓔ에서 문맥상 <u>틀린</u> 것을 찾아 기호를 쓰고, 바르게 고치시오.

> Tom ⓐ <u>would</u> like to lose weight. What ⓑ <u>should</u> he do first? He ⓒ <u>has to</u> eat less and exercise regularly. He ⓓ <u>should not</u> have fast food. He ⓔ <u>had better</u> lie down after eating.

(   ) → _____

40 다음 두 사람이 해야 할 일을 적은 표를 보고, have to를 활용하여 질문에 답하시오. (단, 축약형을 사용하여 완전한 문장으로 쓸 것)

Emily	Eddie
• write a report	• walk the dog
• volunteer at a hospital	• go to the dentist

(1) A: Who has to volunteer at a hospital?

    B: _____

_____

(2) A: Who doesn't have to write a report?

    B: _____

_____

(3) A: Who doesn't have to go to the dentist?

    B: _____

_____

Start now, and you will get there on time.

명령문 뒤에 접속사 and나 or를 넣어 조건절로 바꿔 쓸 수 있다.
and를 넣으면 '그러면 ～할 것이다'라는 뜻을, or를 넣으면 '그
렇지 않으면 ～할 것이다'라는 의미를 나타낸다. 이때 접속사
and와 or 앞에는 콤마(,)가 들어가야 한다.

명령문＋and ~	…해라, 그러면 ～할 것이다	= If you …, you will ~.
명령문＋or ~	…해라, 그렇지 않으면 ～할 것이다	= If you don't …, you will ~.

A 배열 영작

01 이 책을 사라, 그렇지 않으면 후회할 거야. (you / will / buy / regret / this book / or / it)

_____

02 잠깐 쉬어라, 그러면 기분이 나아질 거야. (rest / will / you / and / for a while / feel better)

_____

03 서둘러라, 그렇지 않으면 비행기를 놓칠 거야. (up / you / will / or / miss / hurry / your flight)

_____

B 문장 완성

01 조심해라, 그렇지 않으면 다칠 거야. (get hurt)

Be careful, _____.

02 집에 일찍 오세요, 그러면 우리와 저녁을 먹을 수 있어요. (have dinner)

Come home early, _____.

03 오른쪽으로 도세요, 그러면 은행이 보일 거예요. (turn right, see)

_____

내신 기출 ▷ 문장 전환

다음 문장을 and나 or를 활용하여 명령문으로 바꿔 쓰시오.

01 If you are honest, everyone will respect you.

→ Be honest, _____.

02 If you don't water the plant, it will die soon.

→ Water the plant, _____.

03 If you open the window, you will get some fresh air.

→ Open the window, _____.

🎯 감점 피하기!

Q If you don't take your umbrella, you will get wet.

→ Take your umbrella,

_____

_____

★ if절의 내용 확인

if절의 내용이 긍정문이면 and
로, 부정문이면 or로 절이 이
어져요.

While I was walking home, I saw a cat.

접속사 while은 '~하는 동안에, ~하면서'라는 뜻의 시간을 나타내는 접속사와 '~하는 반면'이라는 뜻의 양보를 나타내는 접속사로 쓰일 수 있는데, 여기서는 시간의 접속사로서의 쓰임만 다룬다. 접속사 while은 두 가지 일이 동시에 발생할 때 대체로 진행형과 함께 쓴다. while과 같은 접속사가 이끄는 부사절이 문장의 맨 앞에 오면 부사절과 주절 사이에 콤마(,)가 들어가는 점에 유의한다.

• 시간을 나타내는 접속사

while	~하는 동안에, ~하면서	as soon as	~하자마자
until[til]	~할 때까지	before/after	~하기 전에/~한 후에

A
배열 영작

01 그가 요리를 하는 동안 나는 상을 차렸다. (I / set / while / he / was cooking / the table)

_____

02 그녀가 자신의 방을 치우는 동안 그가 들어왔다. (while / was cleaning / her room / she / came in / he)

_____

B
문장 완성

[while을 사용하여 축약형으로 쓸 것]

01 나는 자면서 그녀에 대한 꿈을 꿨다. (sleep)

I had a dream about her while _____.

02 그녀는 춤을 추는 동안 행복해 보였다. (dance)

_____, she looked happy.

03 길을 건너면서 네 휴대전화를 사용하지 마라. (cellphone, cross the street)

_____.

내신 기출 ▶ 문장 전환

다음 두 문장을 while을 활용하여 한 문장으로 바꿔 쓰시오.

01 I was washing my hair. + I listened to the radio.

→ While _____, _____.

02 Laura was walking home. + She dropped her ice cream.

→ While _____, _____.

03 My brother hurt his leg. + He was playing basketball.

→ _____ while _____.

🎯 감점 피하기!

Q Tom was reading a book. + He fell asleep.

→ While _____

_____,

_____

★ 접속사+주어+동사

접속사 뒤에는 반드시 '주어+동사'형태의 절이 이어져요.

As soon as he heard it, he laughed.

시간을 나타내는 접속사 as soon as는 '~하자마자'라는 뜻이다. as soon as가 이끄는 부사절에서는 다른 시간 접속사와 마찬가지로 현재시제가 미래시제를 대신하는 점에 유의한다.

A 배열 영작

01 Bill은 나를 보자마자 도망쳤다. (ran away / Bill / me / he / saw / as soon as)

_____

02 내가 그것을 찾자마자 너에게 알려줄게. (I / I / find / will let / it / as soon as / you / know)

_____

03 나는 일어나자마자 내 스마트폰을 확인했다. (I / I / checked / woke up / my smartphone / as soon as)

_____

B 문장 완성

01 그녀가 들어오자마자 우리는 생일 축하 노래를 부를 것이다. (come in)

We will sing the birthday song _____.

02 물이 끓자마자 그녀는 국수를 넣었다. (the water, boil)

_____, she put the noodles in it.

03 도착하자마자 내게 전화해. (arrive, call)

_____.

내신 기출 ▷ 문장 전환

다음 두 문장을 as soon as를 활용하여 한 문장으로 바꿔 쓰시오.

01 The sun rises. + They will go climbing.

→ _____, they _____.

02 The baseball game started. + It started to rain.

→ _____, it _____.

03 The phone rang. + Linda answered the phone.

→ Linda _____.

감점 피하기!

Q Nick felt dizzy. + He got on the subway.

→ As soon as _____

_____,

_____.

★ 주어의 순서 확인

부사절과 주절의 순서를 바꿀 때, 먼저 나온 부사절의 주어는 고유명사로 쓰고, 주절의 주어는 대명사로 쓰는 것에 유의하세요.

You have to wait until I get there.

시간을 나타내는 접속사 until은 '~할 때까지'라는 뜻으로, 사건의 지속을 나타낸다. 다른 시간 접속사와 마찬가지로 until이 이끄는 부사절에서도 현재시제가 미래시제를 대신하는 것이 특징이다.

A
배열 영작

01 서점을 발견할 때까지 곧장 가라. (you / until / go straight / find / the bookstore)

_____

02 내 여동생은 내가 청소를 마칠 때까지 잤다. (I / slept / until / cleaning / finished / my sister)

_____

03 이름을 부를 때까지 여기 앉아계셔야 합니다. (you / your name / here / should sit / is called / until)

_____

B
문장 완성

01 나는 그가 사과할 때까지 그를 용서하지 않을 거야. (apologize)

I won't forgive him _____.

02 눈이 그칠 때까지 그들은 텐트 안에 있었다. (stop)

They stayed in the tent _____.

03 해가 저물 때까지 우리는 춤을 췄다. (dance, go down)

_____.

내신 기출 ▷ 문장 완성

다음 우리말과 일치하도록 괄호 안에 주어진 표현과 until을 활용하여 문장을 완성하시오.

01 영화가 끝날 때까지 Tom은 자리를 뜨지 않았다. (the movie, over)

Tom didn't leave _____.

02 그녀는 졸업할 때까지 그 가게에서 일할 것이다. (graduate)

She will work at the shop _____.

03 내가 그에게 그 소식을 말할 때까지 그는 그것에 대해 몰랐다. (tell, the news)

_____, he didn't know about it.

감점 피하기!

Q 어두워질 때까지 테니스를 치자. (get, dark)
Let's play tennis _____
_____.

★ until+주어+동사(현재시제)

시간을 나타내는 접속사가 이끄는 절에서는 미래를 나타내더라도 현재시제로 써야 해요.

I do yoga so that I can stay healthy.

목적을 나타내는 접속사 so that은 '~하기 위해서[~하려고]'라는 뜻이다. 뒤의 that
은 생략 가능하며 주절 뒤에 「so (that)+주어+동사」의 형태로 써서 '주어가 ~하기 위
해서[~하려고] …하다'라는 뜻을 나타낸다. that 뒤에는 주로 조동사 can[could]이
오는 경우가 많으며, to부정사의 부사적 용법(목적)이 들어간 문장으로 바꿔 쓸 수 있다.

| so (that)+주어+can[could]+동사 | ~하기 위해서(목적) |
| = (in order) to+동사원형 | |

A
배열 영작

01 그녀는 살을 빼기 위해 조깅을 시작했다. (she / jogging / lose / started / so that / weight / she / could)

_____

02 깨끗한 피부를 가지기 위해 물을 많이 마셔라. (you / drink / have / so that / a lot of water / clear skin)

_____

03 나는 내 방을 장식하기 위해 꽃병을 샀다. (I / I / bought / decorate / could / so that / a vase / my room)

_____

B
문장 완성

[「so that ~」 구문을 사용할 것]

01 그녀는 우리가 그것들을 이해할 수 있도록 명확하게 설명해준다. (understand)

She explains things clearly _____.

02 제가 잠들 수 있게 불을 꺼 주세요. (fall asleep)

Please turn off the light _____.

03 그는 일찍 일어나기 위해 일찍 잔다. (go to bed, get up)

_____.

내신 기출 ▶ 문장 전환

다음 문장과 같은 뜻이 되도록 「so that ~」 구문을 활용하여 문장을 완성하시오.

01 They wear sunglasses to protect their eyes.

→ They wear sunglasses _____

_____.

02 I want to become a pianist, so I practice playing the piano every
day.

→ I practice playing the piano every day _____

_____.

🎯 감점 피하기!

Q Jane went to her teacher to ask questions.

→ Jane went to her
teacher _____

_____

_____.

★ 부사절의 시제 일치

주절이 과거시제일 때 시제를
일치시켜 so that 이하 부사절
도 과거형으로 써야 해요.

It is so dark that we can't see.

「so+형용사/부사+that+주어+동사」 구문은 '너무[아주] …해서 주어가 ~하다'라는 뜻을 나타낸다. so와 that 사이에 형용사 또는 부사를 쓰며 that 앞에는 원인을, that 뒤에는 그로 인한 결과를 나타낸다. 앞서 나온 「so that+주어+동사」 구문과 의미가 다르니 헷갈리지 않도록 유의한다.

so+형용사/부사+**that**+주어+동사		너무[아주] …해서 ~하다
원인	결과	

A
배열 영작

01 상자가 너무 커서 너는 그것을 옮길 수 없다. (the box / you / is / it / so / that / big / can't / move)

_____

02 그가 너무 빨리 말해서 나는 그의 말을 알아들을 수가 없었다.

(I / he / so / quickly / couldn't / that / understand / spoke / him)

_____

B
문장 완성

01 그는 너무 피곤해서 더 이상 걸을 수 없다. (tired, walk)

He's _____ anymore.

02 그녀의 연설은 너무 지루해서 우리는 잠이 들었다. (boring, fall asleep)

Her speech was _____.

03 날씨가 너무 추워서 그녀는 안에 머물렀다. (it, cold, stay)

_____.

내신 기출 ◀ 조건 영작

다음 우리말과 일치하도록 괄호 안에 주어진 표현과 「so … that ~」 구문을 활용하여 문장을 완성하시오.

01 그 롤러코스터는 아주 인기가 있어서 우리는 한 시간 동안 기다렸다.

_____

(the roller coaster, popular, wait for an hour)

02 교통량이 너무 많아서 그는 정시에 도착하지 못했다.

_____

(the traffic, heavy, arrive on time)

☺ 감점 피하기!

Q 그는 너무 아파서 아무것도 할 수 없었다.

_____

_____

_____

(sick, do anything)

★ so+원인+that+결과

so 뒤에는 원인을 나타내는 형용사/부사가 오고, that 뒤에는 결과를 나타내는 절(주어+동사)이 와요.

If I miss the train, I'll take the next one.

조건을 나타내는 접속사 if는 '만약 ~라면'이라는 뜻이다. 만약 '~하지 않는다면'이라는 뜻을 나타낼 때는 'if ~ not'의 형태로 쓴다.
시간의 부사절과 마찬가지로 if가 이끄는 조건의 부사절에서도 현재시제가 미래시제를 대신하는 것이 특징이다.
ex If it **will snow**, I will stay home. (×)

A 배열 영작

01 질문이 있으면 손을 드세요. (if / have / you / your hands / raise / any questions)

_____

02 열이 있으면 병원에 가야 한다. (if / you / you / have / should / a fever / see a doctor)

_____

03 지금 떠나면 그들은 늦지 않을 것이다. (won't / late / if / they / be / now / leave / they)

_____

B 문장 완성

01 그 대회에서 Andy가 1등을 하면 나는 기쁠 거야. (win)

_____ first prize in the contest, I will be happy.

02 그 회의에 참석할 수 없으면 저에게 알려주세요. (attend)

Please let me know _____ the meeting.

03 내일 시간 있으면 우리 집에 와. (come to, home)

_____

내신 기출 ▷ 오류 수정

다음 문장에서 어법상 **틀린** 부분을 찾아 바르게 고쳐 쓰시오.

01 If it will rain tomorrow, I won't go on a picnic.

_____ → _____

02 He won't be late for the meeting if he will hurry up.

_____ → _____

03 I'll be able to finish this work if you'll help me.

_____ → _____

감점 피하기!

Q I don't know if I go there next year.

_____ →
_____

★ 명사절 접속사 if

접속사 if는 '~인지 아닌지'라는 뜻으로 명사절을 이끌어요. if가 명사절 접속사로 쓰이면 미래시제 부사구(next year)에 맞춰 동사를 미래형으로 써야 해요.

Though it was cold, I went swimming.

양보를 나타내는 접속사는 기대되는 상황과 반대되는 상황을 나타낼
때 쓴다. 접속사 though/although는 '(비록) ~이지만, ~라도'라는
뜻으로, though/although가 이끄는 부사절에는 주절과 반대되는 내
용이 온다는 점에서 이에 해당한다. though와 although의 의미는 동일하지만 일반적으로 though를 더 많이 쓰는 편이며, but이나 however
와 바꿔 쓸 수 있다.

주어+동사+**although/though**+주어+동사	(비록) ~이지만[~라도] …하다
=주어+동사. **But[However]**, 주어+동사	

A
배열 영작

01 비가 많이 오고 있었지만 나는 외출했다. (I / raining / hard / was / went out / it / although)

_____

02 그는 그림을 잘 그리지만 화가가 되지 못했다.

(though / he's / he / failed / drawing / good at / to become / an artist)

_____

03 수프는 짰지만 맛있었다. (the soup / delicious / was / it / though / was / salty)

_____

B
문장 완성

01 그녀는 피곤했지만 체육관에 갔다. (though, tired)

_____, she went to the gym.

02 Judy는 바닷가에 살지만 수영을 못 한다. (although, live)

_____ by the sea, she can't swim.

03 나는 노력했지만 그 퍼즐을 풀 수 없었다. (though, solve, try)

_____.

내신 기출 ▶ 문장 전환

다음 두 문장을 though를 활용하여 한 문장으로 바꿔 쓰시오.

01 I had a hard time. + I didn't give up my dream.

→ _____, I _____.

02 He plays basketball very well. + He is short.

→ _____, he _____.

03 My dad goes to work by bike. + He has a car.

→ My dad _____.

감점 피하기

Q I'm busy. + I have time to meet you.

→ _____

I _____

_____.

★ though/although가
이끄는 부사절
부사절과 주절의 내용이 반대
라는 점을 유의하세요.

I didn't know (that) he liked me.

that이 접속사로 쓰이면 '~하는 것'이라는 뜻으로, 주어나 보어 또는 목적어 역할을 하는 명사절을 이끄는데 여기서는 목적어 역할을 하는 경우만 집중적으로 다룬다. 접속사 that은 동사 know, think, believe, hear 등과 어울려 '~라는 것을 알다[생각하다, 믿다, 듣다]'라는 뜻으로 쓰인다. 이때 that이 이끄는 명사절이 목적어 역할을 하면 that을 생략할 수 있다.

• that절을 목적어로 쓰는 동사

| know (that) | ~하다는 것을 알다[알고 있다] | believe (that) | ~하다고 믿다 |
| think (that) | ~하다고 생각하다 | hear (that) | ~하다고 듣다 |

A
배열 영작

01 나는 네가 여동생이 있다고 들었어. (you / have / that / I / heard / a sister)

_____

02 나는 그녀가 파티에 올 거라고 믿었다. (I / she / believed / come / that / would / to the party)

_____

03 나는 거미가 곤충이 아니라는 것을 배웠다. (I / spiders / are / not / that / insects / learned)

_____

B
문장 완성

01 내 친구는 우리가 다시 만날 수 있기를 바란다. (hope)

_____ we can meet again.

02 그녀는 어젯밤에 별똥별을 보았다고 내게 말했다. (tell, see)

She _____ a shooting star last night.

03 나는 그녀가 내 친구를 좋아한다고 생각하지 않는다. (think, like)

_____ .

내신 기출   도표·그림

다음 우리말과 일치하도록 괄호 안에 주어진 표현과 that을 활용하여 문장을 완성하시오.

01    나는 그녀가 배가 고프다고 생각했다.

_____

(think, hungry)

02    그는 손을 씻는 것이 중요하다는 것을 안다.

_____

_____

(know, washing one's hands, important)

감점 피하기!

Q 문제는 내가 그의 이름을 잊어버렸다는 것이다.

_____

_____

(the problem, forget)

★ **접속사 that의 보어 역할**

접속사 that이 이끄는 명사절이 be동사의 보어 역할을 하고 있어요. 이때는 that을 생략하지 않아요.

Both Tim and Elly live in Toronto.

상관접속사는 두 개 이상의 단어가 짝을 이루는 접속사를 말한다.
「both A and B」는 대표적인 상관접속사 구문에 해당하며 'A와 B
둘 다'라는 뜻으로, 이때 A와 B의 문법적 형태는 동일해야 한다.
짝을 이루는 상관접속사 구문이 주어로 쓰이면 주로 동사와 가까

• 상관접속사

both A and B	A와 B 둘 다	not A but B	A가 아니라 B인
either A or B	A와 B 둘 중 하나	not only A but (also) B = B as well as A	A뿐만 아니라 B도

운 B의 수와 인칭에 일치시킨다. 단, 「both A and B」가 문장의 주어로 쓰일 때는 복수 취급하여 복수 동사를 쓴다.

A
배열 영작

01 그는 자신의 여권과 카메라를 둘 다 잃어버렸다. (he / both / and / his passport / his camera / lost)

_____

02 Jenny와 Lisa 둘 다 고양이를 기른다. (Jenny / have / and / Lisa / both / cats)

_____

03 너는 모자와 장갑 둘 다 가져와야 한다. (you / both / should / your hat / and / bring / gloves)

_____

B
문장 완성

01 나는 여름과 겨울 둘 다 좋아한다. (both)

I like _____.

02 쿠바와 아이슬란드는 둘 다 섬나라이다. (both, Cuba, Iceland)

_____ island countries.

03 Jack과 그의 남동생은 둘 다 잘생겼다. (both, handsome)

_____.

내신 기출 ▶ 문장 전환

다음 두 문장을 「both A and B」구문을 활용하여 한 문장으로 쓰시오.

01 Herbs are beautiful. + Herbs are useful.

→ _____

02 She's interested in movies. + She's interested in music.

→ _____

03 I can speak Chinese. + I can also speak Spanish.

→ _____

🎯 **감점 피하기!**

Q You are right. + Bill is right, too.

→ _____

_____

★ 동사의 수 일치 확인

「both A and B」가 주어로 쓰이
면 복수 취급하여 복수 동사로
써야 해요.

I'll go to either Brussels or Paris next month.

「either A or B」는 'A나 B 둘 중 하나'라는 뜻으로 두 가지 중에서 하나를 선택할 때 쓴다. 반대로, 'A와 B 둘 다 아닌'이라는 표현은 「neither A nor B」로 쓴다. 이때 A와 B의 문법적 형태는 동일해야 하며, 두 경우 모두 문장의 주어로 쓰일 때는 동사의 수를 B에 일치시키는 것이 특징이다.

> ※ either A or B / neither A nor B
> • Either <u>you</u> or <u>I</u> must go.
>   A   B → 대명사로 형태 동일
> • Neither **he** nor **I** **like** spicy food.
>   A   B → 대명사로 형태 동일, B에 수 일치 (likes(x))

A
배열 영작

01 내 여동생이나 나 둘 중 하나가 저녁 식사 후에 설거지를 한다.

(I / my sister / wash / either / or / the dishes / after dinner)

_____

02 그녀와 나 둘 다 이번 주말에 아무런 계획이 없다.

(she / I / neither / any plans / nor / have / for this weekend)

_____

B
문장 완성

01 나는 후식으로 파이 한 조각이나 아이스크림 둘 중 하나를 먹고 싶어. (a piece of pie)

I want to have _____ an ice cream for dessert.

02 유진이는 저녁 9시 이후에는 먹지도 마시지도 않는다. (eat, drink)

Yujin _____ after 9 p.m.

03 Ted와 나는 둘 다 오늘 오후에 도서관에 없었다. (in the library)

_____ this afternoon.

내신 기출 〉 오류 수정

다음 문장에서 어법상 **틀린** 부분을 찾아 바르게 고쳐 쓰시오.

01 Neither you or I must go there.

_____ → _____

02 Either she or Peter have to clean the toilet.

_____ → _____

03 Kate didn't go either to Paris nor to London.

_____ → _____

> **감점 피하기!**
>
> **Q** Neither she nor my friends is in the hospital.
>
> _____ →
>
> _____
>
> ★ 동사의 수 일치 확인
>
> 「neither A nor B」 또는 「either A or B」가 주어로 쓰이면 B에 동사의 수를 일치시켜요.

She is not Amy but Ailey.

「not A but B」는 'A가 아니라 B'라는 뜻으로, 마찬가지로 A와 B의 문법적 형태는 동일해야 한다. 「not A but B」가 문장의 주어로 쓰일 때는 동사의 수를 B에 일치시킨다.

A
배열 영작

01 저는 레몬차가 아니라 레모네이드를 주문했어요. (I / not / lemonade / but / ordered / lemon tea)

_____

02 그 남자는 모델이 아니라 디자이너이다. (the man / is / a designer / not / but / a model)

_____

03 내가 가장 좋아하는 스포츠는 야구가 아니라 농구이다.

(baseball / is / not / basketball / but / my favorite sport)

_____

B
문장 완성

01 나는 커피에 우유가 아니라 설탕을 넣었다. (put)

I _____ in my coffee.

02 Paul은 어제 그녀를 방문한 게 아니라 그녀에게 전화했다. (visit, call)

Paul _____ her _____ her yesterday.

03 그가 아니라 그의 남동생이 창문을 깨뜨렸다. (break, the window)

_____ .

내신 기출　도표·그림

다음 그림을 보고, 괄호 안에 주어진 표현과 「not A but B」 구문을 활용하여 문장을 완성하시오.

Alex　　　　　　　　　　Emily

Kate　　　　　　　　　Judy

01 Alex plays not with a balloon _____. (a ball)
02 Not Emily _____ a bike. (ride)
03 Kate doesn't swim _____. (build, a sandcastle)

감점 피하기!

Q Judy's hair is _____
_____
_____ .
(brown, blonde)

★ A와 B의 문법적 형태 확인

상관접속사 구문에서 A와 B의 문법적 형태는 명사와 명사, 형용사와 형용사처럼 동일해야 해요.

Not only **you** but (also) **I am late.**

「not only A but (also) B」는 'A뿐만 아니라 B도'라는 뜻으로, 이때 also는 주로 생략하는 경우가 많다. 「B as well as A」로 바꿔 쓸 수 있으며, 두 경우 모두 문장의 주어로 쓰일 때는 동사의 수를 B에 일치시키는 것이 특징이다.

A
배열 영작

01 Kevin뿐만 아니라 나도 그 영화를 봤다. (Kevin / the movie / not only / I / but also / saw)

_____

02 이 책은 재미있을 뿐만 아니라 도움이 된다. (not only / this book / is / but also / fun / helpful)

_____

03 벨기에는 와플뿐만 아니라 초콜릿으로도 유명하다.

(is / Belgium / waffles / as well as / chocolate / famous for)

_____

B
문장 완성

01 너는 예쁠 뿐만 아니라 친절하구나. (pretty, kind)

You are not only _____.

02 Harry뿐만 아니라 그의 친구들도 피자를 좋아한다. (like)

Not only _____ pizza.

03 이 햄버거는 클 뿐만 아니라 저렴하다. (hamburger, big, cheap)

_____.

내신 기출 ▶ 문장 완성

다음 문장과 같은 뜻이 되도록 괄호 안에 주어진 표현을 활용하여 문장을 완성하시오.

01 He can go there not only by plane but also by train. (as well as)

_____

02 We will go fishing as well as go camping. (not only)

_____

03 Life in a city is not only busy but also interesting. (as well as)

_____

감점 피하기!

Q Not only you but also she is responsible for the accident. (as well as)

_____

_____

★ not only A but (also) B = B as well as A

문장을 바꿀 때 A와 B의 위치가 바뀌는 것에 유의하고, 주어로 쓰이면 B에 수를 일치시켜요.

[1~12] 우리말과 일치하도록 괄호 안에 주어진 말을 바르게 배열하시오.

01 쭉 가세요, 그러면 경찰서를 찾게 될 겁니다.
(you'll / find / go / and / straight / a police station)

→ _____

02 그는 축구를 하다가 다리를 다쳤다.
(while / he / hurt / was / soccer / he / playing / his leg)

→ _____

_____

03 나는 버스에서 내리자마자 추위를 느꼈다.
(I / felt / I / as soon as / got off / cold / the bus)

→ _____

_____

04 그녀는 피곤할 때까지 공부했다.
(she / until / she / felt / studied / tired)

→ _____

_____

05 나는 깨어 있기 위해 커피를 마신다.
(I / drink / can / coffee / so that / I / stay / awake)

→ _____

_____

06 그들은 아주 행복해서 하루 종일 웃었다.
(they / laughed / were / happy / they / that / so / all day)

→ _____

07 졸리면 가서 자라. (sleepy / you / are / if / to / bed / go)

→ _____

08 Mary는 바빴지만 자신의 친구를 도왔다.
(Mary / helped / was / although / she / busy / her friend)

→ _____

_____

09 나는 음악이 식물들이 잘 자라게 도와줄 수 있다고 믿는다.
(I / believe / music / can / that / the plants / help / well / grow)

→ _____

_____

10 12월과 1월은 모두 31일이 있다.
(January / have / both / December / and / 31 days)

→ _____

11 너는 영화관이나 박물관에 갈 수 있다.
(can / you / either / go / to / or / a museum / a movie theater)

→ _____

12 내 여동생은 똑똑할 뿐만 아니라 친절하다.
(but also / smart / is / not only / my sister / kind)

→ _____

[13~23] 우리말과 일치하도록 문장을 완성하시오.

13 부츠를 신어라, 그렇지 않으면 발이 젖을 거야.

→ _____ _____ _____,

_____ your feet will get wet.

14 그 아기는 울다가 잠이 들었다.

→ _____ _____ _____

_____ _____, he fell asleep.

15 그녀는 그곳에 도착하자마자 사진을 찍었다.

→ ＿＿＿＿＿ ＿＿＿＿＿ ＿＿＿＿＿

＿＿＿＿＿ ＿＿＿＿＿ there, she took pictures.

16 나는 배가 고파질 때까지 아무것도 먹지 않았다.

→ I didn't eat anything ＿＿＿＿＿ ＿＿＿＿＿

＿＿＿＿＿ ＿＿＿＿＿.

17 나의 삼촌은 건강을 유지하려고 매일 자전거를 탄다.

→ My uncle rides his bike every day ＿＿＿＿＿

＿＿＿＿＿ ＿＿＿＿＿ ＿＿＿＿＿

＿＿＿＿＿ healthy.

18 그는 너무 바빠서 나를 만날 시간이 없었다.

→ He was ＿＿＿＿＿ ＿＿＿＿＿ ＿＿＿＿＿

＿＿＿＿＿ ＿＿＿＿＿ no time to meet me.

19 내가 그녀를 보면, 그것을 그녀에게 줄 거야.

→ ＿＿＿＿＿ ＿＿＿＿＿ ＿＿＿＿＿

＿＿＿＿＿, I will give it to her.

20 그녀는 아팠지만 병원에 가지 않았다.

→ ＿＿＿＿＿ ＿＿＿＿＿ ＿＿＿＿＿

＿＿＿＿＿, she didn't see a doctor.

21 나는 그들이 숲에서 길을 잃었다고 생각한다.

→ I think ＿＿＿＿＿ ＿＿＿＿＿ ＿＿＿＿＿

＿＿＿＿＿ in the forest.

22 너와 그녀 둘 다 돈이 전혀 없다.

→ ＿＿＿＿＿ ＿＿＿＿＿ ＿＿＿＿＿

＿＿＿＿＿ ＿＿＿＿＿ any money.

23 그녀는 가수일 뿐만 아니라 요리사이다.

→ She is a cook ＿＿＿＿＿ ＿＿＿＿＿

＿＿＿＿＿ ＿＿＿＿＿ ＿＿＿＿＿.

[24~35] 우리말을 영어로 옮긴 문장에서 어법이나 의미가 <u>틀린</u> 부분을 찾아 바르게 고치시오.

24 (지금 떠나라, 그러면 너는 제시간에 거기 도착할 거야.)

Leave now, or you'll get there on time.

＿＿＿＿＿＿＿ → ＿＿＿＿＿＿＿

25 (우리 엄마는 내가 극장에 있는 동안 나에게 계속 전화를 거셨다.)

My mother kept calling me while I in the theater.

＿＿＿＿＿＿＿ → ＿＿＿＿＿＿＿

26 (그녀는 일어서자마자 어지러움을 느꼈다.)

She felt dizzy as soon as she stands up.

＿＿＿＿＿＿＿ → ＿＿＿＿＿＿＿

27 (나는 반죽이 노릇해질 때까지 구울 거야.)

I'll bake the dough until it will be brown.

＿＿＿＿＿＿＿ → ＿＿＿＿＿＿＿

28 (Andy는 바이올린을 아주 열심히 연습해서 바이올린 연주자가 되었다.)

Andy practiced the violin so hardly that he became a violinist.

＿＿＿＿＿＿＿ → ＿＿＿＿＿＿＿

29 (Anna는 좀 쉬면 나아질 거야.)

If Anna will get some rest, she'll get better.

＿＿＿＿＿＿＿ → ＿＿＿＿＿＿＿

30

> (그 자동차는 비싸지만, 잘 팔린다.)
> Though the car is expensive, it doesn't sell well.

_____ → _____

31

> (나는 그것이 사실이라고 믿을 수 없다.)
> I can't believe that it was true.

_____ → _____

32

> (너와 Jane 둘 다 나의 좋은 친구들이다.)
> Both you and Jane is my good friends.

_____ → _____

33

> (그나 그녀 둘 중 한 명이 옳다.)
> Neither he or she is correct.

_____ → _____

34

> (Chris는 사진작가가 아니라 선생님이다.)
> Chris is not a photographer not a teacher.

_____ → _____

35

> (Amy뿐만 아니라 Stanley도 햄버거를 먹지 않는다.)
> Not only Amy but also Stanley don't eat hamburgers.

_____ → _____

Step 2 ▶ 응용하기

[36~42] 우리말과 일치하도록 괄호 안에 주어진 말을 활용하여 문장을 완성하시오.

36 내가 운전을 하는 동안 너는 자도 좋아. (drive)

→ _____, you may sleep.

37 우리는 Daniel이 춤을 잘 춘다는 것을 안다. (good at, dancing)

→ We know _____.

38 내 남동생은 컴퓨터를 사자마자 고장 냈다. (buy, the computer)

→ _____

_____, he broke it.

39 나는 요리하기와 음악 듣기 둘 다 좋아한다.
(cooking, listening)

→ I like _____ to music.

40 그녀는 서울에 살지만 남산에 거의 가지 않는다. (though, live in)

→ _____, she rarely goes

to Namsan.

41 노란색에 파란색을 더하면 녹색이 된다. (add)

→ _____ to yellow, it becomes green.

42 그녀는 그 아이들이 울음을 멈출 때까지 계속 노래를 불렀다.
(the children, stop, cry)

→ She kept singing _____

_____.

[43~48] 다음 문장과 같은 뜻이 되도록 빈칸을 완성하시오.

43 Take a bath, and you'll feel much better.

= _____, you'll feel much better.

44 If you don't exercise regularly, you'll gain weight.

= Exercise regularly, _____.

45 He is looking for materials to write his new book.

= He is looking for materials so _____

_____.

46 The luggage is too heavy for me to carry.

= The luggage is _____ that

_____.

47 Emma can play the drums as well as the guitar.

= Emma can play not only _____

_____.

48 You can't use either the computer or the laptop.

= _____ nor

the laptop.

[49~52] 다음 괄호 안에 주어진 말을 활용하여 대화를 완성하시오.

49

> A: How was your trip to France?
>
> B: Good. _____ _____ _____
>
> in France, I visited several museums.
>
> A: That sounds great. (while)

50

> A: I didn't do well on my math test.
>
> B: You have to study every day.
>
> A: I'll study hard _____ _____
>
> _____ _____ _____ good
>
> grades next time. (can, get)

51

> A: Mr. Brown is good at playing the piano.
>
> B: That's cool! Does he teach music?
>
> A: No, he's not a music teacher _____
>
> _____ _____ _____. He
>
> sometimes teaches us English songs. (an English
>
> teacher)

52

> A: What's the matter with you?
>
> B: I have a bad cold.
>
> A: _____ _____ _____ you
>
> will get better soon. (hope)
>
> B: Thanks.

53 다음 그림을 보고, 괄호 안에 주어진 표현과 접속사를 활용하여 문장을 완성하시오.

(1) _____

_____, she

studied hard for the exams.

(sleepy)

(2) _____

_____, I will play

tennis. (the weather, fine)

(3) The bus was so full _____

_____.

(can, get on)

54 다음 우리말과 일치하도록 〈보기〉에서 알맞은 것을 골라 그 기호를 쓰고, 문장을 완성하시오.

> 〈보기〉
>
> ⓐ both you and he
>
> ⓑ neither you nor he
>
> ⓒ not only you but also he

(1) 너와 그 둘 다 수영을 좋아하지 않는다.

_____ to swim.

(2) 너와 그 둘 다 그 결과에 책임이 있다.

_____ responsible for

the result.

(3) 너뿐만 아니라 그도 파티에 있었다.

_____ _____ at the party.

55 다음 우리말과 일치하도록 주어진 〈조건〉에 맞게 문장을 완성하시오.

〈조건〉
1. 「so … that ~」 구문을 사용할 것
2. concert, popular, the seats, booked를 활용할 것
3. 모두 11단어로 쓸 것

(그 콘서트는 아주 인기가 있어서 모든 좌석이 예약되었다.)

_____

_____

I'll give you some advice.

some과 any는 불특정한 대상의 수나 양을 표현하는 말로 '조금의, 일부의'라는 뜻의
형용사이자 '조금, 일부'라는 뜻의 대명사이다. some은 주로 긍정문이나 권유를 나타
내는 의문문에, any는 주로 부정문이나 의문문에 쓴다. 여기서는 some과 any가
형용사로 쓰이는 경우를 집중적으로 다룬다.

• some/any의 쓰임

some	긍정문	조금(의), 일부(의)
	의문문(권유)	[약간(의), 몇몇(의)]
any	부정문	조금도 ~하지 않는, 전혀[하나도] ~없는
	의문문	조금(의), 일부(의) [약간(의), 몇몇(의)]

A
배열 영작

01 너는 좋은 생각이 있니? (you / good ideas / have / any / do)

_____

02 버스에 빈자리가 하나도 없었다. (any / there / weren't / empty seats / on the bus)

_____

03 Camilla는 인터넷으로 옷을 좀 샀다. (Camilla / some / bought / clothes / on the Internet)

_____

B
문장 완성

01 그는 아침으로 빵을 좀 먹었다. (have, bread)

He _____ for breakfast.

02 무슨 질문 있습니까? (question)

Are there _____ ?

03 사과주스 좀 드실래요? (do, want, apple juice)

_____ ?

내신 기출   대화 완성

다음 괄호 안에 주어진 단어와 some/any를 활용하여 대화를 완성하시오.

01 A: How about going shopping?

B: I'm sorry, but I have _____ to do. (work)

02 A: Are you a vegetarian?

B: Yes. I don't eat _____. (meat)

03 A: Does Amy have _____ for this Sunday? (plan)

B: Yes, she is going to visit her grandparents.

🎯 감점 피하기!

Q
A: Would you like _____
_____ ?
(dessert)
B: Yes, I'd like a waffle.

★ some 의문문
권유의 의미를 나타내는 의문
문에서는 any가 아니라 some
을 써요.

I have something important to tell you.

형용사는 보통 명사 앞에서 수식하지만, something, anything, nothing, everything과 같이 -thing으로 끝나는 대명사는 형용사가 뒤에서 수식한다. 사물을 가리키는 대명사 -thing 외에, -one, -body로 끝나는 사람을 가리키는 대명사도 형용사가 뒤에서 수식한다.

- -thing/body/one 대명사

something	anything	nothing	everything
무언가	무언가, 무엇이든	어떤 것도 ~아니다	모든 것
somebody/someone	anybody/anyone	nobody/no one	everybody/everyone
어떤 사람, 누군가	누군가, 누구라도	아무도 ~않다	모든 사람, 모두

A 배열 영작

01 나는 숲에서 어떤 작은 것을 보았다. (I / something / saw / small / in the woods)

_____

02 나는 부지런한 누군가를 찾고 있어. (looking for / I'm / diligent / someone)

_____

03 그는 어떤 지루한 거라도 읽고 싶지 않았다. (boring / didn't / want / he / to read / anything)

_____

B 문장 완성

01 그에게 무슨 일이라도 있나요? (wrong)

Is there _____ with him?

02 그 식당에는 특별한 것이 아무것도 없었다. (special)

There was _____ in the restaurant.

03 나는 무언가 신 것이 먹고 싶다. (want, eat, sour)

_____ .

내신 기출 ▷ 문장 완성

다음 〈보기〉에서 빈칸에 들어갈 말로 가장 알맞은 말을 골라 문장을 완성하시오.

보기 ▷
• He wants something sweet.
• I want to do something interesting.
• He wants something cold to drink.
• Let's go to buy something nice for her.

01 I am bored. _____

02 The boy is buying a cake. _____

03 Tomorrow is Ann's birthday. _____

🎯 감점 피하기!

Q The weather is very hot. _____

_____

_____

★ -thing/one/body+ 형용사+to부정사

형용사와 to부정사가 함께 수식할 때는 「대명사+형용사+to부정사」의 순서가 돼요.

There is little water in the bottle.

few/little은 수 또는 양을 표현하는 말로, '거의 없는'이라는 뜻의 형용사이자 '소수, 소량'이라는 뜻의 대명사이다.
few는 수를 나타내므로 셀 수 있는 명사의 복수형과 쓰고, little은 양을 나타내므로 셀 수 없는 명사와 쓴다. 여기서는 few와 little이 형용사로 쓰이는 경우를 집중적으로 다룬다.

• few/little의 형용사적 쓰임

| few | +셀 수 있는 명사의 복수형 (거의 없는) | few *students* |
| little | +셀 수 없는 명사 (거의 없는) | little *time* |

A
배열 영작

01 우리 지역에는 자전거를 탈 장소가 거의 없다. (there / are / places / to ride / few / a bike / in our area)

_____

02 이 방은 햇빛이 거의 들지 않는다. (gets / little / sunlight / this room)

_____

03 Mark는 옷에 돈을 거의 쓰지 않는다. (Mark / little / spends / on / money / clothes)

_____

[few/little을 사용할 것]

B
문장 완성

01 강에 배가 거의 없었다. (there, boat)

_____ on the river.

02 4월에는 눈이 거의 오지 않는다. (have, snow)

We _____ in April.

03 나는 친구가 거의 없어서 외롭다. (have, friend)

_____, so I'm lonely.

내신 기출 ▷ 문장 완성

다음 우리말과 일치하도록 괄호 안에 주어진 표현과 few/little을 활용하여 문장을 완성하시오.

01 이 노트북은 소음이 거의 나지 않는다. (make, noise)

This laptop _____.

02 이 숲에는 사슴이 거의 살지 않는다. (deer, live)

_____ in this forest.

03 그녀는 항공권을 살 시간이 거의 없었다. (have, time)

_____ to buy the airplane ticket.

감점 피하기!

Q 그 신화에 대해 아는 사람은 거의 없다. (know)

_____
_____ about
the myth.

★ few와 little의 차이
few는 셀 수 있는 명사의 복수형과 함께 쓰고, little은 셀 수 없는 명사와 함께 써요.

I'll be there in a few minutes.

few/little 앞에 a가 붙으면 '조금 있는, 약간의'라는 뜻의 형용사이자, '조금, 약간'이라는 뜻의 대명사가 된다.
a few는 수를 나타내므로 셀 수 있는 명사의 복수형과 쓰고,
a little은 양을 나타내므로 셀 수 없는 명사와 쓴다. few/little과 의미가 반대라는 것에 유의한다.

· a few/a little의 형용사적 쓰임

| a few | +셀 수 있는 명사의 복수형 (조금 있는, 약간의) | a few *students* |
| a little | +셀 수 없는 명사 (조금 있는, 약간의) | a little *time* |

A
배열 영작

01 거실에 가구들이 좀 있다. (furniture / is / a little / in the living room / there)

_____

02 그는 그녀에게 장미 몇 송이를 사주었다. (roses / he / her / a few / bought)

_____

03 나는 도서관에서 몇 명의 학생들을 봤다. (I / students / a few / saw / in the library)

_____

B
문장 완성

[a few/a little을 사용할 것]

01 하늘에 별이 좀 있었다. (star)

_____ in the sky.

02 Ben은 그 문서에서 몇 가지 오류를 발견했다. (find, error)

Ben _____ in the documents.

03 그들은 나에게 그 시험에 대한 약간의 정보를 주었다. (give, information)

They _____ about the exam.

내신 기출 ▶ 오류 수정

다음 문장에서 어법상 틀린 부분을 찾아 바르게 고치시오.

01 A little boys are playing basketball on the playground.

_____ → _____

02 There is a few oranges in the basket.

_____ → _____

03 He gave the boy a few money.

_____ → _____

🎯 감점 피하기!

Q There are a few book on the desk.

_____ →

_____

★ (a) few+복수형 명사

few나 a few는 셀 수 있는 명사와 쓰므로 뒤에는 반드시 복수형 명사가 와야 해요.

Each country has a different culture.

each/every는 수를 나타내는 말로, each는 대상이 둘 이상일 때, every는 셋 이상일 때 쓴다.
all도 every처럼 대상이 셋 이상일 때 쓰지만, 수뿐만 아니라 양도 표현할 수 있다는 점에서 다르다. 또한, each/every가 형용사로 쓰일 때는 뒤에 명사와 동사 모두 단수 형태가 오는 것에 유의한다.

each (수)	형용사	each(각각의)+셀 수 있는 명사의 단수형+**단수동사**
	대명사	each(각각, 각자) of+셀 수 있는 명사의 복수형+**단수동사**
every(수)	형용사	every(모든)+셀 수 있는 명사의 단수형+**단수동사**
all (수, 양)	형용사	all(모든)+셀 수 있는 명사의 복수형+**복수동사**
	대명사	all(모든 (사람, 것)) (of)+셀 수 있는 명사의 복수형+**복수동사**

A
배열 영작

01 모든 사람은 친구가 필요하다. (person / friends / every / needs)

_____

02 내 여동생들은 모두 빵을 좋아한다. (like / all / bread / my sisters)

_____

03 각각의 방에 에어컨이 있다. (each / has / of / an air conditioner / the rooms)

_____

B
문장 완성

01 상자 안에 든 각각의 펜은 검정색이다. (pen)

_____ in the box is black.

02 그들의 자전거가 모두 도난당했다. (all, bike)

_____ were stolen.

03 모든 학생이 사진을 찍고 있었다. (every, take pictures)

_____ .

내신 기출 〉 오류 수정

다음 문장에서 밑줄 친 부분을 바르게 고치시오.

01 All <u>player is</u> wearing caps.

_____

02 Every <u>girls were</u> happy to see him.

_____

03 Each <u>children are</u> skating on the ice.

_____

◎ 감점 피하기!

Q Each of the <u>student</u> <u>have</u> their own locker.

_____

★ each of the+복수명사
each 뒤에는 단수명사가 오지만, each of 뒤에는 복수명사가 와요. 하지만, 둘 다 단수동사를 쓰는 것은 같으므로 혼동하지 않도록 주의하세요.

One is red, and the other is blue.

둘 이상의 사람이나 사물을 표현할 때 대명사로 표현할 수 있는데, 대상이 둘이면 「one ~, and the other …」, 대상이 셋이면 「one ~, another …, and the other ~」의 형태로 쓴다. 후자의 경우 one은 '정해지지 않은 하나', another는 '정해진 것 이외에 다른 하나', the other는 '나머지 하나'를 가리킨다.

대상이 둘일 때	● one		○ the other	(둘 중) 하나는 ~, 나머지 하나는 …
대상이 셋일 때	● one	◑ another	○ the other	(셋 중) 하나는 ~, 다른 하나는 …, 나머지 하나는 ~

A
배열 영작

01 나는 세 가지 운동을 좋아한다. 하나는 축구, 다른 하나는 럭비, 나머지 하나는 볼링이다.

(soccer / one / is / and / is / the other / rugby / another / bowling / is)

I like three sports. _____

02 남자아이가 셋 있다. 한 명은 중국 출신, 다른 한 명은 그리스 출신, 나머지 한 명은 인도 출신이다.

(another / and / is / the other / is / from Greece / one / from India / is / from China)

There are three boys. _____

B
문장 완성

01 버스 두 대가 온다. 한 대는 파란색, 나머지 한 대는 노란색이다. (yellow)

Here come two buses. _____ blue, and _____.

02 한 명은 줄넘기를 하고 있고, 나머지 한 명은 미끄럼틀을 타고 내려오고 있다. (jump, go)

_____ rope, and _____ down the slide.

03 나는 세 가지 음식을 먹었다. 하나는 피자, 다른 하나는 파스타, 나머지 하나는 스테이크이다.

(pizza, pasta, steak)

I ate three kinds of food. _____.

내신 기출 도표·그림

다음 그림을 보고, one/another/the other와 괄호 안에 주어진 말을 활용하여 문장을 완성하시오. (단, 괄호 안의 말을 순서대로 쓸 것)

01 There are two people next to the river. _____

_____ (ride a bike, running)

02 There are three people. _____

_____ (doctor, engineer, businessman)

⚡ 감점 피하기!

Q A boy has two pets.

_____

_____

(dog, cat)

★ one/another/the other

대상이 둘이면 one, the other로 구분하고, 대상이 셋이면 one, another, the other로 구분해요.

Can I have a piece of cake?

물질명사란 물이나 설탕처럼 일정한 형태가 없는 물질을 가리키는 명사이다. 물질명사를 셀 때는 단위나 용기를 나타내는 말과 함께 쓰는데, 복수형일 때는 단위나 용기를 복수형으로 표현한다. 이때, 물질명사를 복수형으로 쓰지 않도록 유의한다.

• 물질명사의 수량 표현

a cup of (한 잔의)	coffee, tea	a piece of (한 조각의, 한 장의)	cake, pizza
a glass of (한 잔의)	water, juice	a slice of (한 조각의)	cheese, bread
a bottle of (한 병의)	water, wine	a sheet of (한 장의)	paper, newspaper
a loaf of (한 덩어리의)	bread, meat	a bar of (한 개의)	soap, chocolate
a bowl of (한 그릇의)	soup, noodle	a spoonful of (한 스푼의)	sugar, salt

A 배열 영작

01 나는 녹차 두 잔을 주문했다. (I / of / two / green tea / ordered / cups)

_____

02 그녀는 시리얼 한 그릇을 먹고 있다. (a / is / she / cereal / of / bowl / eating)

_____

03 그는 가게에서 비누 세 개를 샀다. (at a store / bought / soap / bars / three / of / he)

_____

B 문장 완성

01 탁자 위에 치즈 세 장이 있다. (slice, cheese)

There are _____ on the table.

02 Amy는 매일 아침 수프 한 그릇을 먹는다. (bowl, soup)

Amy eats _____ every morning.

03 Keith는 매일 우유 한 잔을 마신다. (drink, glass)

_____ .

내신 기출　도표·그림

다음 주문한 음식 목록을 보고, ①~④를 영어로 옮기시오.

| 주문 목록 | | | | |
| ① 피자 여섯 조각 | ② 주스 세 병 | ③ 빵 두 덩어리 | ④ 커피 한 잔 | Q 설탕 두 스푼 |

① _____ (pizza) ② _____ (juice)

③ _____ (bread) ④ _____ (coffee)

감점 피하기!

Q _____

_____

(sugar)

★ 물질명사(sugar) 복수형 표현하기

sugar는 셀 수 없는 명사이므로, 단위를 나타내는 spoonful (스푼)의 복수형 spoonfuls을 써서 2스푼 이상의 양을 나타내요.

The new electric car moves by itself.

재귀대명사는 '~ 자신'이라는 뜻으로 인칭대명사에 '-self [selves]'를 붙인 것이다. 주어와 목적어가 같은 재귀 용법과 주어나 목적어를 강조하는 강조 용법이 있는데, 강조 용법으로 쓰인 재귀대명사는 생략할 수 있다. 단, 재귀대명사를 포함한 관용 표현에서 재귀대명사는 생략할 수 없다.

• 재귀대명사를 포함한 관용 표현

by oneself	혼자서 (= alone)	enjoy oneself	즐기다
for oneself	혼자 힘으로	help oneself to	~을 마음껏 먹다
of oneself	저절로	teach oneself	독학하다
in itself	본래, 그 자체로	talk to oneself	혼잣말하다
between ourselves	우리끼리 이야기인데	make oneself at home	편안히 있다

A 배열 영작

01 Olivia는 자기 자신을 자랑스러워했다. (Olivia / proud / of / was / herself)

_____

02 그는 혼자 힘으로 답을 찾아내려고 했다. (himself / to find / the answer / he / tried / for)

_____

03 우리끼리 이야기인데, 나는 그가 Jenny를 좋아한다고 생각해.
(I / he / Jenny / think / likes / between / ourselves)

_____

B 문장 완성

01 그는 혼자서 산책하고 싶었다. (take a walk)

He wanted to _____.

02 자연은 그 자체로 아름답다. (beautiful)

Nature is _____.

03 나는 내 컴퓨터를 직접 고쳤다. (fix)

_____.

내신 기출   도표·그림

다음 그림을 보고, 재귀대명사를 활용하여 문장을 완성하시오.

| 01 | 02 | Q |

01 She _____.
   (그녀는 자기 옷을 직접 만들었다.)

02 _____ at Erica's birthday party.
   (그들은 Erica의 생일 파티에서 즐겁게 보냈다.)

🔔 감점 피하기!

Q _____
_____ cookies.
(쿠키를 마음껏 드세요.)

★ 재귀대명사의 관용 표현
재귀대명사에 전치사나 특정한 동사가 함께 쓰이면 관용적인 의미가 돼요. 재귀대명사의 관용 표현은 꼭 외워두세요.

Step 1 기본 다지기

[1~8] 우리말과 일치하도록 괄호 안에 주어진 말을 바르게 배열하시오.

01 매장에 플랫 슈즈가 좀 있나요?
(flat shoes / there / are / any / in the store)

→ _____

02 나는 길에서 어떤 이상한 것을 주웠다.
(I / strange / on the street / picked up / something)

→ _____

_____

03 책장에 책이 거의 없다.
(few / are / books / there / on the bookshelf)

→ _____

04 너는 며칠 동안 쉴 필요가 있다.
(rest / need / you / for / days / a few / to)

→ _____

05 각각의 방이 꽃들로 가득 차 있다.
(each / flowers / room / full / is / of)

→ _____

06 나는 두 마리의 개가 있다. 하나는 흰색이고, 나머지 하나는 갈색이다.
(one / is / the other / white / and / brown / is)

→ I have two dogs. _____

_____

07 물 한 잔 주시겠어요?
(you / give / could / me / of / water / a glass)

→ _____

08 그 소녀는 거울로 자신을 보는 것을 좋아한다.
(the girl / herself / likes / in the mirror / to / look at)

→ _____

_____

[9~16] 우리말과 일치하도록 문장을 완성하시오.

09 몇몇 아이들이 마당에서 놀고 있다.

→ _____ _____ are playing in the yard.

10 무언가 잘못됐나요?

→ Is there _____ _____?

11 Jack은 부모님과 이야기를 나눌 시간이 거의 없다.

→ Jack has _____ _____ to talk with his parents.

12 나의 아버지는 내게 약간의 돈을 주셨다.

→ My father gave me _____ _____ _____.

13 모든 학생이 그 질문에 대한 답을 안다.

→ _____ _____ _____ the answer to the question.

14 두 소년이 잔디에 앉아 있다. 한 명은 음악을 듣고 있고, 나머지 한 명은 문자 메시지를 보내고 있다.

→ Two boys are sitting on the grass. _____ _____ listening to music, and _____ _____ _____ sending text messages.

15 우리는 샌드위치를 만들기 위해 두 덩어리의 빵이 필요하다.

→ We need _____ _____ _____ _____ to make sandwiches.

16 혼자서 그곳에 가지 마라.

→ Don't go there _____ _____.

우리말을 영어로 옮긴 문장에서 어법이나 의미가 <u>틀린</u> 부분을 찾아 바르게 고치시오.

17

(그는 숙제할 것이 조금도 없다.)

He doesn't have some homework.

_____ → _____

18

(날이 춥다. 나는 무언가 따뜻한 것이 필요하다.)

It's cold. I need warm something.

_____ → _____

19

(공부를 하고 싶어 하는 학생은 거의 없다.)

Few student want to study.

_____ → _____

20

(나는 그녀에게 약간의 조언을 해 줄 것이다.)

I'll give her a few advice.

_____ → _____

21

(각각의 아이들은 특별한 선물을 받는다.)

Each of the children receive a special gift.

_____ → _____

22

(나는 삼촌이 두 분 있다. 한 분은 부산에, 나머지 한 분은 인천에 사신다.)

I have two uncles. One lives in Busan, and another lives in Incheon.

_____ → _____

23

(나는 두 잔의 차를 원한다.)

I want two cup of teas.

_____ → _____

24

(그는 자기 자신을 매우 자랑스러워했다.)

He was very proud of him.

_____ → _____

Step 2 응용하기

[25~29] 우리말과 일치하도록 괄호 안에 주어진 말을 활용하여 문장을 완성하시오.

25 커피를 좀 드시겠어요? (like)

→ Would you _____?

26 공원의 모든 벤치는 갈색이다. (each, bench)

→ _____ in the park _____ brown.

27 이 나무는 잎이 거의 없다. (leaf)

→ This tree _____.

28 그의 요리법에는 독특한 게 없다. (nothing, unique)

→ _____ about his recipe.

29 나는 옷을 세 벌 샀다. 하나는 치마, 다른 하나는 재킷, 나머지 하나는 스웨터이다. (a skirt, a jacket, a sweater)

→ I bought three items of clothing. _____ _____, _____, and _____.

[30~34] 다음 문장을 괄호 안의 지시대로 바꿔 쓰시오.

30 There are some vegetables in the fridge.

[any를 사용한 부정문으로]

→ _____

_____

31 I did something at the festival.

[exciting으로 something을 수식하여]

→ _____

32 I had few books to read. [books를 time으로 바꿔서]

→ _____

33 There is a bottle of wine on the table.

[와인 한 병을 와인 세 병으로 바꿔서]

→ _____

_____

34 All children are crazy about toys. [all을 every로 바꿔서]

→ _____

[35~37] 다음 괄호 안에 주어진 말을 활용하여 대화를 완성하시오.

35

A: I'm so hungry. Do you have _____

_____? (food)

B: _____ _____ _____ any

food in the fridge. (help)

A: Thanks.

36

A: Does Jake have pets?

B: Yes, he has two. _____ _____ a

hamster, and _____ _____

_____ an iguana. (one)

A: I want to see them.

B: Let's go to his house tomorrow.

37

A: I want to eat _____ _____. (spicy)

B: Spicy? Are you feeling stressed?

A: Yes, I have so much work to do!

B: OK, let's order some spicy chicken, but keep a

_____ _____ water nearby.

You will need it! (glass)

Step **3** 고난도 도전하기

38 다음 우리말과 일치하도록 주어진 〈조건〉에 맞게 문장을
완성하시오.

〈조건〉

1. 재귀대명사를 사용할 것

2. paint, over를 사용할 것

3. 모두 6단어로 쓸 것

(Picasso는 자기 자신을 76년이 넘게 그렸다.)

_____

39 다음 그림을 보고, 「one ~ the other …」 구문을 활용하여
질문에 답하시오.

A: What are the two children doing?

B: _____

_____

40 다음 쇼핑 목록을 보고, 대화를 완성하시오.

쇼핑 목록		
① 비누 3개	② 종이 2장	③ 치즈 4장

A: We have to buy (1) _____.

(soap)

B: I need (2) _____

and (3) _____.

(paper, cheese)

Today is as cold as yesterday.

원급(형용사/부사의 원래 형태) 비교는 '…만큼 ~한/하게'라는 뜻으로 정도나 성질이 비슷한 두 가지 대상을 비교할 때 쓴다. 「as+형용사/부사의 원급+as」의 형태로 쓰며, as ~ as 뒤에 「주어+동사」의 형태가 오는 것이 원칙이지만 구어에서는 동사를 생략하거나 목적어 형태로 쓰는 경우가 많다. 부정문은 '…만큼 ~하지 않은/않게'라는 뜻으로 「not+as[so]+형용사/부사의 원급+as」의 형태로 쓴다.

긍정문	as+형용사/부사의 원급+as	…만큼 ~한/하게
부정문	not+as[so]+형용사/부사의 원급+as	…만큼 ~하지 않은/않게

A 배열 영작

01 나는 그녀만큼 노래를 잘 부른다. (I / she / sing / as / as / well / does)

_____

02 자전거는 자동차만큼 비싸지 않다. (a car / a bike / isn't / as / so / expensive)

_____

03 그 극장은 우리 교실만큼 작다. (as / the theater / small / is / as / my classroom)

_____

B 문장 완성

01 그 나무는 우리 집만큼 높다. (tall)

The tree is _____ my house.

02 내 고향은 전주만큼 아름답지 않다. (beautiful)

My hometown isn't _____ Jeonju.

03 Kevin은 나만큼 열심히 공부한다. (study, hard)

_____ .

내신 기출 조건 영작

다음 우리말과 일치하도록 〈보기〉에서 알맞은 말을 골라 「as ~ as」 구문을 활용하여 문장을 완성하시오.

| 보기 | hot | strong | many | handsome |

01 오늘은 어제만큼 덥다.

_____

02 Ted는 Jason만큼 잘생겼다.

_____

03 우리 형은 우리 삼촌만큼 힘이 세지 않다.

_____

감점 피하기!

Q Kate는 자신의 여동생만큼 음악에 대해 잘 안다.

_____

_____ about music.

★ as much as

as ~ as 사이에 동사를 수식하는 부사가 올 경우 원급으로 many가 아닌 much를 써야 해요.

My bag is twice as big as yours.

「배수사+as+형용사/부사의 원급+(명사)+as」 구문
은 '…보다 몇 배 더 ~한/하게'라는 뜻으로, 「as+형
용사/부사의 원급+(명사)+as」 구문 앞에 '~배'에 해
당하는 배수사(half, twice, three times 등)를 넣어
응용한 표현이다. 3배 이상부터는 기수 뒤에 -times를 붙여 표현한다.

배수사	원급 비교	의미
half (절반, 1/2배)	+as+형용사/부사의 원급+as	…보다 반이 ~한/하게
twice (2배)		…보다 몇 배 더 ~한/하게
three times (3배) …		

A
배열 영작

01 이 모자는 저것보다 2배는 더 좋다. (is / good / twice / as / this hat / as / that one)

_____

02 코끼리는 기린보다 3배 더 무겁다. (as / three times / the giraffe / heavy / is / the elephant / as)

_____

03 Amy는 나보다 음식을 2배 더 많이 먹었다. (Amy / ate / I did / much food / twice / as / as)

_____

B
문장 완성

01 그의 방은 내 방보다 4배 더 컸다. (big)

His room was _____ my room.

02 KTX는 고속버스보다 3배 더 빠르다. (fast)

The KTX is _____ the express bus.

03 이 건물은 저 건물보다 5배 더 높다. (high)

_____ .

내신 기출 도표·그림

다음 두 축구 선수의 기록표를 보고, 괄호 안에 주어진 표현과 「배수사+as ~ as」 구문을 활
용하여 문장을 완성하시오.

Name \ Record	Goals	Assists	Free kicks	Fouls
Harry	8	6	4	3
Bruno	4	3	1	9

01 Bruno scored _____ Harry did. (many goals)

02 Harry made _____ Bruno did. (many assists)

03 Harry made _____ Bruno did.
(many free kicks)

감점 피하기!

Q Bruno made _____
_____
Harry did. (many fouls)

★ 배수를 나타내는 표현
half(절반), twice(2배),
three[four, five] times
(3[4, 5]배)

Money is less important than health.

「less+형용사/부사의 원급+than」 구문은 '…보다 덜 ~한/하게'라는 뜻으로, 「more+형용사/부사의 원급+(명사)+than」에서 more를 less로 바꿔 반대되는 의미를 나타낸 것이다. 한쪽이 다른 한쪽의 수준에 미치지 못할 때 쓴다.

more+형용사/부사의 원급+(명사)+than	…보다 더 ~한/하게
less+형용사/부사의 원급+(명사)+than	…보다 덜 ~한/하게

A
배열 영작

01 내 책상이 네 것보다 덜 지저분하다. (my desk / less / yours / dirty / is / than)

_____

02 레몬은 사과보다 덜 달다. (lemons / than / less / apples / are / sweet)

_____

03 그 게임은 내가 생각했던 것보다 덜 재미있었다. (I / than / was / less / the game / thought / interesting)

_____

B
문장 완성

01 비행기는 기차보다 덜 느리게 간다. (slowly)

Planes go _____ trains.

02 이 운동화가 저것보다 덜 인기가 있다. (popular)

These sneakers _____ those ones.

03 고양이가 개보다 덜 활동적이다. (cats, active, dogs)

_____ .

내신 기출 　도표·그림

다음 우리말과 일치하도록 괄호 안에 주어진 표현과 「less ~ than」 구문을 활용하여 문장을 완성하시오.

01  그는 그녀보다 채소를 덜 먹는다. (eat, vegetable)

He _____ she does.

02  남자아이는 그의 엄마보다 덜 무겁다. (heavy)

The boy _____ his mother.

감점 피하기!

Q 나는 내 여동생보다 키가 덜 자랐다. (grow, tall)

I _____
my sister did.

★ 비교급+than+주어+동사

than 뒤에는 명사뿐만 아니라 「주어+동사」가 올 수 있는데, 이때 동사는 앞에서 나온 동사를 대신해요.

The earth is getting warmer and warmer.

「비교급＋and＋비교급」 구문은 '점점 더 ～한/하게'라는 뜻으로, 상태나 정도의 변화를 나타내는 표현이다. 이때 get이나 become처럼 상태 변화를 나타내는 동사와 함께 쓰여 「get/become＋비교급＋and＋비교급」의 형태가 되면 '점점 더 ～하게 되다[해지다]'의 뜻이 된다. 또한, 비교급이 「more＋원급」 형태인 경우 「more and more＋원급」 형태로 쓴다.

A 배열 영작

01 세계가 점점 더 작아지고 있다. (the world / smaller / becoming / and / smaller / is)

_____

02 그녀는 점점 더 테니스를 잘하고 있다. (she / is / better / and / getting / better / at tennis)

_____

03 강의가 점점 더 지루해지고 있었다. (the lecture / was / boring / more / getting / and / more)

_____

B 문장 완성

01 유제품은 뼈가 점점 더 튼튼하게 자라는 것을 도와준다. (strong)

Dairy foods helps our bones grow _____

02 그의 회사는 점점 더 커지고 있다. (big)

His company is getting _____.

03 내 성적이 점점 더 올라가고 있다. (grades, get, high)

_____.

내신 기출 문장 완성

다음 〈보기〉에서 알맞은 말을 골라 「비교급＋and＋비교급」 구문을 활용하여 문장을 완성하시오.

| 보기 | cold | slowly | tall | high | bad |

01 It is already November. It's getting _____ outside.

02 My eyesight is becoming _____.

03 The bus ran _____.

04 Prices are getting _____ every year.

감점 피하기!

Q My cousin is already 4 years old. He is getting

_____
_____.

★ 상태 변화 동사

「비교급＋and＋비교급」 구문은 보통 get, turn, become, grow 등처럼 상태 변화를 나타내는 동사와 함께 쓰여요.

Which is more important, math or history?

「Which+동사+비교급, A or B?」 구문은 'A와 B 중 어느 것이 더 ~한가요?'라는 뜻으로, 어떤 기준에 의해 두 가지를 비교하여 물을 때 쓰는 표현이다. 이때 which가 의문형용사로 쓰이면 뒤

사물	Which+동사+비교급, A or B?	A와 B 중에서 어느 것이[명사가] 더 ~한가요?
	Which(의문형용사)+명사+동사+비교급, A or B?	
사람	Who+is+비교급, A or B?	A와 B 중에서 누가 더 ~한가요?

에 명사를 넣어 「Which+명사+동사+비교급, A or B?」의 형태로도 쓸 수 있다. 한편 'A와 B 중에서 누가 더 ~한가요?'라고 두 사람을 비교할 때는 「Who+is+비교급, A or B?」의 형태로 쓴다.

A
배열 영작

01 축구와 야구 중 어느 것이 더 인기가 있니? (which / soccer / is / more popular/ or baseball)

_____

02 당근과 감자 중 어느 것이 시력에 더 좋니?

(which / is / the carrot / for / eyesight / or the potato / better)

_____

03 사자와 토끼 중 어느 것이 더 빨리 달리니? (runs / a lion / which / faster / or a rabbit)

_____

B
문장 완성

01 Billy와 Andy 중 누가 더 잘생겼니? (handsome)

_____, Billy or Andy?

02 거북이와 고래 중 어느 동물이 더 오래 사나요? (animal, long)

_____, a turtle or a whale?

03 태양과 지구 중 어느 것이 더 큰가요? (big)

_____?

내신 기출 대화 완성

다음 괄호 안에 주어진 표현을 활용하여 밑줄 친 부분을 비교하는 질문을 완성하시오.

01 A: _____, the Pacific Ocean or the Indian Ocean? (large)

B: The Pacific Ocean is larger.

02 A: _____, Harry or William? (eat, cookies)

B: William ate more cookies.

03 A: _____, the banana or the mango? (fruit, sweet)

B: The mango is sweeter.

> **감점 피하기!**
>
> Q
> A: _____
> in the race, Eric or Jack? (fast)
> B: Eric was faster.
>
> ★ 의문사 확인
> 비교 대상이 사물이면 which, 사람이면 who를 사용해요. 비교 대상에 따라 알맞은 의문사를 써야 해요.

L.A. is one of the largest cities in the U.S.

「one of the+최상급+복수명사」 구문은 최상급을 이용한 표현으로, '가장 ~한 … 중 하나'라는 뜻이다. '여러 개 중 하나'라는 뜻이므로
「one of the+최상급」 뒤에는 반드시 복수명사가 오는 점에 유의한다.

A 배열 영작

01 가장 키가 큰 동물 중 하나는 기린이다. (one / is / animals / the tallest / of / the giraffe)

_____

02 핀란드는 세계에서 가장 행복한 나라 중 하나이다.
(is / the happiest / one / of / countries / Finland / in the world)

_____

B 문장 완성

01 이것은 그해의 가장 멋진 공연 중 하나이다. (wonderful, show)

This is _____ of the year.

02 대구는 한국에서 가장 더운 도시 중 하나이다. (hot, city)

Daegu is _____ in Korea.

03 농구는 세계에서 가장 유명한 스포츠 중 하나이다. (basketball, popular)

_____ .

내신 기출 　오류 수정

다음 문장에서 어법상 **틀린** 부분을 찾아 바르게 고치시오.

01 The Nile is one of the most longest rivers in the world.

_____ → _____

02 Greece is one of the most beautiful country to visit.

_____ → _____

03 It is one of the most large markets in Korea.

_____ → _____

⚡ 감점 피하기!

Q One of the most popular music genres are jazz.

_____ →

_____

★ 최상급 활용 구문에서의 수 일치

「one of the+최상급+복수명사」 구문이 주어로 쓰일 때는 대명사 one에 맞춰 단수동사로 수 일치를 시켜야 해요.

[1~6] 우리말과 일치하도록 필호 안에 주어진 말을 바르게 배열하시오.

01 Frank는 Chris만큼 부지런하지 않다.
(Frank / as / Chris / isn't / diligent / as)

→ _____

02 그녀의 휴대전화는 내 것보다 2배 더 비싸다.
(is / twice / her cellphone / as / mine / as / expensive)

→ _____

03 너는 나보다 쇼핑하러 덜 자주 간다.
(you / often / go / less / I / do / than / shopping)

→ _____
_____

04 그 마라톤 선수는 점점 더 빠르게 달렸다.
(faster / the marathoner / and / ran / faster)

→ _____

05 사과와 배 중 어느 것이 더 싼가요?
(which / cheaper / is / an apple / or a pear)

→ _____

06 Dave는 그의 반에서 가장 키가 큰 소년들 중 하나이다.
(Dave / is / boys / the tallest / one / of / in his class)

→ _____
_____

[7~12] 우리말과 일치하도록 문장을 완성하시오.

07 Emily는 Elena만큼 빨리 걷는다.
→ Emily walks _____ _____
_____ Elena.

08 이 책은 저 책보다 3배 더 많이 팔렸다.
→ This book sold _____ _____
_____ _____ _____ that
book.

09 그 가수는 그녀의 어머니보다 덜 유명하다.
→ The singer is _____ _____
_____ her mother.

10 나무가 점점 더 크게 자라고 있다.
→ The tree is growing _____ _____
_____.

11 독일어와 일본어 중 어느 것이 더 배우기 쉽니?
→ _____ _____ _____ to learn,
German or Japanese?

12 아마존 강은 세계에서 가장 긴 강들 중 하나이다.
→ The Amazon is _____ _____
_____ _____ _____ in the
world.

[13~18] 우리말을 영어로 옮긴 문장에서 어법이나 의미가 <u>틀린</u> 부분을 찾아 바르게 고치시오.

13
(나는 Lisa가 자는 만큼 잔다.)
I sleep as much as Lisa do.

_____ → _____

14
(오늘은 어제보다 거의 2배 더 춥다.)
Today is almost twice as cold than yesterday.

_____ → _____

15

> (이 방이 저 방보다 덜 비싸다.)
>
> This room is less more expensive than that room.

_____ → _____

16

> (경기가 점점 악화되고 있다.)
>
> The economy is getting worse and worst.

_____ → _____

17

> (테니스와 럭비 중 어느 것이 더 위험하니?)
>
> Which is the more dangerous, tennis or rugby?

_____ → _____

18

> (비틀즈는 역사상 가장 유명한 록 밴드들 중 하나이다.)
>
> The Beatles are one of the most famous rock band in history.

_____ → _____

Step **2** 응용하기

[19~25] 우리말과 일치하도록 괄호 안에 주어진 말을 활용하여 문장을 완성하시오.

19 미술은 수학보다 덜 어렵다. (difficult)

→ Art is _____ math.

20 이 코트는 그 검은색 재킷보다 4배 더 비싸다. (expensive)

→ This coat is _____
the black jacket.

21 나는 세진이만큼 학교에 늦게 왔다. (late)

→ I came to school _____ Sejin.

22 Sue와 그녀의 언니 중 누가 더 피아노 연주를 잘하니?
(play, good)

→ _____, Sue or her
sister?

23 이 길과 저 길 중 어느 것이 더 빠른가요? (quick)

→ _____, this way or that way?

24 아이슬란드는 내가 가본 곳 중 가장 추운 곳들 중 하나이다.
(cold, place)

→ Iceland is _____
I've ever been to.

25 그들은 점점 더 천천히 걸었다. (slowly)

→ They walked _____.

[26~31] 주어진 문장을 괄호 안의 지시대로 바꿔 쓰시오.

26 Busan isn't as cold as Seoul in winter.
[less가 들어간 비교급으로, 의미가 같도록]

→ _____

27 He donated as much as she did.
[2배를 나타내는 표현을 사용해서]

→ _____

28 This is the best scene in the movie.
[one of가 들어간 최상급으로]

→ _____
_____

29 Your room and my room are the same size.
[「as ~ as」 구문으로, big을 사용해서]

→ _____

30 The space industry is getting big.
[「비교급+and+비교급」 구문으로]

→ _____

31 The movie is interesting. The musical is interesting.
too. [둘을 비교하는 문장으로, which를 사용해서]

→ _____
_____

[32~35] 다음 괄호 안에 주어진 말을 활용하여 대화를 완성하시오.

32
> A: In busy cities, riding a bike is twice _____ _____ _____ driving a car. (fast)
>
> B: Also, bikes are much cheaper than cars.

33
> A: It's raining. Let's go into that cave.
>
> B: We have to! The rain is getting _____ and _____ . (hard)

34
> A: _____ _____ taller, Minsu or Jiho?
>
> B: Minsu is. And he's even _____ _____ Suji. (tall)
>
> A: Oh, Minsu is _____ _____ of the three. (tall)

35
> A: Is this book interesting?
>
> B: Yes, this is one of _____ _____ _____ _____ I've ever read. (interesting)
>
> A: Then I want to read it!
>
> B: I have two copies. I'll give you one.

Step 3 고난도 도전하기

36 다음 표를 보고, 괄호 안에 주어진 표현을 활용하여 질문에 답을 완전한 문장으로 쓰시오.

	The lion	The tiger
Weight	100kg	100kg
Speed	80km/h	50km/h

(1) Q: Which is heavier, the lion or the tiger?

　A: _____

　_____ (as ~ as)

(2) Q: Which runs faster, the lion or the tiger?

　A: _____

　_____ (less ~ than)

37 다음 밑줄 친 ⓐ~ⓔ에서 어법상 **틀린** 것을 찾아 기호를 쓰고, 바르게 고치시오.

> ⓐ Which is bigger, his house ⓑ or my house? His house is ⓒ not as large as mine, but it is ⓓ more beautiful. His house is one of the most beautiful ⓔ house in our town.

(_____) → _____

38 다음 우리말과 일치하도록 주어진 〈조건〉에 맞게 문장을 완성하시오.

> 〈조건〉
> 1. it, get, bright를 사용할 것
> 2. 비교급 표현을 사용할 것
> 3. 모두 6단어로 쓸 것

(점점 더 밝아지고 있다.)

_____

39 다음 그림을 보고, 괄호 안에 주어진 표현을 활용하여 대화를 완성하시오.

> A: _____,
>
> 　time or money? (important)
>
> B: I think that time is _____
>
> 　money. (as, important)

He asked me where I was from.

간접의문문은 의문문이 다른 문장의 일부(주어, 보어, 목적어)가 되는 것인데, 주로 목적어로 사용된다. 의문사가 있는 문장을 간접의문문으로 쓸 때는 「의문사+주어+동사」의 평서문 어순으로 씀에 주의한다. 이때 의문사가 주어로 쓰였다면 간접의문문은 「의문사+동사」의 형태로 쓴다.

※ 간접의문문 만드는 법
- I know. + **Who** is he? (의문사 ≠ 주어)
  → I know who he is. (의문사+주어+동사)
- I know. + **Who** ate this? (의문사 = 주어)
  → I know who ate this. (의문사+동사)

A 배열 영작

01 Jessica가 왜 그렇게 슬퍼 보이는지 내게 말해줘. (Jessica / looks / why / tell / me / so / sad)

_____

02 그녀는 그 가게가 언제 여는지 알고 있다. (she / the store / when / knows / opens)

_____

03 그들은 내게 화장실이 어디에 있는지 물었다. (they / the restroom / was / me / asked / where)

_____

B 문장 완성

01 그는 누가 이 편지를 썼는지 알고 싶어 한다. (write, letter)

He wants to know _____.

02 나는 그 수업에 무엇을 가져가야 하는지 기억한다. (should, bring)

I remember _____ to the class.

03 나는 그의 집이 어디인지 알고 싶다. (want, know)

_____.

내신 기출 문장 전환

다음 두 문장을 간접의문문을 활용하여 한 문장으로 바꿔 쓰시오.

01 Tell me. + What is your name?

→ _____

02 I don't know. + What made you angry?

→ _____

03 My parents asked me. + Why did I spend so much money on it?

→ _____

감점 피하기!

Q I know. + How does this machine work?

→ _____
_____
_____

★ 간접의문문의 어순

간접의문문은 「의문사+(주어)+동사」의 평서문 어순으로 쓰고, 동사를 주어와 시제에 맞게 변화시켜야 해요.

Do you know what happened to him?

「Do you know[Can you tell me]+의문사+(주어)+동사 ~?」
구문은 '~을 아세요[알려주실 수 있나요]?'라는 뜻을 나타내는 표
현으로 의문사 뒤에 「주어+동사」의 어순이 오기 때문에 간접의문
문 형태로 볼 수 있다. 간접의문문에서 의문사가 주어일 때는 주어를 생략하여 「의문사+동사」의 형태로 쓴다.
또한, 간접의문문이 동사 think, believe, guess, suppose 등의 목적어로 쓰이면 의문사를 문장 맨 앞에 쓴다.

| 의문사가 주어일 때 | Do you know[Can you tell me]+의문사+동사 ~? |
| 의문사가 주어가 아닐 때 | Do you know[Can you tell me]+의문사+주어+동사 ~? |

A 배열 영작

01 그가 누구인지 아니? (who / he / you / do / know / is)

_____

02 네가 어떻게 이 가방을 만들었는지 알려주겠니? (you / can / made / how / you / tell / me / this bag)

_____

03 우리가 몇 시에 만나야 하는지 아니? (what time / we / do / you / should / know / meet)

_____

B 문장 완성

01 그녀가 왜 울고 있는지 아니? (cry)

Do you know _____ ?

02 당신은 Tom이 어디로 가고 있다고 생각하시나요? (go)

_____ ?

03 그 가게가 언제 여는지 알려주시겠어요? (the store, open)

_____ ?

내신 기출 ▶ 문장 전환

다음 의문문을 간접의문문으로 바꿔 문장을 완성하시오.

01 Where does she live?

→ Do you know _____ ?

02 Where is the nearest bus stop?

→ Can you tell me _____ ?

03 What did he eat for dinner?

→ Do you know _____ ?

> **감점 피하기!**
>
> **Q** Who did go to the bank?
> → Do you know _____
> _____
> _____ ?
>
> ★ 간접의문의 의문사 주어
>
> 간접의문문에서 의문사가 주어로 쓰일 경우 「의문사+동사」 형태로 써야 해요.

What subject **are you good at?**

「What+명사 ~?」 구문에서 what은 '어느, 어떤'이라는 뜻의 의문 형용사로 뒤에 오는 명사를 꾸민다. what은 which로도 바꿔 쓸 수 있는데 「which+명사」는 주로 문장 내에 범위가 정해져 있을 때 쓴다는 점에서 차이가 있다. 한편, 「what+명사」 구문은 문장에서 주어로 쓰일 때와 목적 어나 보어로 쓰일 때로 구분되는데, 여기서는 목적어나 보어 역할을 하는 경우를 집중적으로 다룬다.

be동사가 쓰였을 때	What+명사+be동사+주어 ~?	어느[어떤] …가 ~인가요?
일반동사/조동사가 쓰였을 때	What+명사+조동사(do/does/did/should 등)+주어+동사원형 ~?	어느[어떤] …가 ~하나요?

A
배열 영작

01 Emma는 지금 어느 기차를 타고 있나요? (what / Emma / on / train / is / now)

_____

02 너는 몇 학년이니? (you / what / are / grade / in)

_____

03 그는 부모님을 위해 어떤 선물을 골랐나요? (he / choose / what / did / gift / for his parents)

_____

B
문장 완성

[의문사 what을 사용할 것]

01 시청에 가려면 제가 어느 버스를 타야 하나요? (should, take)

_____ to go to City Hall?

02 어제 우리가 무슨 주제를 논의했나요? (topic, discuss)

_____ yesterday?

03 너는 작년에 어느 도시를 방문했니? (city, visit)

_____ ?

내신 기출 ▷ 대화 완성

괄호 안에 주어진 단어와 B의 응답에 쓴 표현을 활용하여 다음 질문을 완성하시오.

01 A: _____ to go to New York?
   (what flight, should)
   B: She should take flight A01623.

02 A: _____ from? (what gate)
   B: The flight leaves from gate 7.

03 A: _____ from? (what city)
   B: She departed from Sydney.

감점 피하기!

Q
A: _____
_____
in New York?
(what time)
B: She will arrive at 4:20 p.m.

★ what+명사
의문사 what은 뒤에 명사가 오면 '무엇'이 아니라 '어느, 어떤 ~'이라는 뜻을 나타내요.

Which do you prefer, mountains or beaches?

「Which(+명사) do you prefer, A or B?」 구문은 '당신은 A와 B 중 어느 것을 더 좋아하세요?'라는 뜻을 나타낸다. 상대가 둘 중 어느 것을 더 선호하는지 묻는 표현으로, which 뒤에 명사가 오기도 한다. 대답은 「I prefer A to B.(B보다 A가 더 좋습니다.)」 또는 「I prefer A.(A가 더 좋습니다.)」로 하며, 전자로 답할 경우에 A, B 순서를 혼동하지 않도록 주의한다.

질문	Which(+명사)+do+you+prefer, A or B? (당신은 A와 B 중 어느 것을 더 좋아하세요?)
대답	I prefer A to B. (B보다 A가 더 좋습니다.)
	I prefer A. (A가 더 좋습니다.)

A
배열 영작

01 너는 여름과 겨울 중 어떤 계절을 더 좋아하니?
(you / prefer / which / season / do / summer / or winter)

_____

02 그들은 시골 생활과 도시 생활 중 어떤 것을 더 좋아하니?
(they / which / do / country life / prefer / or city life)

_____

[의문사 which를 사용할 것]

B
문장 완성

01 통로 쪽 좌석과 창가 쪽 좌석 중 어떤 좌석을 더 좋아하세요? (seat)

_____, an aisle seat or a window seat?

02 너는 번지점프와 스카이다이빙 중 어떤 것을 더 좋아하니? (skydiving)

_____, bungee jumping or _____?

03 너는 낮과 밤 중 어떤 것을 더 좋아하니? (daytime, nighttime)

_____?

내신 기출 ▷ 조건 영작

다음 우리말과 일치하도록 주어진 〈조건〉에 맞게 문장을 완성하시오.

조건 1. which, prefer를 사용할 것   2. 괄호 안에 주어진 표현을 활용할 것

01
그는 농구와 축구 중 어떤 운동을 더 좋아하니?
(basketball, soccer)

_____

02
너는 피자와 파스타 중 어떤 음식을 더 좋아하니?
(pizza, pasta)

_____

🎯 **감점 피하기!**

Q 너는 춤추기와 노래하기 중 어떤 것을 더 좋아하니? (dancing, singing)

_____

_____

★ 의문사 which vs. what

which는 what과 달리 문장 내에서 대상이나 범위가 정해져 있는 경우에 써요.

How often do you eat out?

「How often+do[does]+주어+동사 ~?」 구문은 '주어는 ~를 얼마나 자주 하세요?'라는 뜻으로, 어떤 일이 얼마나 자주 일어나는지 빈도를 묻는 표현이다. 대답할 때는 always나 sometimes처럼 빈도부사를 쓰거나 횟수를 나타내는 부사 once[twice, three times]를 a day[week, month, year] 앞에 붙여 빈도를 나타낸다.

질문	How often+do[does]+주어+동사 ~? (얼마나 자주 ~?)
대답	빈도부사(always, often, sometimes ...)
	every+day[week, month, year] every+[two, three, four ...]+days[weeks, months, years]
	once[twice, three times]+a day[week, month, year]

A 배열 영작

01 너는 얼마나 자주 걸어서 학교에 가니? (you / walk / how often / to / do / school)

_____

02 서울에서 얼마나 자주 교통사고가 발생하나요? (traffic accidents / how often / happen / do / in Seoul)

_____

03 그는 얼마나 자주 치과에 가니? (he / go / does / to / how often / the dentist)

_____

B 문장 완성

01 그녀는 얼마나 자주 새 옷을 사니? (buy)

_____ new clothes?

02 그들은 작년에 얼마나 자주 극장에 갔니? (go)

_____ to the theater last year?

03 너는 얼마나 자주 우유를 마시니? (drink)

_____ ?

내신 기출 　대화 완성

다음 우리말과 일치하도록 B에 쓰인 표현과 「How often ~?」 구문을 활용하여 빈도를 묻는 질문과 대답을 완성하시오.

01 A: _____? (너는 얼마나 자주 운동하니?)

　 B: I exercise _____. (나는 이틀마다 운동해.)

02 A: _____? (그녀는 얼마나 자주 TV를 보니?)

　 B: She watches TV _____. (그녀는 일주일에 두 번 TV를 봐.)

03 A: _____? (그는 얼마나 자주 쇼핑을 가니?)

　 B: He goes shopping _____. (그는 한 달에 한 번 쇼핑을 가.)

> **감점 피하기!**
>
> Q
> A: _____
> _____ ?
> (너는 얼마나 자주 절을 방문하니?)
> B: I visit temples _____
> _____.
> (나는 2년마다 절을 방문해.)
>
> ★ ~마다(빈도 대답)
> 빈도를 묻는 표현인 「How often ~?」에, '~마다'라고 대답할 때는 「every+기수+복수 명사」로 나타내요.

[1~6] 우리말과 일치하도록 괄호 안에 주어진 말을 바르게 배열하시오.

01 너는 그 이야기가 어떻게 끝났는지 아니?
(you / know / do / the story / how / ended)

→ _____

02 네 취미가 어떤 건지 말해줘.
(what / tell / your hobby / me / is)

→ _____

03 그는 어떤 종류의 자동차를 운전하나요?
(he / drive / kind of car / what / does)

→ _____

04 너는 패키지 여행과 개인 여행 중 어떤 것을 더 좋아하니?
(you / which / do / or an individual trip / prefer / a package tour)

→ _____

→ _____

05 너는 검은색과 흰색 중 어떤 색깔을 더 좋아하니?
(you / prefer / black / white / which / color / or / do)

→ _____

→ _____

06 그녀는 얼마나 자주 음악을 듣니?
(she / does / listen / how often / to music)

→ _____

[7~13] 우리말과 일치하도록 문장을 완성하시오.

07 너는 그들이 그 성을 언제 지었는지 아니?

→ Do you know _____ _____
_____ the castle?

08 나는 네 반려동물이 몇 살인지 알고 싶어.

→ I want to know _____ _____
_____ _____ _____.

09 나는 그에게 그 학교가 어디에 있는지 물었다.

→ I asked him _____ _____
_____ _____.

10 그는 경연대회에서 어떤 노래를 불렀니?

→ _____ _____ did he sing in the
contest?

11 너는 만화 영화와 만화책 중 어떤 것을 더 좋아하니?

→ _____ _____ _____
_____, cartoons _____ comics?

12 너는 뉴욕과 파리 중 어떤 도시를 더 좋아하니?

→ _____ _____ do you _____,
New York _____ Paris?

13 너는 커피를 얼마나 자주 마시니?

→ _____ _____ _____
_____ _____ coffee?

[14~20] 우리말을 영어로 옮긴 문장에서 어법이나 의미가 틀린 부분을 찾아 바르게 고치시오.

14 (너는 왜 그가 여기 온지 아니?)
Do you know why does he come here?

_____ → _____

15 (나는 Eddie에게 그의 가족이 언제 서울에 도착하는지 물었다.)
I asked Eddie when would his family arrive in Seoul.

_____ → _____

16

(나는 무엇이 틀렸는지 모르겠어.)

I don't know what wrong is.

_____ → _____

17

(너는 어떤 종류의 신발이 마음에 드니?)

How kinds of shoes do you like?

_____ → _____

18

(너는 종이책과 전자책 중 어떤 것을 더 좋아하니?)

Which do you prefer, a paper book and an e-book?

_____ → _____

19

(이곳에서 지진이 얼마나 자주 일어나나요?)

How many do earthquakes happen here?

_____ → _____

20

(그녀는 이틀마다 도서관에 가.)

She goes to the library every two day.

_____ → _____

Step **2** 응용하기

[21~27] 우리말과 일치하도록 괄호 안에 주어진 말을 활용하여 문장을 완성하시오.

21 너는 뮤지컬이 언제 시작하는지 아니? (the musical, start)

→ Do you know _____ ?

22 그는 얼마나 자주 자기 방을 청소하니? (clean)

→ _____ his room?

23 우리가 지금 어디에 가고 있는지 말해줘. (go)

→ Tell me _____ now.

24 너는 고기와 생선 중 어떤 것을 더 좋아하니? (prefer)

→ _____ , meat _____ fish?

25 너는 어떤 색깔을 가장 좋아하니? (what, color)

→ _____ best?

26 그는 Amy에게 그녀가 그 피자를 어떻게 만들었는지 물었다. (make)

→ He asked Amy _____ the pizza.

27 너는 얼마나 자주 물고기에게 먹이를 주니? (feed)

→ _____ your fish?

[28~32] 괄호 안에 주어진 표현과 B의 답변에 쓴 표현을 활용하여 다음 대화를 완성하시오.

28 A: _____ ? (what size)

B: She wears a size 7.

29 A: _____ ? (how often)

B: He goes swimming every day.

30 A: _____ ?

(coffee, tea)

B: I prefer coffee.

31 A: _____ ?

(do you know, where)

B: He bought the food at the market.

32 A: _____ ?

(what kind of, best)

B: I like action movies best.

[33~35] 다음 빈칸에 알맞은 말을 넣어 대화를 완성하시오.

33

A: Please tell me _____ _____

_____ _____ _____ in the

future.

B: I want to be a writer.

A: _____ _____ of books do you

want to write?

B: I want to write historical novels.

34

A: _____ _____ does your father

cook?

B: He cooks once a week.

A: _____ _____ of food does he

cook?

B: He usually cooks steak or pasta.

35

A: Can you tell me what the man was wearing?

B: I don't remember _____ _____

_____ _____.

A: Do you know _____ _____ his

hair _____?

B: Hmm. I think that it was gray.

Step 3 고난도 도전하기

36 다음 대화에서 아빠의 질문에 쓰인 표현을 활용하여 문장을 완성하시오.

(1) Dad: When is the concert?

Kate: It's at 7 p.m. this Friday.

→ Dad asks her _____.

(2) Dad: How can you go there?

Kate: I don't know.

→ Kate doesn't know _____

_____.

(3) Dad: What time will you come home?

Kate: I'll come home by ten p.m.

→ Dad wants to know _____

_____.

37 다음 우리말과 일치하도록 괄호 안에 주어진 표현을 활용하여 문장을 완성하시오.

(1) 너는 재즈와 록 중에 어떤 음악을 더 좋아하니? (jazz, rock)

_____

_____

(2) 너는 샤워를 하는 것과 목욕을 하는 것 중에 어느 것을 더 좋아하니? (take a shower, a bath)

_____

_____

38 다음 밑줄 친 ⓐ~ⓔ에서 어법상 틀린 것을 찾아 그 기호를 쓰고, 바르게 고치시오.

A girl is crying in the market. A police officer comes over and asks her ⓐ what her name is. He asks her ⓑ how old she is. He asks her ⓒ where does she live. She wants to know ⓓ where her parents are. She doesn't remember ⓔ when she last saw them.

(_____) → _____

39 다음 그림을 보고, B에 쓰인 표현과「How often ~?」구문을 활용하여 빈도를 묻는 질문을 쓰시오.

(1)	(2)	(3)

(1) A: _____?

B: They clean their house every two days.

(2) A: _____?

B: My family goes camping once a month.

(3) A: _____?

B: I wash my dog twice a week.

동사 변화형

❶ A-B-B형

현재형	과거형	과거분사형(p.p.)	현재분사형(-ing)
bleed (피를 흘리다)	bled	bled	bleeding
bring (가져오다)	brought	brought	bringing
build (짓다)	built	built	building
buy (사다)	bought	bought	buying
catch (잡다) *3인칭 단수: catches	caught	caught	catching
feel (느끼다)	felt	felt	feeling
fight (싸우다)	fought	fought	fighting
flee (도망치다)	fled	fled	fleeing
get (얻다)	got	got/gotten	getting
have (가지다) *3인칭 단수: has	had	had	having
hang (걸다)	hung	hung	hanging
hear (듣다)	heard	heard	hearing
hold (잡다, 쥐다)	held	held	holding
keep (유지하다)	kept	kept	keeping
kneel (무릎을 꿇다)	knelt	knelt	kneeling
lay (눕히다, 놓다)	laid	laid	laying
lead (인도하다)	led	led	leading
leave (떠나다)	left	left	leaving
lose (잃다)	lost	lost	losing
lend (빌려주다)	lent	lent	lending
make (만들다)	made	made	making
mean (의미하다)	meant	meant	meaning
meet (만나다)	met	met	meeting
pay (지불하다)	paid	paid	paying
say (말하다)	said	said	saying

seek (찾다)	sought	sought	seeking
sell (팔다)	sold	sold	selling
send (보내다)	sent	sent	sending
sleep (잠자다)	slept	slept	sleeping
smell (냄새 맡다)	smelt	smelt	smelling
shine (빛나다)	shone	shone	shining
shoot (쏘다)	shot	shot	shooting
sit (앉다)	sat	sat	sitting
spend (소비하다)	spent	spent	spending
spill (엎지르다)	spilt	spilt	spilling
sweep (청소하다)	swept	swept	sweeping
teach (가르치다) *3인칭 단수: teaches	taught	taught	teaching
tell (말하다)	told	told	telling
think (생각하다)	thought	thought	thinking
win (이기다)	won	won	winning

❷ A-B-C형

현재형	과거형	과거분사형(p.p.)	현재분사형(-ing)
begin (시작하다)	began	begun	beginning
bite (물다)	bit	bitten	biting
blow (불다)	blew	blown	blowing
break (깨뜨리다)	broke	broken	breaking
choose (고르다)	chose	chosen	choosing
do (하다) *3인칭 단수: does	did	done	doing
draw (그리다)	drew	drawn	drawing
drink (마시다)	drank	drunk	drinking

drive (운전하다)	drove	driven	driving
eat (먹다)	ate	eaten	eating
fall (떨어지다)	fell	fallen	falling
fly (날다) *3인칭 단수: flies	flew	flown	flying
forget (잊다)	forgot	forgotten	forgetting
freeze (얼다)	froze	frozen	freezing
get (얻다)	got	gotten/got	getting
give (주다)	gave	given	giving
go (가다) *3인칭 단수: goes	went	gone	going
grow (자라다)	grew	grown	growing
hide (숨다)	hid	hidden	hiding
know (알다)	knew	known	knowing
lie (눕다)	lay	lain	lying
ride (타다)	rode	ridden	riding
ring (울리다)	rang	rung	ringing
rise (오르다)	rose	risen	rising
see (보다)	saw	seen	seeing
shake (흔들다)	shook	shaken	shaking
show (보여주다)	showed	shown/showed	showing
speak (말하다)	spoke	spoken	speaking
sing (노래하다)	sang	sung	singing
steal (훔치다)	stole	stolen	stealing
swell (부풀다)	swelled	swollen/swelled	swelling
swim (수영하다)	swam	swum	swimming
take (잡다)	took	taken	taking
throw (던지다)	threw	thrown	throwing
wake (잠이 깨다)	woke	woken	waking
wear (입다)	wore	worn	wearing
write (쓰다)	wrote	written	writing

❸ A-A-A형

현재형	과거형	과거분사형(p.p.)	현재분사형(-ing)
cost (비용이 들다)	cost	cost	costing
cut (베다)	cut	cut	cutting
hit (치다, 때리다)	hit	hit	hitting
hurt (다치다)	hurt	hurt	hurting
let (~하게 하다)	let	let	letting
put (놓다)	put	put	putting
set (놓다)	set	set	setting
shut (닫다)	shut	shut	shutting
read[riːd] (읽다)	read[red]	read[red]	reading

❹ A-B-A형

현재형	과거형	과거분사형(p.p.)	현재분사형(-ing)
become (되다)	became	become	becoming
come (오다)	came	come	coming
run (달리다)	ran	run	running

❺ A-A-B형

현재형	과거형	과거분사형(p.p.)	현재분사형(-ing)
beat (치다)	beat	beaten	beating

천일문
STARTER

1 구문 판매 1위 '천일문' 콘텐츠를 활용하여 정확하고 다양한 구문 학습

(끊어읽기) (해석하기) (문장 구조 분석) (해설·해석 제공) (단어 스크램블링) (영작하기)

2 문법·서술형 쎄듀의 모든 문법 문항을 활용하여 내신까지 해결하는 정교한 문법 유형 제공

(객관식과 주관식의 결합) (문법 포인트별 학습) (보기를 활용한 집합 문항) (내신대비 서술형) (어법+서술형 문제)

3 어휘 초·중·고·공무원까지 방대한 어휘량을 제공하며 오프라인 TEST 인쇄도 가능

(영단어 카드 학습) (단어 ↔ 뜻 유형) (예문 활용 유형) (단어 매칭 게임)

4 선생님 보유 문항 이용

(Online Test) (OMR Test)

cafe.naver.com/cedulearnteacher

쎄듀런 학습 정보가 궁금하다면?

쎄듀런 Cafe

· 쎄듀런 사용법 안내 & 학습법 공유
· 공지 및 문의사항 QA
· 할인 쿠폰 증정 등 이벤트 진행

1001개 문장으로 완성하는 중등 필수 영단어

천일문 VOCA
중등 시리즈

하루 20개,
40일 완성
800개

하루 25개,
40일 완성
1,000개

하루 25개,
40일 완성
1,000개

대상: 예비중 ~ 중1

대상: 중2~중3

대상: 중3 ~ 예비고

휴대용
암기장 제공

편리한
MP3 player
제공

편리하게 반복 학습 가능해요!

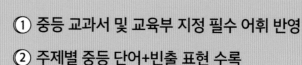

DAY 01

1001 Sentences
Day 01 - 02

MP3를 직접 들어보세요!

① 중등 교과서 및 교육부 지정 필수 어휘 반영

② 주제별 중등 단어+빈출 표현 수록

③ 쉬운 우리말 풀이와 관련 다양한 tip 제공

④ 문장을 통한 자연스러운 누적 학습

⑤ 쎄듀런을 통한 온라인 단어 암기 서비스

쎄듀북닷컴(www.cedubook.com)에서 부가 자료를 무료로 다운로드할 수 있습니다.

쎄듀

중학 서술형이
만만해지는 문장연습

중학
영어

쓰기 + 작문
쓰작

중학
영어

2

서술형
WORKBOOK

쎄듀

중학
영어

쓰작

쓰기 + 작문

2

서술형

WORKBOOK

Contents 목차

	권장 학습 진도	유닛명	학습일			
1주차	**Unit 01** - 01~10	시제	1차시 : – 2차시 : – 3차시 : –	월		일
2주차	**Unit 02** - 01~08	문장 형식	1차시 : – 2차시 : – 3차시 : –	월		일
3주차	**Unit 03** - 01~06	to부정사와 동명사	1차시 : – 2차시 : – 3차시 : –	월		일
4주차	**Unit 03** - 07~12	to부정사와 동명사	1차시 : – 2차시 : – 3차시 : –	월		일
5주차	**Unit 04** - 01~04	분사	1차시 : – 2차시 : – 3차시 : –	월		일
6주차	**Unit 05** - 01~05	수동태	1차시 : – 2차시 : – 3차시 : –	월		일
7주차	**Unit 06** - 01~04	관계대명사	1차시 : – 2차시 : – 3차시 : –	월		일
8주차	**Unit 07** - 01~06	조동사	1차시 : – 2차시 : – 3차시 : –	월		일
9주차	**Unit 08** - 01~06	접속사	1차시 : – 2차시 : – 3차시 : –	월		일
10주차	**Unit 08** - 07~13	접속사	1차시 : – 2차시 : – 3차시 : –	월		일
11주차	**Unit 09** - 01~08	대명사와 형용사	1차시 : – 2차시 : – 3차시 : –	월		일
12주차	**Unit 10** - 01~06	비교	1차시 : – 2차시 : – 3차시 : –	월		일
13주차	**Unit 11** - 01~05	의문사 주요 구문	1차시 : – 2차시 : – 3차시 : –	월		일

| 방학 대비 15일 완성 |

권장 학습 진도		유닛명	학습일	
1일차	**Unit 01** - 01~05	시제	월	일
2일차	**Unit 01** - 06~10	시제	월	일
3일차	**Unit 02** - 01~04	문장 형식	월	일
4일차	**Unit 02** - 05~08	문장 형식	월	일
5일차	**Unit 03** - 01~06	to부정사와 동명사	월	일
6일차	**Unit 03** - 07~12	to부정사와 동명사	월	일
7일차	**Unit 04** - 01~04	분사	월	일
8일차	**Unit 05** - 01~05	수동태	월	일
9일차	**Unit 06** - 01~04	관계대명사	월	일
10일차	**Unit 07** - 01~06	조동사	월	일
11일차	**Unit 08** - 01~06	접속사	월	일
12일차	**Unit 08** - 07~13	접속사	월	일
13일차	**Unit 09** - 01~08	대명사와 형용사	월	일
14일차	**Unit 10** - 01~06	비교	월	일
15일차	**Unit 11** - 01~05	의문사 주요 구문	월	일

학습 계획표 ❸ | 초단기 8일 완성 |

1일차	2일차	3일차	4일차
Unit 01~02 시제/문장 형식	**Unit 03** to부정사와 동명사	**Unit 04~05** 분사/수동태	**Unit 06~07** 관계대명사/조동사
5일차	6일차	7일차	8일차
Unit 08 접속사	**Unit 09** 대명사와 형용사	**Unit 10** 비교	**Unit 11** 의문사 주요 구문

A 배열 영작
다음 우리말과 일치하도록 괄호 안에 주어진 말을 바르게 배열하시오.

01 아버지께서 나를 역까지 데려다주고 계신다. (is / me / to the station / my father / taking)

_____

02 두 소녀는 서로를 향해 미소 짓고 있다. (are / two girls / at / smiling / each other)

_____

03 Mike가 운동장에서 야구를 하고 있다. (Mike / playing / baseball / on the playground / is)

_____

04 나는 친구들과 점심을 먹고 있다. (am / lunch / I / having / with / my friends)

_____

B 문장 완성
다음 우리말과 일치하도록 괄호 안에 주어진 말을 활용하여 문장을 완성하시오.

01 Lena가 블로그에 자신의 사진들을 올리고 있다. (post, pictures)

_____ on her blog.

02 그 열차가 플랫폼을 빠져나가고 있다. (train, leave)

_____ the platform.

03 나는 가족을 위해 저녁 준비를 하고 있다. (prepare, dinner)

_____ for my family.

04 그녀는 내일 우리 집에 올 것이다. (come)

_____ tomorrow.

C 문장 전환
다음 주어진 문장을 현재진행형으로 바꿔 쓰시오.

01 He moves the luggage to his room.

→ _____

02 The rabbits run in the field.

→ _____

03 They ride bikes along the river.

→ _____

A 다음 우리말과 일치하도록 괄호 안에 주어진 말을 바르게 배열하시오.

배열 영작

01 나는 지금 중국어를 배우고 있지 않다. (I / Chinese / not / now / learning / am)

_____

02 너 그 실험에 참여할 계획이니? (take part in / are / planning / the experiment / you / to)

_____

03 그는 방에서 라디오를 듣고 있지 않다. (he / the radio / is / listening to / not / in his room)

_____

04 Alice와 Lily가 어디에서 이야기하고 있니? (Alice and Lily / talking / where / are)

_____

B 다음 우리말과 일치하도록 괄호 안에 주어진 말을 활용하여 문장을 완성하시오.

문장 완성

01 그들은 집에서 점심을 먹고 있지 않다. (have)

They _____ at home.

02 너의 아버지께서 지금 신문을 보고 계시니? (father, read)

_____ now?

03 누가 거실에서 그녀를 기다리고 있니? (wait for)

Who _____ in the living room?

04 Julia는 스웨터를 입고 있지 않다. (wear)

_____ .

C 다음 괄호 안에 주어진 표현을 활용하여 현재진행형으로 대화를 완성하시오.

대화 완성

01 A: Does she have an exam tomorrow?

B: Yes. But _____ now. (study)

02 A: _____ a pizza? (make)

B: Yes, I am.

03 A: What _____ now? (fix)

B: He is fixing his computer.

A 다음 우리말과 일치하도록 괄호 안에 주어진 말을 바르게 배열하시오.

배열 영작

01 그는 그때 제주도에 살고 있었다. (he / living / was / at that time / on Jeju Island)

_____

02 우리는 걸어서 길을 건너고 있었다. (walking / we / across the street / were)

_____

03 나는 치킨샌드위치를 만들고 있었다. (I / making / chicken sandwiches / was)

_____

04 밖에 세찬 바람이 불고 있었다. (a strong wind / outside / blowing / was)

_____

B 다음 우리말과 일치하도록 괄호 안에 주어진 말을 활용하여 문장을 완성하시오.

문장 완성

01 우리는 옷을 상자에 넣고 있었다. (put clothes)

_____ into the box.

02 나의 선생님은 그 작가의 작품을 설명하고 있었다. (explain)

_____ the writer's work.

03 네가 나에게 전화했을 때 나는 피아노 레슨을 받는 중이었다. (take a piano lesson)

_____ when you called me.

04 그들은 2020년에 병원에서 일하고 있었다. (work at)

_____ in 2020.

C 다음은 Kevin이 어제 친구들과 주고받았던 문자 메시지이다. 밑줄 친 우리말을 괄호 안의 표현을 활용하여 과거진

조건 영작 행형 문장으로 완성하시오.

Me: Hey, guys. Who's coming to my house? <u>나는 파스타를 요리하고 있어.</u> (1:00 p.m)	**Helen:** I'm going with Eric. <u>우리는 아이스크림을 사는 중이야.</u> We'll be there in 10 minutes. (1:05 p.m)	**David:** I'm so sorry, but I can't make it. <u>나는 지금 엄마를 도와드리고 있어.</u> (1:20 p.m)

01 Kevin _____. (cook)

02 Helen and Eric _____. (buy)

03 David _____ then. (help)

A
배열 영작

다음 우리말과 일치하도록 괄호 안에 주어진 말을 바르게 배열하시오.

01 그때 비가 오고 있지 않았다. (then / it / raining / wasn't)

_____

02 제 개가 누군가에게 짖고 있었나요? (my dog / was / at / somebody / barking)

_____

03 그들은 책을 쓰고 있지 않았다. (they / books / not / writing / were)

_____

04 그때 그가 파란색 코트를 입고 있었니? (he / wearing / was / at that time / a blue coat)

_____

B
문장 완성

다음 우리말과 일치하도록 괄호 안에 주어진 말을 활용하여 문장을 완성하시오.

01 미안해, 나는 너의 이야기를 듣고 있지 않았어. (listen to)

I'm sorry, I _____ your story.

02 Jenny와 나는 어제 쿠키를 굽고 있지 않았다. (bake cookies)

Jenny and I _____ yesterday.

03 너는 어젯밤에 무엇을 찾고 있었니? (look for)

What _____ last night?

04 그는 너와 설거지를 하고 있었니? (wash the dishes)

_____ ?

C
대화 완성

다음 괄호 안에 주어진 표현을 활용하여 과거진행형으로 대화를 완성하시오.

01 A: _____ coffee this morning? (make)

B: Yes, she was.

02 A: _____ you? (where, take)

B: They were taking me to the museum.

03 A: _____ at 1 p.m.? (volunteer)

B: No, I wasn't. I started at 2 p.m.

Unit 01-05 ▶ **현재완료 (경험)** ◀ 시제

A
배열 영작

다음 우리말과 일치하도록 괄호 안에 주어진 말을 바르게 배열하시오.

01 나는 하늘에서 저 별을 본 적이 있다. (I / seen / in the sky / have / that star)

_____

02 그녀는 전에 James를 만난 적이 있다. (met / before / has / James / she)

_____

03 나는 학교에 지각한 적이 두 번 있다. (I / have / twice / late for / been / school)

_____

04 Tony는 한국에서 잡채를 먹어본 적이 있다. (Tony / eaten / in Korea / has / *japchae*)

_____

B
문장 완성

다음 우리말과 일치하도록 괄호 안에 주어진 말을 활용하여 문장을 완성하시오.

01 나는 전에 그 이야기를 들어본 적이 있다. (hear of)

_____ before.

02 그들은 그 도서관에 여러 번 가봤다. (be, library)

_____ many times.

03 Mr. Louis는 김치를 만들어 본 적이 한 번 있다. (make kimchi)

_____ once.

04 나는 내 미래에 대해 진지하게 생각해본 적이 있다. (think about, future)

_____ seriously.

C
도표·그림

다음 친구들의 경험을 적은 표를 보고, 우리말과 일치하도록 문장을 완성하시오.

	Name	Experience
01	Jiwon	swim in the sea
02	Yumin	have a rabbit
03	Soyun	climb Mt. Halla

01 지원이는 바다에서 수영한 적이 있다.   Jiwon _____.

02 유민이는 토끼를 기른 적이 있다.   Yumin _____.

03 소윤이는 전에 한라산에 오른 적이 있다.   Soyun _____ before.

A

배열 영작

다음 우리말과 일치하도록 괄호 안에 주어진 말을 바르게 배열하시오.

01 나의 아들은 일주일 동안 아팠다. (a week / has / my son / been / for / sick)

_____

02 나는 6년 동안 부산에서 살았다. (six years / I / have / in Busan / lived / for)

_____

03 그 서점은 지난달부터 개점해 있다. (the bookstore / last month / since / been / has / open)

_____

04 Justin은 1년 동안 탁구를 쳤다. (Justin / played / a year / has / table tennis / for)

_____

B

문장 완성

다음 우리말과 일치하도록 괄호 안에 주어진 말을 활용하여 문장을 완성하시오.

01 Tracy와 나는 오랫동안 서로를 알아왔다. (know each other)

_____ for a long time.

02 나의 언니는 지난 3월 이후로 살이 빠졌다. (lose weight)

_____ since last March.

03 그들은 2016년부터 그 식당을 운영해왔다. (run the restaurant)

_____ since 2016.

04 나의 할머니는 수년간 그림을 그려오셨다. (draw pictures)

_____ for years.

C

문장 완성

다음 우리말과 일치하도록 〈보기〉에서 알맞은 표현을 골라 문장을 완성하시오.

| 보기 | be friends | take care of the dog | work at the bank |

01 나는 어제부터 그 개를 돌보았다.

I _____ yesterday.

02 우리는 오랫동안 친구로 지내왔다.

We _____ a long time.

03 Keith는 작년부터 그 은행에서 일했다.

Keith _____ last year.

A

배열 영작

다음 우리말과 일치하도록 괄호 안에 주어진 말을 바르게 배열하시오.

01 나는 조깅하고 방금 돌아왔다. (have / from jogging / I / just / come back)

_____

02 그녀는 이미 그 댄스 대회에서 우승했다. (already / has / she / won / the dance contest)

_____

03 내 조카는 이미 걸음마를 뗐다. (has / my nephew / his first steps / taken / already)

_____

04 나의 부모님이 방금 서울에 도착하셨다. (have / my parents / arrived / just / in Seoul)

_____

B

문장 완성

다음 우리말과 일치하도록 괄호 안에 주어진 말을 활용하여 문장을 완성하시오.

01 엄마는 이미 내 생일을 위해 몇 가지 음식을 요리하셨다. (already, cook, some food)

Mom _____ for my birthday.

02 그 여행객이 시내로 가려고 방금 택시를 불렀다. (just, call)

The tourist _____ to go downtown.

03 경찰이 이미 그의 집을 확인했지만 아무것도 찾지 못했다. (already, check)

The police _____ but found nothing.

04 나는 방금 그들에 관한 그 이야기를 들었다. (just, hear)

_____ .

C

도표·그림

다음은 민호가 할 일을 적고, 수행 여부를 표시한 목록이다. 괄호 안에 주어진 말을 활용하여 문장을 완성하시오.

Minho's To Do List		
01	finish my homework	○
02	send an email to Sejin	○
03	bake cookies	×

01 Minho _____ . (just)

02 He _____ . (already)

03 Minho _____ . (yet)

A 배열 영작

다음 우리말과 일치하도록 괄호 안에 주어진 말을 바르게 배열하시오.

01　Stella는 자신의 프로젝트를 끝냈다. (finished / Stella / has / her project)

_____

02　커피가 차갑게 식어버렸다. (has / cold / gone / the coffee)

_____

03　그는 공항에서 여권을 잃어버렸다. (he / his passport / has / in the airport / lost)

_____

04　나는 오래된 책들을 모두 버렸다. (have / the old books / I / all / thrown away)

_____

B 문장 완성

다음 우리말과 일치하도록 괄호 안에 주어진 말을 활용하여 문장을 완성하시오.

01　나는 버스에 내 지갑을 두고 내렸다. (leave, wallet)

I _____ on the bus.

02　Amy는 그 경기를 이겨서 행복하다. (win, the game)

Amy _____, so she is happy.

03　나는 비밀번호를 잊어버려서 문을 열 수 없다. (forget, the password)

I can't open the door because I _____.

04　그는 자신의 공을 공원에서 찾았다. (find, ball)

_____.

C 조건 영작

다음 우리말과 일치하도록 〈보기〉에서 알맞은 동사를 골라 문장을 완성하시오.

보기 ▶	break	go	hurt

01　내 남동생이 내 컴퓨터를 고장 냈다. (나는 지금 내 컴퓨터를 사용하지 못한다.)

_____

02　내 개가 다리를 다쳤다. (내 개는 지금 걸을 수 없다.)

_____

03　Kate는 뉴욕에 갔다. (그녀는 지금 이곳에 없다.)

_____

A

배열 영작

다음 우리말과 일치하도록 괄호 안에 주어진 말을 바르게 배열하시오.

01 알이 아직 부화하지 않았다. (the egg / yet / hatched / not / has)

_____

02 그는 온라인으로 음악을 구매한 적이 없다. (he / bought / hasn't / online / music)

_____

03 Jack은 자신의 약속을 어긴 적이 없다. (Jack / hasn't / his promise / broken)

_____

04 나는 지난주 이후로 그녀를 보지 못했다. (have / not / her / I / last week / since / seen)

_____

B

문장 완성

다음 우리말과 일치하도록 괄호 안에 주어진 말을 활용하여 문장을 완성하시오.

01 Mike는 이틀간 학교에 오지 않았다. (come to school)

Mike _____ for two days.

02 그 선수는 올림픽 금메달을 따지 못했다. (win)

The player _____ an Olympic gold medal.

03 그들은 지난주 이후로 도서관에 가지 않았다. (go)

They _____ since last week.

04 우리는 터키에서 케밥을 먹어 본 적이 없다. (never, eat kebabs)

_____ in Turkey.

C

오류 수정

다음 문장에서 어법상 틀린 부분을 찾아 바르게 고치시오. (단, 축약형을 사용할 것)

01 It wasn't rain since last month.

_____ → _____

02 I haven't gone hiking yesterday.

_____ → _____

03 This place doesn't change much in ten years.

_____ → _____

A 다음 우리말과 일치하도록 괄호 안에 주어진 말을 바르게 배열하시오.

배열 영작

01 너는 당근 주스를 마셔본 적이 있니? (you / have / drunk / ever / carrot juice)

_____

02 너는 10년 동안 축구를 했니? (you / have / for / played / soccer / ten years)

_____

03 그의 여동생은 전에 봉사활동을 해본 적이 있니? (his sister / has / before / .volunteered)

_____

04 너는 하루 종일 어디에 있었니? (you / have / been / where / all day)

_____

B 다음 우리말과 일치하도록 괄호 안에 주어진 말을 활용하여 문장을 완성하시오.

문장 완성

01 너는 중요한 약속을 어긴 적이 있니? (broke)

_____ an important promise?

02 너는 상하이에 가본 적이 있니? (be)

_____ to Shanghai?

03 Dylan은 어려서부터 여기서 살았나요? (live)

_____ since he was a child?

04 Joe가 벌써 자기 사무실을 떠났나요? (leave, office, yet)

_____ ?

C 다음 우리말과 일치하도록 B의 대답을 활용하여 현재완료 의문문으로 대화를 완성하시오.

대화 완성

01 A: _____ (너는 그 박물관을 방문한 적이 있니?)

B: Yes, I have visited it twice.

02 A: _____ (그 열차가 역에 도착했니?)

B: No, it hasn't arrived yet.

03 A: _____ (네 여동생은 자신의 모자를 잃어버렸니?)

B: Yes, she has lost it.

A

배열 영작

다음 우리말과 일치하도록 괄호 안에 주어진 말을 바르게 배열하시오.

01 그녀의 노래는 아름답게 들린다. (very / sounds / beautiful / her song)

_____

02 이 음식은 정말 맛있다. (delicious / this food / really / tastes)

_____

03 너의 볼은 복숭아처럼 보인다. (peaches / your cheeks / look / like)

_____

04 이 천은 촉감이 부드럽지만 너무 얇다. (feels / soft / but / this cloth / too thin / it's)

_____

B

문장 완성

다음 우리말과 일치하도록 괄호 안에 주어진 말을 활용하여 문장을 완성하시오.

01 그 샴푸는 좋은 향이 난다. (good)

The shampoo _____.

02 그 포도는 시큼한 맛이 났다. (sour)

The grapes _____.

03 그 안경이 당신에게 잘 어울리네요. (nice)

The glasses _____ on you.

04 네 목소리가 평소와 다르게 들린다. (voice, different)

_____ from usual.

C

오류 수정

다음 문장에서 어법상 틀린 부분을 모두 찾아 바르게 고치시오.

01 The bread in the basket smells nicely.

_____ → _____

02 This rock looks a turtle.

_____ → _____

03 The soup tastes well but a little salt.

_____ → _____

A 다음 우리말과 일치하도록 괄호 안에 주어진 말을 바르게 배열하시오.

배열 영작

01 그녀는 고양이들에게 음식을 좀 주었다. (the cats / she / some food / gave / to)

_____

02 디저트를 좀 갖다 드릴까요? (I / you / could / get / for / some dessert)

_____

03 그 도둑은 경찰에게 거짓말을 했다. (the police / the thief / told / to / a lie)

_____

04 이 애플리케이션이 우리에게 가장 빠른 길을 찾아주었다. (the shortest way / found / this app / us / for)

_____

B 다음 우리말과 일치하도록 괄호 안에 주어진 말을 활용하여 문장을 완성하시오.

문장 완성

01 나는 Marie에게 내 우산을 빌려주었다. (lend, umbrella)

I _____ Marie.

02 내가 너에게 참치 샌드위치를 사줄게. (buy, a tuna sandwich)

I _____ you.

03 그는 휴대전화로 나에게 자신의 사진을 보냈다. (send, picture)

He _____ me by cell phone.

04 Susie는 부모님께 블루베리 머핀을 만들어 드렸다. (make, blueberry muffins)

_____ .

C 다음 문장을 to, for, of 중 알맞은 전치사를 사용하여 바꿔 쓰시오.

문장 전환

01 Can I ask you a favor?

→ _____

02 Maggie showed me her smartwatch.

→ _____

03 I cooked Kate chicken soup yesterday.

→ _____

A 다음 우리말과 일치하도록 괄호 안에 주어진 말을 바르게 배열하시오.

배열 영작

01 할머니는 나를 '강아지'라고 부르신다. (my grandmother / "Puppy" / calls / me)
_____

02 그녀는 그 계획이 성공적이라는 것을 알았다. (she / the plan / a success / found)
_____

03 아버지가 나를 최고의 축구 선수로 만들었다. (the best soccer player / my father / made / me)
_____

04 판사는 그 남자가 범인이라고 생각한다. (the judge / a criminal / the man / thinks)
_____

B 다음 우리말과 일치하도록 괄호 안에 주어진 말을 활용하여 문장을 완성하시오.

문장 완성

01 그들은 그것을 서프라이즈로 하고 싶었다. (keep, a surprise)
They wanted to _____.

02 나는 Brian을 친절한 소년이라고 생각했다. (think, a kind boy)
I _____.

03 사람들은 그를 천재 피아니스트라고 부른다. (call, a genius pianist)
People _____.

04 그는 자신의 햄스터에게 '햄찌'라고 이름을 지어주었다. (name, Hamzzi)
_____

C 다음 〈보기〉에서 알맞은 표현을 골라 문장을 완성하시오.

문장 완성

| 보기 | president | a genius | Happy Harry |

01 He is always smiling, so people call _____.

02 John has leadership skills, so students elected _____
of the club.

03 Emma had an amazing memory, so her parents found _____
_____.

A
배열 영작

다음 우리말과 일치하도록 괄호 안에 주어진 말을 바르게 배열하시오.

01 나는 그 만화가 재미있다는 것을 알게 되었다. (the cartoon / funny / I / found)

_____

02 많은 숙제는 우리를 피곤하게 만든다. (makes / homework / tired / us / a lot of)

_____

03 그 음식을 차갑게 두어야 한다. (keep / you / must / cold / the food)

_____

04 나는 그 그림이 아름답다고 생각했다. (I / beautiful / thought / the painting)

_____

B
문장 완성

다음 우리말과 일치하도록 괄호 안에 주어진 말을 활용하여 문장을 완성하시오.

01 나는 하루 종일 창문들을 열어두었다. (leave, open)

I _____ all day.

02 에어백이 사고에서 그들을 안전하게 지켜주었다. (keep, safe)

The airbags _____ in the accident.

03 힘든 시기가 나를 강하게 만들었다. (make, strong)

The hard times _____.

04 그녀는 그 노래가 부르기 어렵다는 것을 알게 되었다. (find, difficult)

_____ to sing.

C
대화 완성

다음 괄호 안의 주어진 말을 활용하여 대화를 완성하시오.

01 A: My desk is messy, so I can't find my report.

B: You should _____. (keep, clean)

02 A: Ricky won first place in a quiz contest.

B: Really? People will _____. (consider, smart)

03 A: I'm a little tired today, but I'm going to exercise.

B: Good. Exercise _____. (make, healthy)

A 다음 우리말과 일치하도록 괄호 안에 주어진 말을 바르게 배열하시오.

배열 영작

01 나는 Lisa가 나와 춤추기를 바란다. (I / Lisa / me / want / to / dance / with)

_____

02 그녀는 아들에게 문을 잠그라고 말했다. (she / her son / lock / told / to / the door)

_____

03 그는 아내에게 천천히 운전하라고 충고했다. (his wife / he / advised / to / drive / slowly)

_____

04 Dave는 내게 음식을 좀 준비할 것을 요청했다. (me / Dave / asked / prepare / to / some food)

_____

B 다음 우리말과 일치하도록 괄호 안에 주어진 말을 활용하여 문장을 완성하시오.

문장 완성

01 나의 어머니는 내가 피아니스트가 되기를 원하신다. (want, be)

My mother _____ a pianist.

02 그는 우리에게 학생 식당에 가라고 말했다. (tell, go)

He _____ to the cafeteria.

03 Harry는 내가 내 파일을 그와 공유할 것을 요청했다. (ask, share)

Harry _____ my files with him.

04 사람들은 그 소년이 다시 걷기를 기대했다. (expect, walk)

_____ again.

C 다음 사람들의 말을 읽고, 내용을 전달하는 문장을 완성하시오.

문장 완성

01 **Mr. White:** Students, be on time for class.

02 **The police officer:** Joe, get out of the building.

03 **Mom:** Jisu, study hard for the exams.

01 Mr. White told the _____ .

02 The police officer ordered _____ .

03 Mom wanted _____ .

A 다음 우리말과 일치하도록 괄호 안에 주어진 말을 바르게 배열하시오.
배열 영작

01 그는 아침에 자신의 아들이 우는 소리를 들었다. (he / his son / cry / heard / in the morning)
_____

02 나는 고양이가 생선을 먹고 있는 것을 보았다. (a cat / fish / I / saw / eating)
_____

03 Bella는 벌레가 자신을 무는 것을 느꼈다. (Bella / biting / her / felt / a bug)
_____

04 그는 밖에서 무언가가 움직이는 소리를 들었다. (he / move / something / listened to / outside)
_____

B 다음 우리말과 일치하도록 괄호 안에 주어진 말을 활용하여 문장을 완성하시오.
문장 완성

01 나는 그녀가 부엌에서 커피를 만드는 것을 보았다. (see, make)
I _____ coffee in the kitchen.

02 그들은 그 아이들이 모래성을 쌓는 것을 지켜보았다. (watch, build)
They _____ a sandcastle.

03 Sam은 여동생이 첼로를 연주하는 것을 들었다. (hear, the cello)
Sam _____.

04 나는 발밑에서 땅이 흔들리는 것을 느꼈다. (feel, shake)
_____ under my feet.

C 다음 두 문장을 같은 뜻의 한 문장으로 바꿔 쓰시오.
문장 전환

01 I heard Julie. + She was talking on the phone.
→ _____

02 I'm watching the girls. + They are dancing on the stage.
→ _____

03 I felt my cat. + It is touching my face.
→ _____

A
배열 영작

다음 우리말과 일치하도록 괄호 안에 주어진 말을 바르게 배열하시오.

01 나는 그가 라디오를 켜게 했다. (I / him / turn on / had / the radio)

_____

02 그는 그 소년이 사실을 말하게 했다. (the boy / the truth / he / made / tell)

_____

03 언니는 내가 그녀의 옷을 입게 해준다. (my sister / her clothes / lets / wear / me)

_____

04 그의 부모님은 그에게 주말 내내 공부하게 했다. (him / his parents / study / made / all weekend)

_____

B
문장 완성

다음 우리말과 일치하도록 괄호 안에 주어진 말을 활용하여 문장을 완성하시오.

01 엄마는 우리가 모바일 게임을 하게 해주실 거야. (let, play)

Mom will _____ mobile games.

02 너는 내가 더 좋은 사람이 되고 싶게 한다. (make, want)

You _____ to be a better man.

03 그가 이 차를 운전하게 하지 마세요. (let, drive)

Don't _____ this car.

04 나는 내 여동생이 우산을 가져오게 했다. (have, bring an umbrella)

_____ .

C
오류 수정

다음 문장에서 어법상 틀린 부분을 찾아 바르게 고치시오.

01 Ms. Jones made me turning off the lights in the classroom.

_____ → _____

02 I had Jenny walked the dog after lunch.

_____ → _____

03 He let people to take pictures of the flowers.

_____ → _____

A
배열 영작

다음 우리말과 일치하도록 괄호 안에 주어진 말을 바르게 배열하시오.

01 내 친구들은 내가 이사하는 것을 도와주었다. (me / my friends / helped / to / move)

_____

02 그가 방으로 가방을 나르는 것을 도와줘. (help / carry / his bags / to / him / his room)

_____

03 나는 그녀가 그 책을 복사하는 것을 도와주었다. (helped / I / the book / her / copy)

_____

04 제가 책을 찾는 것을 도와주시겠어요? (find / could / help / me / you / to / a book)

_____

B
문장 완성

다음 우리말과 일치하도록 괄호 안에 주어진 말을 활용하여 문장을 완성하시오.

01 Peter는 그가 나무 심는 것을 도와드렸다. (plant)

Peter _____ trees.

02 그 매뉴얼은 내가 자전거를 고치는 데 도움이 되었다. (fix)

The manual _____ my bike.

03 그 사업은 그가 많은 돈을 버는 데 도움이 될 것이다. (earn)

The business _____ lots of money.

04 나는 매일 그녀가 운동하는 것을 도와준다. (exercise)

_____ every day.

C
조건 영작

다음 우리말과 일치하도록 〈보기〉에서 알맞은 표현을 골라 빈칸을 완성하시오.

| 보기 ▷ | solve math problems | sleep well | make kimchi |

01 민주는 이모가 김치 담그는 것을 도와드려야 한다.

Minju should help _____.

02 Andrew는 자신의 남동생이 수학 문제를 푸는 것을 도와주었다.

Andrew helped _____.

03 그 안대는 내가 잠을 잘 자도록 도와준다.

The eye mask helps _____.

A

배열 영작

다음 우리말과 일치하도록 괄호 안에 주어진 말을 바르게 배열하시오.

01 규칙적으로 운동하는 것이 당신을 더 오래 살게 해준다. (exercise / regularly / to / live longer / you / makes)

_____

02 우리 이모의 꿈은 작가가 되는 것이다. (be / is / my aunt's dream / to / a writer)

_____

03 이 단어를 발음하는 것은 어렵다. (this word / pronounce / to / is / difficult)

_____

04 나는 부모님을 위해 케이크를 만들고 싶다. (I / to / make / want / a cake / for / my parents)

_____

B

문장 완성

다음 우리말과 일치하도록 괄호 안에 주어진 말을 활용하여 문장을 완성하시오.

01 아침 식사를 하는 것은 내게 필수적이다. (have)

_____ is essential for me.

02 너는 잠시 쉬어야 해. (need, rest)

You _____ for a while.

03 Ricky의 소망은 달을 탐험하는 것이다. (explore, the moon)

Ricky's wish is _____.

04 나의 계획은 제주도에서 한 달동안 사는 것이다. (plan, live, on Jeju Island)

_____.

C

문장 완성

다음 괄호 안에 주어진 표현을 활용하여 문장을 완성하시오.

01 _____ is dangerous. (swim in a deep lake)

02 His hobby is _____. (read books)

03 My mother's job is _____. (give tours to visitors)

04 Susie wants _____. (be a good doctor)

A

배열 영작

다음 우리말과 일치하도록 괄호 안에 주어진 말을 바르게 배열하시오.

01 작별 인사를 할 시간이다. (time / goodbye / it / is / say / to)

_____

02 나는 돌봐야 할 여동생이 있다. (a sister / to / take / I / care of / have)

_____

03 그녀는 축구 동아리에 가입할 계획이 있었다. (she / join / had / a soccer club / a plan / to)

_____

04 너는 할 말이 좀 있니? (something / do / have / you / to / say)

_____

B

문장 완성

다음 우리말과 일치하도록 괄호 안에 주어진 말을 활용하여 문장을 완성하시오.

01 그는 오늘 끝내야 할 일이 많다. (work, finish)

He has a lot of _____ today.

02 수진이가 너에게 보여줄 엽서를 가져왔다. (a postcard, show)

Sujin brought _____ you.

03 나는 그와 함께 사진 찍을 기회를 갖지 못했다. (a chance, take a photo)

I didn't get _____ with him.

04 여기에 나눠줄 샌드위치가 좀 있다. (sandwiches, give out)

_____ .

C

오류 수정

다음 문장에서 어법상 **틀린** 부분을 찾아 바르게 고치시오.

01 Emma bought a ticket fly to Belgium.

_____ → _____

02 David wants many friends to play.

_____ → _____

03 Please give me a pencil to write.

_____ → _____

A
배열 영작

다음 우리말과 일치하도록 괄호 안에 주어진 말을 바르게 배열하시오.

01 나는 그것을 듣게 되어 유감이다. (hear / sorry / I'm / to / that)

_____

02 지원이는 스페인어를 공부하기 위해 스페인으로 갔다. (Jiwon / study / went / Spanish / to / to Spain)

_____

03 너를 내 친구들에게 소개하게 되어서 기뻐. (introduce / happy / you / am / I / to / to my friends)

_____

04 내 아들은 커서 좋은 사람이 되었다. (a good person / my son / be / to / grew up)

_____

B
문장 완성

다음 우리말과 일치하도록 괄호 안에 주어진 말을 활용하여 문장을 완성하시오.

01 그들은 하늘에서 이상한 물체를 보고 놀랐다. (surprised, see)

They _____ the strange object in the sky.

02 나는 동물들을 돌보기 위해서 수의사가 되었다. (take care of)

I became a vet _____.

03 그는 자신의 고양이를 잃어버려서 슬픈 게 틀림없다. (sad, lose)

He must _____ his cat.

04 그녀는 그 사실을 알고 실망했다. (disappointed, know, the truth)

_____

C
문장 전환

다음 두 문장을 to부정사를 활용하여 한 문장으로 바꿔 쓰시오.

01 My father exercises. + He wants to lose weight.

→ _____

02 Bill heard a girl's scream. + He was shocked.

→ _____

03 My grandmother lived. + She was 100 years old.

→ _____

A
배열 영작

다음 우리말과 일치하도록 괄호 안에 주어진 말을 바르게 배열하시오.

01 우리는 그들에게 소식을 듣지 못해서 슬펐다. (we / hear / were / sad / to / not / from them)

_____ _____

02 선생님께서 우리에게 군것질하지 말라고 충고하신다. (eat / to / us / my teacher / advises / not / snacks)

_____

03 그들은 두바이로 이사하지 않기로 했다. (they / to Dubai / to / decided / move / not)

_____

04 몇몇 학생들이 버스를 놓치지 않기 위해서 뛰었다. (the bus / some students / to / ran / not / miss)

_____

B
문장 완성

다음 우리말과 일치하도록 괄호 안에 주어진 말을 활용하여 문장을 완성하시오.

01 엄마는 내게 밤늦게 나가지 말라고 말씀하셨다. (go out)

My mom told me _____ late at night.

02 나는 운동화를 환불받지 못해서 속상했다. (get a refund)

I was upset _____ for the sneakers.

03 그의 말을 믿지 않다니 너는 현명한 게 틀림없다. (believe)

You must be wise _____ his words.

04 우유를 쏟지 않도록 조심하세요. (careful, spill the milk)

_____ .

C
문장 완성

다음 우리말과 일치하도록 괄호 안에 주어진 표현을 활용하여 문장을 완성하시오.

01 나는 그들의 콘서트를 볼 수 없어서 아주 실망스럽다. (see)

I'm so disappointed _____ .

02 그들은 그녀에게 자신의 시간을 낭비하지 말라고 말했다. (waste)

They told her _____ .

03 Simon은 그 아기를 깨우지 않기 위해서 조용히 했다. (wake up)

Simon kept quiet _____ .

A
배열 영작

다음 우리말과 일치하도록 괄호 안에 주어진 말을 바르게 배열하시오.

01 친구들과 시간을 보내는 것은 재미있다. (fun / friends / to / it / hang out / with / is)

_____

02 일찍 일어나는 것은 중요하다. (is / to / important / wake up / it / early)

_____

03 이 책을 읽는 것은 지루하다. (is / boring / it / read / to / this book)

_____

04 이 강에서 수영하는 것이 안전하다. (it / safe / to / is / swim / in / this river)

_____

B
문장 완성

다음 우리말과 일치하도록 괄호 안에 주어진 말을 활용하여 문장을 완성하시오.

01 외국에서 공부하는 것은 돈이 많이 든다. (expensive, study)

_____ abroad.

02 야생에서 동물들을 보는 것은 놀랍다. (amazing, see)

_____ animals in the wild.

03 자원봉사 프로그램에 참여하는 것은 의미 있는 일이다. (meaningful, participate in)

_____ a volunteer program.

04 살을 빼기 위해서 빨리 걷는 것이 좋다. (good, walk fast, lose weight)

_____.

C
문장 전환

다음 문장을 「It ~ to부정사」 구문을 활용하여 같은 뜻의 문장으로 바꿔 쓰시오.

01 To wear a sweater in summer is strange.

→ _____

02 To make a model plane is interesting.

→ _____

03 To take care of babies is difficult.

→ _____

A
배열 영작

다음 우리말과 일치하도록 괄호 안에 주어진 말을 바르게 배열하시오.

01 아이들이 불장난을 하는 것은 위험하다. (it / play / dangerous / for / is / children / to / with fire)

_____

02 그가 그렇게 말하다니 어리석었다. (it / was / him / to / foolish / of / say so)

_____

03 매일 운동을 하는 것은 나에게 쉽다. (it / easy / to / me / is / for / exercise / every day)

_____

04 나의 의견을 받아들이다니 그녀는 현명했다. (my opinion / wise / was / of / to / her / it / accept)

_____

B
문장 완성

다음 우리말과 일치하도록 괄호 안에 주어진 말을 활용하여 문장을 완성하시오.

01 내가 피아노를 옮기는 것을 도와주다니 그들은 매우 친절하다. (very kind, help)

_____ me move the piano.

02 대화 중에 휴대전화를 쳐다보다니 그는 무례했다. (rude, look at)

_____ his cell phone during the conversation.

03 James는 한국어를 배우는 게 어렵니? (difficult, learn)

_____ Korean?

04 그가 친구를 사귀는 것은 어렵다. (hard, make friends)

_____ .

C
오류 수정

다음 문장에서 어법상 **틀린** 부분을 두 군데 찾아 바르게 고치시오.

01 It is necessary of you learned from your mistakes.

_____ → _____

02 It was silly for him making a wrong decision again.

_____ → _____

03 It is very nice him answer to my questions.

_____ → _____

A 다음 우리말과 일치하도록 괄호 안에 주어진 말을 바르게 배열하시오.

배열 영작

01 다음에 무엇을 할지 말해 주세요. (do / me / what / tell / next / to)

_____

02 우리는 상하이에 언제 갈지 의논했다. (we / when / go / to / Shanghai / discussed / to)

_____

03 나는 쓰레기를 어디에 놓아야 할지 몰랐다. (where / I / put / didn't know / to / the garbage)

_____

04 그 단어를 어떻게 발음하는지 내게 말해줄래? (you / could / tell / how / me / spell / to / the word)

_____

B 다음 우리말과 일치하도록 괄호 안에 주어진 말을 활용하여 문장을 완성하시오. (단, 「의문사+to부정사」 구문을

문장 완성 사용할 것)

01 나는 젠가를 하는 방법을 배우고 싶다. (play)

I want to learn _____ Jenga.

02 그는 나에게 오븐을 언제 꺼야 하는지 물었다. (turn off)

He asked me _____ the oven.

03 나는 현장 학습에 무엇을 가지고 갈지 잊어버렸다. (bring)

I didn't forget _____ on the field trip.

04 그는 그 그림을 방의 어디에 걸지 결정했다. (hang, the picture)

_____ in the room.

C 다음 괄호 안에 주어진 표현과 「의문사+to부정사」 구문을 활용하여 대화를 완성하시오.

대화 완성

01 A: Does Harry know _____ the airport? (leave for)

B: Yes, he has to leave at 10 a.m.

02 A: Do you know _____? (call)

B: Yes, we should call Mr. Brown.

03 A: Could you tell me _____ this form? (fill out)

B: Sure, write your name and address first.

A 다음 우리말과 일치하도록 괄호 안에 주어진 말을 바르게 배열하시오.

배열 영작

01 이 음식은 그가 먹기에 너무 맵다. (spicy / for / too / is / him / this food / to / eat)

_____

02 나는 너무 아파서 학교에 갈 수 없다. (I / sick / to / go to school / am / too)

_____

03 그들은 너무 배가 고파서 회의에 집중할 수 없었다. (the meeting / they / were / too / to / hungry / focus on)

_____

04 당신은 너무 늦어서 이 수업을 신청할 수 없어요. (late / you / to / are / this class / too / sign up for)

_____

B 다음 우리말과 일치하도록 괄호 안에 주어진 말을 활용하여 문장을 완성하시오. (단, 「too ⋯ to부정사」 구문을

문장 완성   사용할 것)

01 그는 너무 긴장해서 노래를 다 부르지 못했다. (nervous, finish)

He was _____ the song.

02 그의 남동생은 키가 너무 작아서 혼자서 말을 탈 수 없었다. (short, ride a horse)

His brother was _____ alone.

03 그 문제는 너무 중요해서 무시할 수 없다. (important, ignore)

The issue is _____ .

04 Anna는 너무 늦게 도착해서 우리를 만날 수 없었다. (arrive late, meet)

_____ .

C 다음 문장을 「too ⋯ to부정사」 구문을 활용하여 같은 뜻의 문장으로 바꿔 쓰시오.

문장 전환

01 That mountain is so steep that we can't climb it.

→ _____

02 This meat is so tough that my grandma can't chew it.

→ _____

03 Her behavior was so rude that I couldn't stand it.

→ _____

A
배열 영작

다음 우리말과 일치하도록 괄호 안에 주어진 말을 바르게 배열하시오.

01 Fred는 나를 도와줄 만큼 충분히 친절하다. (Fred / help / is / enough / to / kind / me)

_____

02 우리 할머니는 요리책을 쓸 만큼 충분히 요리를 잘하신다.
(my grandma / well / to / cooks / write / enough / a cookbook)

_____

03 이 집은 사람들의 관심을 끌 만큼 충분히 멋지다.
(is / nice / to / this house / enough / draw / people's attention)

_____

B
문장 완성

다음 우리말과 일치하도록 괄호 안에 주어진 말을 활용하여 문장을 완성하시오.

01 이 책은 나를 잠들게 할 만큼 충분히 지루하다. (boring, put)
This book is _____ me to sleep.

02 그는 철인 3종 경기를 참가할 만큼 충분히 건강하다. (fit, participate in)
He is _____ a triathlon.

03 그녀의 연설은 사람들을 울게 할 만큼 충분히 감동적이었다. (touching, make)
Her speech was _____ people cry.

04 그들은 좋은 자리를 잡을 만큼 충분히 일찍 왔다. (early, get, good seats)

_____ .

C
문장 전환

다음 문장을 「··· enough to부정사」 구문을 활용하여 같은 뜻의 문장으로 바꿔 쓰시오.

01 Billy is so strong that he can move the refrigerator alone.

→ _____

02 My cat is so clever that she can understand certain words!

→ _____

03 The bag is so light that I can carry it.

→ _____

A 다음 우리말과 일치하도록 괄호 안에 주어진 말을 바르게 배열하시오.

배열 영작

01 나의 직업은 가구를 만드는 것이다. (making / furniture / is / my job)

_____

02 하루 종일 공부하는 것은 정말 힘들다. (is / studying / very hard / all day long)

_____

03 규칙적으로 걷는 것이 당신을 건강하게 만든다. (you / makes / walking regularly / healthy)

_____

04 드럼을 연주하는 것은 아주 신이 난다. (exciting / playing / is / the drums / very)

_____

B 다음 우리말과 일치하도록 괄호 안에 주어진 말을 활용하여 문장을 완성하시오. (단, 동명사를 사용할 것)

문장 완성

01 요즘 일자리를 얻는 것이 아주 힘들다. (get a job)

_____ is so hard these days.

02 음악을 들으면 스트레스가 풀릴 수 있다. (listen to music)

_____ can relieve your stress.

03 사진을 찍는 것은 내 인생의 중요한 부분이다. (take)

_____ is an important part of my life.

04 그의 계획은 12월에 스키를 타러 가는 것이다. (plan, go skiing)

_____ in December.

C 다음 문장에서 어법상 틀린 부분을 찾아 바르게 고치시오.

오류 수정

01 Keep a diary is a good habit.

_____ → _____

02 My favorite hobby is fly drones.

_____ → _____

03 Writing down all your expenses help you to save money.

_____ → _____

A 다음 우리말과 일치하도록 괄호 안에 주어진 말을 바르게 배열하시오.

배열 영작

01 사람들은 길거리 음식 먹는 것을 아주 좋아한다. (street food / eating / love / people)

_____

02 Joe는 내 밴드에 가입하고 싶어 한다. (Joe / my band / join / would like to)

_____

03 엄마와 나는 집을 청소하기 시작했다. (the house / my mom and I / to clean / started)

_____

04 Fred는 주말에 집에 있는 것을 선호한다. (Fred / prefers / home / on the weekend / staying)

_____

B 다음 우리말과 일치하도록 괄호 안에 주어진 말을 활용하여 문장을 완성하시오.

문장 완성

01 오후 내내 비가 계속 내렸다. (continue, fall)

The rain _____ all afternoon.

02 그는 식후에 커피를 마시는 것을 좋아한다. (like, drink)

He _____ after meals.

03 나는 우주에서 사는 것을 상상했다. (imagine, live)

_____ .

C 다음 우리말과 일치하도록 주어진 〈조건〉에 맞게 괄호 안에 주어진 말을 활용하여 문장을 완성하시오.

조건 영작

조건 동사에 따라, 목적어로 동명사나 to부정사를 사용할 것

01 나의 고양이는 동물병원에 가는 것을 싫어한다. (hate, go to the vet)

_____

02 Amy는 공원에서 기타 연주하는 것을 즐긴다. (enjoy, play the guitar)

_____

03 사람들은 그 콘서트에 가기를 희망했다. (hope, go to the concert)

_____

04 내 친구는 춤추는 것을 연습했다. (practice, dance)

_____

A
배열 영작

다음 우리말과 일치하도록 괄호 안에 주어진 말을 바르게 배열하시오.

01 나는 시험공부 하느라 바빴다. (I / studying / was / busy / for the exams)

_____

02 지수는 온라인으로 쇼핑하는 것에 익숙하다. (Jisu / used to / is / shopping / online)

_____

03 우리는 자전거를 타며 주말을 보낸다. (spend / we / riding bikes / our weekend)

_____

04 Monica는 무대에서 춤추기를 꿈꿨다. (Monica / dancing / dreamed / of / on the stage)

_____

B
문장 완성

다음 우리말과 일치하도록 괄호 안에 주어진 말을 활용하여 문장을 완성하시오.

01 나는 제주도에 있는 초콜릿 박물관에 가고 싶다. (feel like, go)

_____ to the chocolate museum on Jeju Island.

02 그 사진을 보자마자 그는 울음을 터뜨렸다. (see, the photo)

_____, he began to cry.

03 내 여동생은 선물을 받는 것을 고대하고 있다. (look forward to, get)

My sister _____ a gift.

04 나는 그녀와 사랑에 빠지지 않을 수 없다. (help, fall in love)

_____.

C
대화 완성

다음 괄호 안에 주어진 표현을 활용하여 대화를 완성하시오.

01 A: Are you free this afternoon?

B: No, I _____ for the school festival. (busy, prepare)

02 A: Shall we go to the museum?

B: Yes. I think it's _____ there. (worth, go)

03 A: Aren't you worried?

B: No. I'm not _____ mistakes. (afraid, make)

A
배열 영작

다음 우리말과 일치하도록 괄호 안에 주어진 말을 바르게 배열하시오.

01 강을 따라 달리는 개가 한 마리 있다. (a dog / is / there / running / along the river)

_____

02 나는 V자 형태로 날아가는 새들을 봤다. (the birds / saw / I / flying / in a V shape)

_____

03 나는 그에게서 놀라운 대답을 들었다. (I / him / a surprising / heard / from / answer)

_____

04 저 방향에서 오는 버스는 도서관으로 간다. (the bus / from that direction / goes to / coming / the library)

_____

B
문장 완성

다음 우리말과 일치하도록 괄호 안에 주어진 말을 활용하여 문장을 완성하시오.

01 나는 미소 짓는 아기의 그림을 그렸다. (smile)

I drew a picture of a _____ .

02 나무를 오르고 있는 고양이를 봐. (climb, a tree)

Look at the cat _____ .

03 너는 무대 위에서 춤추고 있는 여자아이를 아니? (dance)

Do you know _____ on the stage?

04 줄넘기를 하고 있는 아이는 누구인가요? (the kid, jump rope)

_____ ?

C
문장 전환

다음 문장을 현재분사를 활용하여 같은 뜻의 문장으로 바꿔 쓰시오.

01 The man is washing a car. + He is handsome.

→ The man _____ is handsome.

02 The people are lying on the grass. + They are my cousins.

→ The people _____ are my cousins.

03 The girl is using a laptop. + She is my best friend.

→ The girl _____ is my best friend.

A

배열 영작

다음 우리말과 일치하도록 괄호 안에 주어진 말을 바르게 배열하시오.

01 우리는 가을에 낙엽을 볼 수 있다. (leaves / we / can see / in autumn / fallen)

_____

02 먼지로 덮인 자전거는 오래되었다. (is / covered with / old / the bicycle / dust)

_____

03 문을 닫은 가게들이 많이 있다. (stores / are / closed / a lot of / there)

_____

04 정원에 심어진 꽃들이 아름답다. (are / the flowers / in the garden / planted / beautiful)

_____

B

문장 완성

다음 우리말과 일치하도록 괄호 안에 주어진 말을 활용하여 문장을 완성하시오.

01 자원봉사자들이 다친 사람들을 돕고 있다. (injure)

Volunteers are helping the _____.

02 경찰은 주차장에서 도난당한 차 한 대를 발견했다. (steal)

The police found _____ in the parking lot.

03 나는 친구가 그린 그림을 보고 있다. (picture, draw)

I'm looking at _____ by my friend.

04 이것은 중국어로 쓰여진 편지이다. (write, in Chinese)

_____.

C

문장 완성

다음 우리말과 일치하도록 괄호 안에 주어진 동사를 과거분사로 활용하여 문장을 완성하시오.

01 Alex가 고장 난 내 컴퓨터를 고쳤다.

Alex fixed _____. (break)

02 Jenny는 프랑스에서 만들어진 벨트가 마음에 든다.

Jenny likes _____ in France. (make)

03 너는 이 근처에 놓여 있던 우산을 본 적 있니?

Have you seen _____ around here? (lie)

A
배열 영작

다음 우리말과 일치하도록 괄호 안에 주어진 말을 바르게 배열하시오.

01 그 소녀의 이야기는 매우 재미있다. (interesting / is / very / the girl's story)

_____

02 자연에 있는 것은 마음을 느긋하게 해 준다. (in nature / relaxing / is / being)

_____

03 그 가수는 놀라운 목소리를 가지고 있다. (an / the singer / voice / amazing / has)

_____

04 그 뮤지컬에 나오는 노래들은 감동적이었다. (the musical / the songs / were / in / touching)

_____

B
문장 완성

다음 우리말과 일치하도록 괄호 안에 주어진 말을 활용하여 문장을 완성하시오.

01 교통사고 현장은 충격적이었다. (shock)

The scene of the car accident _____.

02 그들은 그 실망스러운 결과를 받아들였다. (disappoint, result)

They accepted the _____.

03 하루 종일 전화를 받는 일은 성가시다. (annoy)

Receiving phone calls all day _____.

04 친구들과 함께 농구를 보는 것은 신난다. (watch, excite)

_____.

C
문장 완성

다음 우리말과 일치하도록 괄호 안에 주어진 표현을 활용하여 문장을 완성하시오.

01 그 미술품은 정말 놀라웠다. (artwork, really, surprise)

_____

02 이 식사는 만족스럽지 않았다. (meal, satisfy)

_____

03 당신의 이야기들은 우리에게 따분했어요. (story, bore)

_____

A

배열 영작

다음 우리말과 일치하도록 괄호 안에 주어진 말을 바르게 배열하시오.

01 그들은 서커스 공연에 놀랐다. (amazed / they / were / at / the circus show)

_____

02 너는 네 새로운 헤어스타일에 만족하니? (you / are / your / with / new hairstyle / satisfied)

_____

03 나는 박 선생님의 수업이 항상 지루하다. (I'm / in / always / Mr. Park's lessons / bored)

_____

04 그녀는 그의 메시지에 혼란스러워했다. (she / by / his message / was / confused)

_____

B

문장 완성

다음 우리말과 일치하도록 괄호 안에 주어진 말을 활용하여 문장을 완성하시오.

01 나는 밤새 공부를 해서 피곤하다. (tire)

_____ from studying all night.

02 Samuel은 여자친구의 편지에 감동했다. (move)

Samuel _____ by his girlfriend's letter.

03 많은 사람들이 그의 연설에 놀랐다. (surprise)

Many people _____ by his speech.

04 우리 부모님은 내 질문에 당황하셨다. (embarrass)

_____ by my question.

C

오류 수정

다음 문장에서 어법상 틀린 부분을 찾아 바르게 고치시오.

01 Are you interesting in ancient history?

_____ → _____

02 He often gets annoying when people talk loudly.

_____ → _____

03 She was scaring by the shadow of the branches.

_____ → _____

A 다음 우리말과 일치하도록 괄호 안에 주어진 말을 바르게 배열하시오.

배열 영작

01 대부분의 허리 통증은 나쁜 수면 습관으로 인해 야기된다.
(by / caused / bad sleeping habits / is / most back pain)

_____

02 광고 뒤에 TV 쇼가 이어진다. (an advertisement / followed / by / the TV show / is)

_____

03 그 가수는 많은 십대들에 의해 사랑받는다. (teenagers / the singer / is / by / a lot of / loved)

_____

04 영어는 전 세계 많은 사람들에 의해 쓰인다.
(many people / around the world / English / is / by / spoken)

_____

B 다음 우리말과 일치하도록 괄호 안에 주어진 말을 활용하여 문장을 완성하시오.

문장 완성

01 이 의류 회사는 Cornell 씨가 소유하고 있다. (own)
This clothing company _____ Mr. Cornell.

02 이 커피콩들은 에티오피아에서 생산된다. (produce)
These coffee beans _____ in Ethiopia.

03 소포들은 보통 이틀 안에 고객들에게 배송됩니다. (deliver, customers)
Packages _____ within two days.

04 그 로봇은 엔지니어에 의해 통제받는다. (control, an engineer)

_____.

C 다음 문장을 수동태로 바꿔 쓰시오.

문장 전환

01 Nancy cleans the house.

→ _____

02 Mr. Jones sells children's books.

→ _____

03 People use the Internet for many purposes.

→ _____

A 배열 영작

다음 우리말과 일치하도록 괄호 안에 주어진 말을 바르게 배열하시오.

01 그 화분은 내 남동생에 의해 깨졌다. (my brother / broken / the pot / by / was)

_____

02 〈키스〉는 Gustav Klimt에 의해 그려졌다. (was / Gustav Klimt / by / *The Kiss* / painted)

_____

03 모든 비행이 안개 때문에 취소되었다. (all flights / the fog / were / because of / canceled)

_____

04 오래된 다리들이 정부에 의해 폐쇄되었다. (the government / were / the old bridges / by / closed)

_____

B 문장 완성

다음 우리말과 일치하도록 괄호 안에 주어진 말을 활용하여 문장을 완성하시오.

01 내 방은 아버지에 의해 고쳐졌다. (fix)

My room _____ my father.

02 경복궁은 14세기에 지어졌다. (build)

Gyeongbokgung _____ in the 14th century.

03 필리핀은 Ferdinand Magellan에 의해 발견되었다. (discover)

The Philippines _____ Ferdinand Magellan.

04 그들은 경찰에게 잡혔다. (catch, the police)

_____ .

C 도표·그림

다음 표를 보고, 괄호 안에 주어진 동사를 활용하여 각각의 사람이 내놓은 바자회 품목을 설명하는 문장을 완성하시오. (단, 과거시제를 사용할 것)

Name	Mina	Seri	Minho	Semin
Item	sweater	candle	photos of flowers	poem

01 The sweater _____ Mina. (knit)

02 The candle _____ . (make)

03 The photos of flowers _____ . (take)

04 The poem _____ . (write)

A 배열 영작
다음 우리말과 일치하도록 괄호 안에 주어진 말을 바르게 배열하시오.

01 그의 새 영화가 다음 주에 개봉될 것이다. (released / his new movie / be / will / next week)

_____

02 쇼핑몰이 다음 달에 이곳에 지어질 것이다. (next month / will / a shopping mall / here / be / built)

_____

03 그 오래된 피아노는 내 딸에 의해 연주될 것이다. (my daughter / the old piano / will / be / by / played)

_____

04 포도는 세 달 후에 와인이 될 것이다. (wine / the grapes / be / will / turned into / in three months)

_____

B 문장 완성
다음 우리말과 일치하도록 괄호 안에 주어진 말을 활용하여 문장을 완성하시오. (단, will을 사용할 것)

01 트로피는 우승자에게 주어질 것이다. (give)

A trophy _____ to the winner.

02 에어컨이 내일 수리될 것이다. (repair)

The air conditioner _____ tomorrow.

03 그 축제는 전국적으로 방송될 것이다. (broadcast)

The festival _____ across the country.

04 공항이 이 도시 근처로 이전될 것이다. (move, near this city)

_____ .

C 대화 완성
우리말과 일치하도록 A의 질문에 쓴 표현을 활용하여 다음 대화를 완성하시오. (단, 수동태를 사용할 것)

01 A: Who will prepare the presentation?

B: _____

(그 프레젠테이션은 Nick에 의해 준비될 거야.)

02 A: Did you finish writing the history report?

B: No, but _____ by this week.

(그 보고서는 이번 주까지 끝날 거야.)

A

배열 영작

다음 우리말과 일치하도록 괄호 안에 주어진 말을 바르게 배열하시오.

01 그 기사들은 Olivia에 의해 쓰여지지 않았다. (Olivia / weren't / the articles / written / by)

_____

02 그 책장은 Colin에 의해 만들어지지 않았다. (Colin / the bookshelf / by / wasn't / made)

_____

03 그 축제는 5월에 열리지 않을 것이다. (the festival / be / won't / held / in May)

_____

04 나는 Jim의 생일 파티에 초대받지 못했다. (I / invited / wasn't / Jim's birthday party / to)

_____

B

문장 완성

다음 우리말과 일치하도록 괄호 안에 주어진 말을 활용하여 문장을 완성하시오.

01 그 모임은 Sam에 의해 주도되지 않는다. (lead)

The meeting _____ Sam.

02 컴퓨터는 Steve Jobs에 의해 발명되지 않았다. (invent)

Computers _____ Steve Jobs.

03 그 문제는 더 이상 논의되지 않을 것이다. (discuss)

The problem _____ any more.

04 어제 전화가 연결되지 않았었다. (the phone, connect)

_____ .

C

문장 전환

다음 문장을 수동태로 바꿔 쓰시오. (단, 축약형을 사용할 것)

01 Some people don't eat meat.

→ _____

02 Bach did not compose *The Four Seasons*.

→ _____

03 We won't buy this house.

→ _____

A
배열 영작

다음 우리말과 일치하도록 괄호 안에 주어진 말을 바르게 배열하시오.

01 음식이 드론에 의해 배달될까요? (drones / will / be / food / delivered / by)

_____

02 그 금속이 강철을 만드는 데 이용되나요? (that metal / make / is / used / steel / to)

_____

03 이 열차는 정기적으로 점검을 받나요? (regularly / this train / checked / is)

_____

04 네 편지는 부모님이 읽으셨니? (your letter / read / your parents / was / by)

_____

B
문장 완성

다음 우리말과 일치하도록 괄호 안에 주어진 말을 활용하여 문장을 완성하시오.

01 독일어가 스위스에서 쓰이나요? (German, speak)

_____ in Switzerland?

02 오후에 네 방이 청소되었니? (your room, clean)

_____ in the afternoon?

03 그 개는 수의사에게 데려가질 건가요? (the dog, take)

_____ to the vet?

04 전구가 Thomas Edison에 의해 발명되었나요? (light bulbs, invent)

_____ ?

C
문장 완성

다음 괄호 안에 주어진 말과 대화에 쓰인 표현을 활용하여 밑줄 친 부분을 묻는 질문을 수동태로 완성하시오.

01 A: I must finish the homework <u>by two o'clock</u>.

B: Really? But it's already half past one.

→ _____ by? (when)

02 A: Which languages are spoken in Canada?

B: English and French are spoken <u>in Canada</u>.

→ _____ ? (where)

A 다음 우리말과 일치하도록 괄호 안에 주어진 말을 바르게 배열하시오.

배열 영작

01 나는 매일 운동하는 친구가 있다. (I / have / exercises / who / a friend / every day)
_____

02 Emma는 내가 도서관에서 만난 학생이었다. (I / met / Emma / was / whom / a student / at the library)
_____

03 너는 이 가게에 왔던 여자를 아니? (you / do / know / the woman / came to / this store / who)
_____

04 Peter는 항상 자신의 약속을 지키는 소년이다. (Peter / a boy / who / is / keeps / always / his promises)
_____

B 다음 우리말과 일치하도록 who(m)와 괄호 안에 주어진 말을 활용하여 문장을 완성하시오.

문장 완성

01 그 회사는 중국어를 할 수 있는 사람이 필요하다. (a person, speak Chinese)
The company needs _____.

02 그가 폐암 치료법을 찾아낸 의사인가요? (the doctor, find a way)
Is he _____ to cure lung cancer?

03 Parker 선생님은 내가 존경하는 분이다. (a person, respect)
Ms. Parker is _____.

04 Daniel은 그를 닮은 아들이 있다. (a son, look like)
_____.

C 다음 두 문장을 who(m)를 활용하여 한 문장으로 바꿔 쓰시오.

문장 전환

01 I know the person. + The person won the lottery.
→ _____

02 She is the ballerina. + I really want to see her.
→ _____

03 The girl is my sister. + You talked to her yesterday.
→ _____

A
배열 영작

다음 우리말과 일치하도록 괄호 안에 주어진 말을 바르게 배열하시오.

01 나는 잃어버린 열쇠를 찾았다. (I / I / lost / found / which / the key)

_____

02 네가 쓰고 있는 그 빨간 펜은 내 것이다. (mine / the red pen / you / are / which / using / is)

_____

03 소파 위에서 자고 있는 고양이를 봐라. (the cat / is sleeping / on the sofa / look at / which)

_____

04 너는 그들이 지난주에 산 자동차를 봤니? (you / they / did / see / the car / bought / last week)

_____

B
문장 완성

다음 우리말과 일치하도록 which와 괄호 안에 주어진 말을 활용하여 문장을 완성하시오.

01 내가 책상 위에 있는 책을 가져갈게. (the book, on the desk)

I'll take _____.

02 그녀는 이탈리아에서 산 쿠키를 좀 가져왔다. (cookies, buy)

She brought some _____ in Italy.

03 Jessica는 그녀가 묵은 호텔에 실망했다. (the hotel, stay in)

Jessica was disappointed at _____.

04 나는 Gaudi가 설계한 공원에 갔다. (the park, design)

_____.

C
문장 전환

다음 두 문장을 which를 활용하여 한 문장으로 바꿔 쓰시오.

01 This is the car. + Two thieves stole it last night.

→ _____

02 He sent me a picture. + It was taken in Busan.

→ _____

03 I like the dress. + Monica wore the dress on stage.

→ _____

A
배열 영작

다음 우리말과 일치하도록 괄호 안에 주어진 말을 바르게 배열하시오.

01 나는 그가 갖고 있는 전화기를 샀다. (I / he / the phone / that / bought / has)

_____

02 그는 하와이에서 만난 여자와 결혼했다. (he / the woman / married / met / in Hawaii / he / that)

_____

03 입장권을 파는 곳은 어디인가요? (sells / where / the tickets / is / that / the place)

_____

04 그녀는 내가 어제 너에게 말한 소녀이다. (I / she / told / you / about / that / the girl / is / yesterday)

_____

B
문장 완성

다음 우리말과 일치하도록 that과 괄호 안에 주어진 말을 활용하여 문장을 완성하시오.

01 내게는 내가 신뢰할 수 있는 친구들이 좀 있다. (friends, trust)

I have some _____ .

02 그가 키우는 개는 종종 커튼 뒤에 숨는다. (have, hide)

_____ behind the curtain.

03 우리는 14세기에 지어진 성을 방문했다. (a castle, build)

We visited _____ in the 14th century.

04 이것은 그에게 잘 어울리는 스웨터이다. (a sweater, look good on)

_____ .

C
문장 완성

다음 우리말과 일치하도록 괄호 안에 주어진 표현과 that을 활용하여 문장을 완성하시오.

01 Kevin이 입고 있는 제복은 멋져 보인다. (the uniform, wear)

_____ looks nice.

02 Frank는 나를 이해해주는 유일한 사람이다. (the only person, understand)

Frank is _____ .

03 사진을 찍고 있는 여자는 Mark의 사촌이다. (the woman, take pictures)

_____ is Mark's cousin.

A
배열 영작

다음 우리말과 일치하도록 괄호 안에 주어진 말을 바르게 배열하시오.

01 다리가 짧은 저 고양이를 봐! (look at / whose / legs / are / that cat / short)

_____

02 나는 보안이 좋은 은행으로 간다. (I / to the bank / go / security / good / whose / is)

_____

03 벽이 하얀 집이 우리 집이다. (the house / my house / whose / walls / are / is / white)

_____

04 의사는 다리에서 피가 흐르는 아이를 치료했다.

(the doctor / treated / leg / whose / was bleeding / a child)

_____

B
문장 완성

다음 우리말과 일치하도록 whose와 괄호 안에 주어진 말을 활용하여 문장을 완성하시오.

01 별명이 'Little Bear'인 소년은 내 친구이다. (the boy, nickname)

_____ is my friend.

02 나는 취미가 낚시인 친구가 있다. (a friend, fishing)

I have _____.

03 그 경찰관이 검은색 재킷을 입은 도둑을 잡았다. (the thief, jacket)

The police officer caught _____.

04 미소가 근사한 한 남자가 벤치에 앉아 있다. (smile, nice, on the bench)

_____.

C
오류 수정

다음 문장에서 어법상 틀린 부분을 찾아 바르게 고치시오.

01 I know a boy who brother's name is Larry.

_____ → _____

02 That is the woman that first name is unique.

_____ → _____

03 He gives a brochure to people whose visit his gallery.

_____ → _____

A
배열 영작

다음 우리말과 일치하도록 괄호 안에 주어진 말을 바르게 배열하시오.

01 너는 시험에 대해 긴장한 것이 틀림없다. (you / must / about / nervous / be / the exam)

_____

02 그녀는 자신의 숙제를 끝내야 한다. (finish / she / must / her homework)

_____

03 그의 부모님은 그를 자랑스러워하는 게 틀림없다. (him / his parents / be / must / proud of)

_____

04 우리는 실내에서 신발을 벗어야 한다. (we / take off / indoors / must / our shoes)

_____

B
문장 완성

다음 우리말과 일치하도록 must와 괄호 안에 주어진 말을 활용하여 문장을 완성하시오.

01 우리는 에너지 자원을 낭비하지 말아야 한다. (waste)

_____ our energy resources.

02 영수증에 오류가 있는 게 틀림없다. (there, a mistake)

_____ in the receipt.

03 나는 약국이 문을 닫기 전에 가야 한다. (go, the pharmacy)

_____ before it closes.

04 그녀는 8시까지 집에 돌아와야 한다. (come back)

_____ by eight.

C
조건 영작

다음 우리말과 일치하도록 〈보기〉에서 알맞은 말을 골라 must를 활용하여 문장을 완성하시오.

| 보기 | tell lies | work out | be careful |

01 그는 살을 빼기 위해 매일 운동해야 한다.

_____ every day to lose weight.

02 가위를 사용할 때 조심해야 한다.

_____ when you use scissors.

03 그녀는 친구들에게 거짓말하지 말아야 한다.

_____ to her friends.

A
배열 영작

다음 우리말과 일치하도록 괄호 안에 주어진 말을 바르게 배열하시오.

01 우리는 플라스틱 병을 재활용해야 한다. (we / recycle / should / plastic bottles)

_____

02 너는 네 손톱을 물어뜯지 말아야 한다. (you / bite / should / not / your nails)

_____

03 나는 모든 일에 최선을 다해야 한다. (I / do / in everything / should / my best)

_____

04 Brian은 지갑을 또 잃어버려서는 안 돼! (shouldn't / again / Brian / his wallet / lose)

_____

B
문장 완성

다음 우리말과 일치하도록 should와 괄호 안에 주어진 말을 활용하여 문장을 완성하시오.

01 너는 말하기 전에 항상 생각해야 한다. (think)

_____ before you speak.

02 우리는 수업 중에 휴대전화를 사용하지 말아야 한다. (use)

_____ our cellphones in class.

03 어린이들은 폭력적인 영화를 보지 말아야 한다. (watch)

Children _____ violent movies.

04 나는 내 가족과 더 많은 시간을 보내야 한다. (spend, more time)

_____.

C
문장 완성

다음 괄호 안에 주어진 표현과 should를 활용하여 상황에 맞는 조언을 완성하시오.

01 After the field trip, Paul feels tired.

I think he _____ and rest. (go home)

02 We have an exam on Friday.

You _____ at the library today. (study)

03 Two kids are making noise in the restaurant.

They _____ others. (disturb)

A 다음 우리말과 일치하도록 괄호 안에 주어진 말을 바르게 배열하시오.

배열 영작

01 Jenny는 매일 춤 연습을 해야 한다. (Jenny / dancing / has to / every day / practice)

_____

02 나는 하루에 한 권씩 책을 읽어야 했다. (I / a book / had to / a day / read)

_____

03 제가 운전을 배워야 하나요? (learn / have to / do / I / to drive)

_____

04 우리는 몇 시에 체크아웃을 해야 하나요? (do / check out / have to / what time / we)

_____

B 다음 우리말과 일치하도록 have to와 괄호 안에 주어진 말을 활용하여 문장을 완성하시오.

문장 완성

01 지호는 그 질문에 영어로 답해야 한다. (answer)

Jiho _____ the question in English.

02 나는 내 책의 오류를 고쳐야 할 것이다. (correct)

_____ the errors in my book.

03 그 가수는 오늘 밤 라이브로 노래해야 한다. (sing)

_____ live tonight.

04 나의 가족은 추수감사절에 저녁을 준비해야 했다. (prepare)

_____ on Thanksgiving Day.

C 다음 우리말과 일치하도록 괄호 안에 주어진 표현과 have to를 활용하여 문장을 완성하시오.

조건 영작

01 그는 오늘 보고서를 제출해야 합니다. (hand in, the report)

_____

02 Chris는 오늘 아침에 일찍 집을 나서야 했다. (leave)

_____

03 나는 공항에서 환전해야 할 것이다. (exchange money, at the airport)

_____

A
배열 영작

다음 우리말과 일치하도록 괄호 안에 주어진 말을 바르게 배열하시오.

01 그들은 나를 기다리지 않아도 될 것이다. (they / have to / won't / me / wait for)

_____

02 그녀는 살을 뺄 필요가 없다. (she / lose / doesn't / have to / weight)

_____

03 그는 오늘 이 프로젝트를 끝내지 않아도 된다. (he / this project / finish / doesn't / have to / today)

_____

04 네가 그것에 대해 변명할 필요는 없어. (don't / have to / about it / you / make excuses)

_____

B
문장 완성

다음 우리말과 일치하도록 have to와 괄호 안에 주어진 말을 활용하여 문장을 완성하시오. (단, 축약형을 사용할 것)

01 그들은 다음 주 월요일에 일하지 않아도 될 것이다. (work)

They _____ next Monday.

02 세 살 이하의 아이는 요금을 지불할 필요가 없습니다. (pay for)

Kids under three _____ it.

03 나는 그것에 대한 세부사항을 알 필요가 없었다. (know)

_____ the details about it.

04 비가 오면 그는 세차하지 않아도 된다. (wash one's car)

_____ if it rains.

C
오류 수정

다음 문장에서 어법 또는 문맥상 틀린 부분을 찾아 바르게 고치시오.

01 Peter don't have to remove this box.

_____ → _____

02 You didn't have to save a seat for me tomorrow.

_____ → _____

03 I'm not sick now. I have to go to the hospital.

_____ → _____

A
배열 영작

다음 우리말과 일치하도록 괄호 안에 주어진 말을 바르게 배열하시오.

01 너는 좀 쉬는 게 좋을 거야. (you / get / had better / some / rest)

_____

02 나는 지금 바로 가는 게 좋겠다. (I / right now / go / had better)

_____

03 그는 사실을 말하지 않는 게 좋을 거야. (he / not / had better / the truth / tell)

_____

04 Ben은 더 일찍 자러 가는 게 좋을 거야. (Ben / go to bed / had better / earlier)

_____

B
문장 완성

다음 우리말과 일치하도록 had better와 괄호 안에 주어진 말을 활용하여 문장을 완성하시오. (단, 축약형을 사용할 것)

01 너는 스마트폰으로 알람을 맞추는 게 좋을 거야. (set an alarm)

_____ on your smartphone.

02 그녀는 옷에 너무 많은 돈을 쓰지 않는 게 좋을 것이다. (spend)

_____ too much money on clothes.

03 우리는 약속 시간에 맞게 도착하는 게 좋을 거야. (arrive on time)

_____ for your appointment.

04 그는 버스 정류장에서 새치기하지 않는 게 좋을 거야. (cut in line)

_____ at the bus stop.

C
문장 완성

다음 괄호 안에 주어진 표현과 had better를 활용하여 충고하는 문장을 완성하시오.

01 It's raining hard. The road is slippery.

The driver _____. (slow down)

02 My pants are a little tight. I need to lose some weight.

I _____. (eat, late at night)

03 It's Jack's birthday tomorrow. He's expecting birthday gifts.

We _____ for him. (buy, a present)

A

배열 영작

다음 우리말과 일치하도록 괄호 안에 주어진 말을 바르게 배열하시오.

01 나는 새 청바지 한 벌을 사고 싶다. (buy / I'd / like to / a new pair of / jeans)

_____

02 케이크 한 조각 드실래요? (you / have / like to / would / a piece of / cake)

_____

03 나는 Jenny와 이야기하고 싶어. (I / Jenny / would / speak to / like to)

_____

04 그는 한국 역사에 대해 알고 싶어 한다. (he / would / know / about / Korean history / like to)

_____

B

문장 완성

다음 우리말과 일치하도록 would like to와 괄호 안에 주어진 말을 활용하여 문장을 완성하시오.

01 나는 뮤지컬을 보러 가고 싶다. (see)

_____ a musical.

02 내 친구들과 캠핑 갈래요? (go camping)

_____ with my friends?

03 그는 다른 사람들과 이 정보를 공유하고 싶어 한다. (share)

_____ this information with others.

04 그들은 바르셀로나에서 축구를 보고 싶어 한다. (watch soccer)

_____ in Barcelona.

C

대화 완성

다음 괄호 안에 주어진 표현과 would like to를 활용하여 대화를 완성하시오.

01 A: _____ your jacket here? (hang)

   B: Yes, thank you.

02 A: Have you decided where to go on your vacation?

   B: Yes, _____ to Singapore. (go)

03 A: _____ some cookies? (try)

   B: No, thanks. I am full.

A 다음 우리말과 일치하도록 괄호 안에 주어진 말을 바르게 배열하시오.

배열 영작

01 점심을 먹어라, 그렇지 않으면 나중에 배가 고플 거야. (you / eat / your lunch / hungry / or / will / later / be)

_____

02 주위를 둘러봐라, 그러면 그를 찾을 거야. (you / will / look around / him / and / find)

_____

03 주의 깊게 들으세요, 그렇지 않으면 요점을 놓칠 거예요.
(listen / will / the point / or / you / miss / carefully)

_____

04 이 버스를 타라, 그러면 그 공원에 도착할 거야. (this bus / and / will / you / the park / arrive at / take)

_____

B 다음 우리말과 일치하도록 괄호 안에 주어진 말을 활용하여 문장을 완성하시오.

문장 완성

01 왼쪽으로 도세요, 그러면 서점을 찾을 거예요. (find, a bookstore)

Turn left, _____.

02 천천히 하세요, 그렇지 않으면 실수할 거예요. (make a mistake)

Take your time, _____.

03 더 빨리 달려라, 그러면 그를 따라잡을 거야. (catch up with)

Run faster, _____.

04 반바지를 입어라, 그렇지 않으면 너무 더울 거야. (wear, shorts, too hot)

_____

C 다음 문장을 and나 or를 활용하여 명령문으로 바꿔 쓰시오.

문장 전환

01 If you put a slice of lemon into your tea, it will taste better.

→ Put a slice of lemon into your tea, _____.

02 If you push the button, the door will open.

→ Push the button, _____.

03 If you don't get enough sun, you will have low vitamin D.

→ Get enough sun, _____.

A 배열 영작

다음 우리말과 일치하도록 괄호 안에 주어진 말을 바르게 배열하시오.

01 그녀는 공부하면서 재즈 음악을 듣는다. (she / she / listens / while / studies / to jazz music)

_____

02 그들은 하이킹을 하면서 많은 새를 보았다. (while / were / saw / they / many birds / they / hiking)

_____

03 내가 저녁을 먹는 동안 엄마가 들어오셨다. (my mom / I / was having / while / dinner / came in)

_____

04 그녀는 쓰레기를 줍다가 지갑을 발견했다.
(a wallet / she / was / the trash / while / picking up / she / found)

_____

B 문장 완성

다음 우리말과 일치하도록 괄호 안에 주어진 말을 활용하여 문장을 완성하시오. (단, while을 사용할 것)

01 그는 길을 걸으면서 그녀를 생각하고 있었다. (walk)

While _____ on the street, he was thinking about her.

02 Danny가 버스를 기다리는 동안 눈이 내리기 시작했다. (wait)

It started to snow _____ for the bus.

03 Sally는 전화 통화하면서 TV를 보고 있다. (talk on the phone)

_____, she's watching TV.

04 나는 파리에 있는 동안 그의 집에 머물렀다. (be, stay at, house)

_____.

C 문장 전환

다음 두 문장을 while을 활용하여 한 문장으로 바꿔 쓰시오.

01 You are taking an exam. + You should be quiet.

→ _____ while _____.

02 I'm away. + They will take care of my dog.

→ While _____, _____.

03 I had a terrible dream. + I was sleeping.

→ _____ while _____.

A

배열 영작

다음 우리말과 일치하도록 괄호 안에 주어진 말을 바르게 배열하시오.

01   나는 운동을 끝내자마자 샤워를 했다. (I / I / finished / as soon as / my workout / took a shower)

_____

02   그는 그녀를 보자마자 얼굴이 빨개졌다. (he / her / turned red / as soon as / saw / his face)

_____

03   나는 그 문제를 풀자마자 선생님께 달려갔다.
     (I / solved / I / as soon as / to my teacher / ran / the problem)

_____

B

문장 완성

다음 우리말과 일치하도록 괄호 안에 주어진 말을 활용하여 문장을 완성하시오.

01   내가 그녀에게 장미를 주자마자 그녀는 미소 지었다. (give)

     _____ the rose, she smiled.

02   그 남자아이는 그 노래를 듣자마자 춤을 추기 시작했다. (hear)

     The boy started dancing _____ the song.

03   그녀는 그 케이크를 먹자마자 기분이 좋아졌다. (eat)

     She felt happy _____.

04   그녀는 공항에 도착하자마자 부모님께 전화했다. (arrive at, the airport)

     _____, she called her parents.

05   그는 건강이 회복되자마자 캠핑하러 갔다. (get well, go camping)

     _____.

C

문장 전환

다음 두 문장을 as soon as를 활용하여 한 문장으로 바꿔 쓰시오.

01   I get back home. + I will do my homework.

     → _____, I _____.

02   The plane took off. + Peter felt nervous.

     → _____, Peter _____.

03   Mary saw us. + She burst into tears.

     → Mary _____.

A
배열 영작

다음 우리말과 일치하도록 괄호 안에 주어진 말을 바르게 배열하시오.

01 그녀가 말할 때까지 우리는 조용히 있었다. (we / she / spoke / kept / until / quiet)

_____

02 그가 돌아올 때까지 우리는 파티를 시작하지 않을 것이다.
(the party / won't / comes back / we / he / until / start)

_____

03 나는 엄마가 설거지를 끝낼 때까지 TV를 보았다.
(I / my mother / finished / watched / until / washing / TV / the dishes)

_____

04 그녀는 수업이 시작할 때까지 통화를 했다. (she / on the phone / talked / the class / until / started)

_____

B
문장 완성

다음 우리말과 일치하도록 괄호 안에 주어진 말을 활용하여 문장을 완성하시오.

01 나는 네가 도착할 때까지 커피를 주문하지 않을 거야. (arrive)

I won't order coffee _____.

02 네가 내 잘못을 지적할 때까지 나는 그것들에 대해 몰랐다. (point out)

_____ my mistakes, I didn't know about them.

03 그 소녀는 숨이 찰 때까지 뛰었다. (be out of breath)

The girl ran _____.

04 우리는 비가 그칠 때까지 자동차 안에 있을 거야. (will, stay, stop)

_____

C
문장 완성

다음 우리말과 일치하도록 괄호 안에 주어진 표현과 until을 활용하여 문장을 완성하시오.

01 그는 모두 나갈 때까지 불을 끄지 않았다. (everybody, go out)

He didn't turn off the light _____.

02 우리는 신호등이 녹색으로 바뀔 때까지 기다려야 한다. (the traffic light, turn)

We should wait _____.

03 그들은 그 보고서를 완성할 때까지 책상에 앉아 있었다. (finish, the reports)

They were sitting at their desks _____.

A 다음 우리말과 일치하도록 괄호 안에 주어진 말을 바르게 배열하시오.

배열 영작

01 그는 아픈 어린이들을 돕기 위해 병원을 세웠다.
(he / sick children / could / so that / he / built / help / a hospital)
_____

02 Norah는 쓰레기를 줍기 위해 해변에 간다.
(Norah / she / goes to / trash / can / so that / the beach / pick up)
_____

03 나는 오전 6시에 일어나기 위해 알람을 맞췄다.
(I / I / so that / could wake up / set / an alarm / at 6 a.m.)
_____

B 다음 우리말과 일치하도록 괄호 안에 주어진 말을 활용하여 문장을 완성하시오. (단, 「so that ~」 구문을 사용할 것)

문장 완성

01 나는 좋은 성적을 얻을 수 있도록 열심히 공부한다. (get)
I study hard _____ good grades.

02 나는 저녁 식사를 준비하기 위해 집에 일찍 올 것이다. (prepare)
I will come home early _____.

03 Mike는 새 신발을 사기 위해 100달러를 저축했다. (buy)
Mike saved 100 dollars _____.

04 그녀는 살을 빼려고 조깅을 시작했다. (start jogging, lose weight)
_____.

C 다음 문장과 같은 뜻이 되도록 「so that ~」 구문을 활용하여 문장을 완성하시오.

문장 전환

01 He borrowed some books to write an essay.
→ He borrowed some books _____.

02 Sharon went to Peru to see Machu Picchu.
→ Sharon went to Peru _____.

03 I want to take good pictures, so I bought a new camera.
→ I bought a new camera _____.

A

배열 영작

다음 우리말과 일치하도록 괄호 안에 주어진 말을 바르게 배열하시오.

01 그는 아주 친절해서 모두가 그를 좋아한다. (is / so / everybody / likes / he / kind / him / that)

_____

02 수프가 너무 뜨거워서 나는 그것을 먹을 수 없었다. (the soup / was / so / that / hot / I / it / eat / couldn't)

_____

03 그녀의 이야기가 아주 재미있어서 나는 10분 동안 웃었다.

(her story / laughed / funny / so / that / I / was / for ten minutes)

_____

04 그 집은 너무 비싸서 그들은 그것을 살 수가 없다.

(they / can't / so / expensive / that / the house / buy / is / it)

_____

B

문장 완성

다음 우리말과 일치하도록 괄호 안에 주어진 말을 활용하여 문장을 완성하시오.

01 Paul은 너무 바빠서 가족과 시간을 보낼 수 없었다. (busy, spend)

Paul was _____ time with his family.

02 그들의 서비스가 너무 형편없어서 사람들이 불평했다. (poor, complain)

Their service was _____ .

03 이 방은 너무 지저분해서 우리가 청소해야 한다. (dirty, should, clean)

This room is _____ it.

04 그는 힘이 아주 세서 그 바위를 들 수 있다. (strong, lift, the rock)

_____ .

C

조건 영작

다음 우리말과 일치하도록 괄호 안에 주어진 표현과 「so … that ~」 구문을 활용하여 문장을 완성하시오.

01 바람이 너무 불어서 나는 서 있을 수 없었다. (windy, stand up)

_____

02 그 산이 너무 높아서 그들은 정상에 오를 수 없었다. (high, climb, to the top)

_____

03 Ted가 너무 빨리 달려서 나는 그를 따라잡을 수 없었다. (run, fast, catch up with)

_____

A

배열 영작

다음 우리말과 일치하도록 괄호 안에 주어진 말을 바르게 배열하시오.

01 하나를 사면, 하나를 공짜로 드립니다. (if / one / you / you / get / buy / one / free)

_____

02 그 정답을 알고 있다면, 빨리 나에게 말해줘. (the answer / if / know / you / quickly / me / tell)

_____

03 이가 아프면 치과에 가야 한다. (if / you / have / go / should / a toothache / you / to the dentist)

_____

04 잠들지 못한다면 따뜻한 우유를 좀 마셔라. (if / drink / you / fall asleep / some warm milk / can't)

_____

B

문장 완성

다음 우리말과 일치하도록 괄호 안에 주어진 말을 활용하여 문장을 완성하시오.

01 그에게 차가 있으면 너를 데리러 갈 수 있을 거야. (have)

_____, he can pick you up.

02 이 버튼을 누르면 음악이 재생될 것이다. (press, button)

The music will play _____.

03 밖에서 놀고 싶다면, 너는 먼저 숙제를 끝내야 한다. (play outside)

_____, you have to finish your homework first.

04 비가 오면 그들은 그 콘서트를 취소할 것이다. (rain, will, cancel)

_____.

C

오류 수정

다음 문장에서 어법상 틀린 부분을 찾아 바르게 고쳐 쓰시오.

01 He will call Jenny if he will get her phone number.

_____ → _____

02 It will be fantastic if it will snow on Christmas Eve.

_____ → _____

03 If Daniel won't come to the class, I will be disappointed.

_____ → _____

A 다음 우리말과 일치하도록 괄호 안에 주어진 말을 바르게 배열하시오.

배열 영작

01 그는 스포츠를 좋아하지만 잘하지는 못한다. (though / he's / he / loves / not good at / sports / them)

_____

02 그 건물은 낡았지만 깨끗하다. (although / it / is / the building / is / old / clean)

_____

03 아빠는 몸이 편찮으셨지만 출근하셨다. (my dad / he / went to work / was / sick / though)

_____

04 나는 열심히 공부했지만 성적이 좋지 않았다.
(although / I / I / studied / didn't get / hard / good grades)

_____

B 다음 우리말과 일치하도록 괄호 안에 주어진 말을 활용하여 문장을 완성하시오.

문장 완성

01 우리의 방문은 짧았지만 우리는 그곳에서 멋진 시간을 보냈다. (although, visit)

We had a great time there _____.

02 닭은 날개가 있지만 날지 못한다. (though, chickens, wings)

_____, they can't fly.

03 그녀는 감기에 걸렸지만 어떤 약도 먹지 않았다. (although, catch a cold)

She didn't take any medicine _____.

04 그녀는 가난했지만 자신의 인생을 즐겼다. (though, poor, enjoy)

_____

C 다음 두 문장을 though를 활용하여 한 문장으로 바꿔 쓰시오.

문장 전환

01 My sister speaks well. + She is only three years old.

→ My sister _____.

02 He played well. + His team lost the game.

→ _____, his team _____.

03 The alarm rang many times. + He didn't wake up.

→ He _____.

A
배열 영작

다음 우리말과 일치하도록 괄호 안에 주어진 말을 바르게 배열하시오.

01 네 여동생의 건강이 나아지기를 바랄게. (I / your sister / hope / will / that / get better)

_____

02 나는 그녀가 유명한 화가라는 것을 알게 되었다. (she / learned / a famous painter / that / I / is)

_____

03 그녀는 매우 배고프다고 느꼈다. (very hungry / she / that / was / she / felt)

_____

04 너는 가장 큰 대륙이 아시아라는 것을 알았니?
(did / the largest continent / you / Asia / that / is / know)

_____

B
문장 완성

다음 우리말과 일치하도록 괄호 안에 주어진 말을 활용하여 문장을 완성하시오.

01 그는 내가 도서관에 있을 거라고 추측했다. (guess)

_____ I was in the library.

02 나는 그녀에게 그것은 누구에게나 일어날 수 있다고 말했다. (tell, happen)

I _____ to anyone.

03 나는 당신이 요리하는 것을 좋아하는지 몰랐다. (know, like)

_____ to cook.

04 몇몇 사람들은 독서가 지루하다고 말한다. (say, reading, boring)

_____.

C
조건 영작

다음 우리말과 일치하도록 괄호 안에 주어진 표현과 that을 활용하여 문장을 완성하시오.

01 나는 그가 스페인으로 떠났다고 들었다. (hear, leave for)

_____

02 우리는 오늘 밤에 눈이 올 거라고 생각한다. (think, will, snow)

_____

03 사람들은 그가 자동차를 훔쳤다고 믿지 않았다. (believe, steal)

_____

A   **다음 우리말과 일치하도록 괄호 안에 주어진 말을 바르게 배열하시오.**

배열 영작

01   이 셔츠는 독특하면서 세련됐다. (this shirt / and / both / unique / is / stylish)

_____

02   Tom과 Ben은 둘 다 그 여행 계획이 마음에 들었다. (the travel plan / both / Tom / liked / and / Ben)

_____

03   나는 설거지와 빨래 둘 다 해야 한다. (I / do / and / both / the dishes / have to / the laundry)

_____

04   이 음식점은 여행객과 현지인 모두에게 인기가 있다.

(this restaurant / both / and / tourists / popular with / is / locals)

_____

B   **다음 우리말과 일치하도록 괄호 안에 주어진 말을 활용하여 문장을 완성하시오.**

문장 완성

01   5월과 10월은 둘 다 공휴일이 있다. (have)

_____ holidays.

02   그는 기타 연주와 작곡 둘 다 할 수 있다. (play, write)

He can _____ songs.

03   그녀와 나는 둘 다 볼링에 관심이 있다. (interested)

_____ in bowling.

04   민호는 가수이자 화가이다. (a singer, an artist)

_____ .

C   **다음 두 문장을 「both A and B」구문을 활용하여 한 문장으로 쓰시오.**

문장 전환

01   Emily is cute. + Emily is smart, too.

→ _____

02   Jinho plays the violin. + Yumi plays the violin, too.

→ _____

03   You can use paints in art class. + You can also use crayons in art class.

→ _____

A
배열 영작

다음 우리말과 일치하도록 괄호 안에 주어진 말을 바르게 배열하시오.

01 Jake와 나 둘 다 아침을 먹지 않는다. (Jake / neither / have / nor / I / breakfast)

_____

02 너나 그녀 둘 중 한 명이 나를 기다려야 한다. (you / wait for / or / she / either / has to / me)

_____

03 나는 햄버거와 피자 둘 다 좋아하지 않는다. (I / hamburgers / neither / nor / like / pizza)

_____

04 우리는 제주도에서 차를 빌리거나 택시를 탈 것이다.
(we / or / will / in Jeju Island / rent / either / a car / take / a taxi)

_____

B
문장 완성

다음 우리말과 일치하도록 괄호 안에 주어진 말을 활용하여 문장을 완성하시오.

01 그는 일요일이나 월요일에 떠날 것이다. (Sunday)

He will leave _____ on Monday.

02 우리 엄마는 노래도 잘 못 부르시고 춤도 잘 못 추신다. (sing, dance)

My mother _____ well.

03 분홍색이나 빨간색 둘 중 하나가 그녀가 가장 좋아하는 색이다. (pink, red)

_____ her favorite color.

04 그녀와 그 둘 다 어제 나를 만나지 않았다. (meet)

_____ .

C
오류 수정

다음 문장에서 어법이나 의미가 <u>어색한</u> 부분을 찾아 바르게 고쳐 쓰시오.

01 Either you and she has to take care of him.

_____ → _____

02 They have either time nor money to travel.

_____ → _____

03 I want to either help the poor or to donate money for them.

_____ → _____

A
배열 영작

다음 우리말과 일치하도록 괄호 안에 주어진 말을 바르게 배열하시오.

01 우리 아빠는 일본어가 아니라 중국어를 하신다. (my dad / Chinese / not / can speak / Japanese / but)

_____

02 인생은 단거리 경주가 아니라 마라톤이다. (is / a marathon / not / but / a sprint / life)

_____

03 그는 피아노가 아니라 첼로를 연주했다. (he / not / played / the piano / the cello / but)

_____

04 Cathy는 프랑스가 아니라 이탈리아에 살았다. (hasn't / Cathy / lived / but / in Italy / in France)

_____

B
문장 완성

다음 우리말과 일치하도록 괄호 안에 주어진 말을 활용하여 문장을 완성하시오.

01 Timmy가 아니라 내가 높은 곳을 무서워한다. (be)

_____ afraid of heights.

02 그는 화요일이 아니라 수요일에 역사 수업이 있다. (Tuesday)

He has a history class _____ on Wednesday.

03 그 작가는 밤이 아니라 낮에 잠을 잔다. (at night)

The writer sleeps _____ in the daytime.

04 나는 버스가 아니라 택시를 탔다. (take, a bus, a taxi)

_____.

C
도표·그림

다음 표를 보고, 괄호 안에 주어진 표현과 「not A but B」 구문을 활용하여 문장을 완성하시오.

Favorite thing / Name	food	color	subject
Eric	sandwiches	blue	music
David	spaghetti	green	science

01 Not Eric _____ likes spaghetti.

02 Eric's favorite color is not _____.

03 David is interested _____ in music _____.

04 Eric's favorite subject is not _____.

A

배열 영작

다음 우리말과 일치하도록 괄호 안에 주어진 말을 바르게 배열하시오.

01 그는 아침뿐만 아니라 점심도 걸렀다. (breakfast / he / lunch / as well as / skipped)

_____

02 그는 늦게 일어났을 뿐만 아니라 버스도 잘못 탔다.
(but also / he / took / woke up / the wrong bus / late / not only)

_____

03 비닐봉지뿐만 아니라 종이컵도 환경에 좋지 않다.
(good for / plastic bags / aren't / the environment / not only / paper cups / but also)

_____

04 관광객뿐만 아니라 한국인도 그 궁궐을 방문하는 것을 즐긴다.
(as well as / Koreans / tourists / enjoy / the palace / visiting)

_____

B

문장 완성

다음 우리말과 일치하도록 괄호 안에 주어진 말을 활용하여 문장을 완성하시오.

01 그 음식은 맛있을 뿐만 아니라 건강에도 좋다. (delicious)
The food is _____ healthy.

02 Kelly뿐만 아니라 그녀의 친구들도 키가 크다. (tall)
Not only Kelly _____.

03 우리는 엄마를 위해 케이크뿐만 아니라 꽃도 몇 송이 살 것이다. (some, as well as)
We will buy _____ for Mom.

04 그 영화는 지루할 뿐만 아니라 길다. (not only, boring)
_____.

C

문장 완성

다음 문장과 같은 뜻이 되도록 괄호 안에 주어진 표현을 활용하여 문장을 완성하시오.

01 I can play the flute as well as the piano. (not only)

_____

02 Baseball is very popular not only in Korea but also in America. (as well as)

_____

03 Our teacher is not only brave but also kind. (as well as)

_____

A
배열 영작

다음 우리말과 일치하도록 괄호 안에 주어진 말을 바르게 배열하시오.

01   너는 이 가게에서 어떤 장난감도 살 수 없어. (you / toys / can't / any / buy / at this store)

_____

02   저는 아이스크림을 좀 먹고 싶어요. (I / want / some / eat / to / ice cream)

_____

03   너는 휴가에 어떤 계획이 있니? (you / have / do / plans / any / for vacation)

_____

04   당신에게 온 메시지가 좀 있어요. (some / for you / are / messages / there)

_____

B
문장 완성

다음 우리말과 일치하도록 괄호 안에 주어진 말을 활용하여 문장을 완성하시오.

01   그 사고에 대한 어떤 소식이라도 들었나요? (hear, news)

Did you _____ about the accident?

02   어떤 사람들은 혼자 있는 것을 좋아한다. (people, like)

_____ to be alone.

03   Lucy는 샌드위치를 만들려고 달걀 몇 개를 샀다. (buy, egg)

Lucy _____ to make a sandwich.

04   Tom은 어떤 문제도 풀지 못했다. (problem)

_____ .

C
대화 완성

다음 괄호 안에 주어진 단어와 some/any를 활용하여 대화를 완성하시오.

01   A: Can you lend me a pen?

B: I'm sorry. I don't have _____ . (pen)

02   A: Are there _____ left for the closing ceremony? (ticket)

B: Sorry. The tickets are sold out.

03   A: Would you like _____ , Mom? (pie)

B: No, thanks. I already had some.

A 다음 우리말과 일치하도록 괄호 안에 주어진 말을 바르게 배열하시오.

배열 영작

01 그는 무대에서 어떤 멋진 것을 했다. (wonderful / he / something / did / on the stage)

_____

02 더 필요한 게 있으신가요? (there / else / is / anything)

_____

03 TV에 재미있는 것이 아무것도 안 한다. (is / nothing / there / interesting / on TV)

_____

04 어떤 유명한 사람이 파티에 나타났다. (appeared / someone / at / famous / the party)

_____

B 다음 우리말과 일치하도록 괄호 안에 주어진 말을 활용하여 문장을 완성하시오.

문장 완성

01 문 앞에 어떤 큰 것이 있었다. (big)

There was _____ in front of the door.

02 그의 책에는 특별한 것이 아무것도 없어. (special)

His book has _____.

03 그들은 그것에 대해 어떤 이상한 것도 찾지 못했다. (strange)

They couldn't find _____ about it.

04 나는 그녀의 보고서에서 뭔가 잘못된 것을 발견했다. (find, wrong)

_____.

C 다음 〈보기〉에서 빈칸에 들어갈 말로 가장 알맞은 말을 골라 문장을 완성하시오.

문장 완성

> 보기
> • I saw something amazing
> • They need to drink something hot
> • He's looking for someone smart

01 The children are shivering with cold. _____.

02 He started his new project. _____ to work with.

03 _____ earlier. I couldn't believe it.

A
배열 영작

다음 우리말과 일치하도록 괄호 안에 주어진 말을 바르게 배열하시오.

01 호수에 물이 거의 없다. (water / is / in the lake / there / little)

_____

02 그 단어를 발음할 수 있는 학생은 거의 없다. (pronounce / students / can / few / the word)

_____

03 나는 잠잘 시간이 거의 없었다. (I / had / to / sleep / time / little)

_____

04 그는 그 경기에서 실수를 거의 하지 않았다. (he / mistakes / in the game / made / few)

_____

B
문장 완성

다음 우리말과 일치하도록 괄호 안에 주어진 말을 활용하여 문장을 완성하시오. (단, few/little을 사용할 것)

01 병 안에 주스가 거의 없다. (there, juice)

_____ in the bottle.

02 많은 사람들은 정치에 관심이 거의 없다. (have, interest)

Many people _____ in politics.

03 그 그림을 사고 싶어 한 사람은 거의 없었다. (want, buy)

_____ the painting.

04 서둘러라. 너는 시간이 거의 없다. (have)

Hurry up. _____ .

C
문장 완성

다음 우리말과 일치하도록 괄호 안에 주어진 표현과 few/little을 활용하여 문장을 완성하시오.

01 어떤 꽃들은 향기가 거의 없다. (have, scent)

Some flowers _____ .

02 이 도시에는 낡은 건물이 거의 없다. (old building)

_____ in this city.

03 그 배우를 인터뷰할 기회를 가진 사람들은 거의 없었다. (have the chance)

_____ to interview the actor.

A 다음 우리말과 일치하도록 괄호 안에 주어진 말을 바르게 배열하시오.

배열 영작

01 나는 그 건물에서 연예인 몇 명을 보았다. (I / saw / in the building / celebrities / a few)

_____

02 그는 그녀에게 식이요법에 대한 조언을 좀 해주었다. (advice / a little / her / gave / he / on her diet)

_____

03 몇 분 후에 다시 와주실래요? (a few / come back / can / in / you / minutes)

_____

04 Jack은 서랍 안에서 동전 몇 개를 찾았다. (a few / Jack / in the drawer / coins / found)

_____

B 다음 우리말과 일치하도록 괄호 안에 주어진 말을 활용하여 문장을 완성하시오. (단, a few/a little을 사용할 것)

문장 완성

01 그녀는 차에 설탕을 좀 넣었다. (put, sugar)

She _____ in her tea.

02 우리 안에 동물 몇 마리가 들어 있다. (there, animal)

_____ in the cage.

03 네가 그 피아노를 옮기기 위해서는 몇 사람이 필요할 거야. (need, people)

You'll _____ to carry the piano.

04 나는 내 지갑에 돈이 조금 있었다. (have, wallet)

_____ .

C 다음 문장에서 어법상 틀린 부분을 찾아 바르게 고치시오.

오류 수정

01 I saw him a little days ago.

_____ → _____

02 My brother ate a few apple after dinner.

_____ → _____

03 A few people comes here on the weekend.

_____ → _____

A
배열 영작

다음 우리말과 일치하도록 괄호 안에 주어진 말을 바르게 배열하시오.

01 각각의 사람은 그들 자신만의 목표가 있다. (his / each / goal / person / own / has)

_____

02 쥐구멍에도 볕 들 날 있다. (dog / every / day / his / has)

_____

03 메뉴에 있는 각각의 음식이 맛있었다. (each / delicious / was / on the menu / food)

_____

04 상자 안에 있는 각각의 사과는 싱싱해 보인다. (each / fresh / apple / looks / in the box)

_____

B
문장 완성

다음 우리말과 일치하도록 괄호 안에 주어진 말을 활용하여 문장을 완성하시오.

01 모든 학생들은 다른 재능을 가지고 있다. (every, student, have)

_____ different talents.

02 모든 발표자들은 10분의 발표 시간이 있다. (all, speaker, have)

_____ 10 minutes for their presentation.

03 이 마을의 모든 집은 강 근처에 있다. (every, house, near)

_____ in the town _____.

04 이 책의 모든 이야기는 재미있다. (every, story, interesting)

_____.

C
오류 수정

다음 문장에서 밑줄 친 부분을 바르게 고치시오.

01 Each <u>names have</u> its own meaning.

_____

02 <u>Every bed</u> in this room aren't comfortable.

_____

03 All of those <u>window has</u> curtains.

_____

A 다음 우리말과 일치하도록 괄호 안에 주어진 말을 바르게 배열하시오.

배열 영작

01 두 남자가 들어왔다. 한 명은 Jim이고, 나머지 한 명은 그의 형이었다.
(one / the other / was / was / Jim / his brother / and)

Two men came in. _____

02 나는 세 가지 스포츠를 좋아한다. 하나는 탁구, 다른 하나는 골프, 나머지 하나는 볼링이다.
(is / another / is / one / the other / golf / table tennis / is / and / bowling)

I like three sports. _____

_____

B 다음 우리말과 일치하도록 괄호 안에 주어진 말을 활용하여 문장을 완성하시오.

문장 완성

01 탁자 위에 과일 세 개가 있다. 하나는 수박, 다른 하나는 오렌지, 나머지 하나는 키위이다. (orange, kiwi)

There are three fruits on the table. _____ a watermelon,

_____ , and _____ .

02 나는 파티에서 두 남자를 봤다. 한 명은 키가 크고, 나머지 한 명은 몸집이 컸다. (tall, big)

I saw two men at the party. _____ , and _____

_____ .

03 그녀는 선물 세 개를 받았다. 하나는 시계, 다른 하나는 지갑, 나머지 하나는 운동화였다. (wallet, sneakers)

She got three presents. One was a watch, _____ , and

_____ .

04 두 마리의 개를 봐. 한 마리는 사납고, 나머지 한 마리는 순해. (wild, gentle)

Look at the two dogs. _____ .

C 다음 우리말과 일치하도록 괄호 안에 주어진 표현과 one/another/the other를 활용하여 문장을 완성하시오.

조건 영작

01 나는 노트북이 두 대 있다. 하나는 중국에서 만들어졌고, 나머지 하나는 대만에서 만들어졌다.

I have two laptops. _____
(be from, China, Taiwan)

02 두 남자가 이야기하고 있었다. 한 명은 모자를 쓰고 있었고, 나머지 한 명은 안경을 쓰고 있었다.

Two men were talking. _____
(wear, hat, glasses)

A
배열 영작

다음 우리말과 일치하도록 괄호 안에 주어진 말을 바르게 배열하시오.

01 나는 망고 주스 세 병을 샀다. (I / bought / of / bottles / three / mango juice)

_____

02 차 한 잔 마실래요? (would / like / you / a / of / cup / tea)

_____

03 웨이터가 와인 네 잔을 가져다주었다. (wine / the waiter / four / of / glasses / served)

_____

04 내 남동생은 점심으로 빵 한 조각을 먹었다. (my brother / a / of / ate / slice / bread / for lunch)

_____

B
문장 완성

다음 우리말과 일치하도록 괄호 안에 주어진 말을 활용하여 문장을 완성하시오.

01 그는 신문지 한 장이 필요하다. (sheet, newspaper)

He needs _____.

02 우리 아버지는 나에게 그것에 대해 충고 한마디를 하셨다. (piece, advice)

My father gave me _____.

03 그녀는 밀크티에 설탕 두 스푼을 넣었다. (spoonful, sugar)

She put _____ in her milk tea.

04 나는 빵 세 덩어리를 구웠다. (loaf, bread)

_____.

C
도표·그림

다음 쇼핑 목록을 보고, ①~⑤를 영어로 옮기시오.

01 _____ (paper)

02 _____ (cake)

03 _____ (coke)

04 _____ (cheese)

05 _____ (soup)

Shopping List
① 종이 다섯 장
② 케이크 두 조각
③ 콜라 세 병
④ 치즈 열 장
⑤ 수프 한 그릇

A 다음 우리말과 일치하도록 괄호 안에 주어진 말을 바르게 배열하시오.

배열 영작

01 편안히 계세요. (at home / make / yourself)

_____

02 너는 콘서트에서 즐거웠니? (you / did / enjoy / yourself / at the concert)

_____

03 너는 그곳에 혼자 가지 않는 게 좋겠어. (you'd / better / yourself / go / by / there / not)

_____

04 우리 아버지는 내 자전거를 직접 수리하셨다. (my father / my bike / fixed / himself)

_____

B 다음 우리말과 일치하도록 괄호 안에 주어진 말을 활용하여 문장을 완성하시오.

문장 완성

01 우리는 스스로를 사랑해야 한다. (love)

We need to _____.

02 그 여자는 거울로 자신을 바라보았다. (look at)

The woman _____ in the mirror.

03 그 가수는 아름답게 옷을 입었다. (dress)

The singer _____ beautifully.

04 너는 왜 항상 혼잣말을 하니? (talk to)

_____?

C 다음 우리말과 일치하도록 괄호 안에 주어진 표현을 활용하여 문장을 완성하시오.

문장 완성

01 그는 혼자서 음악 듣는 것을 좋아한다. (listen to music)

He likes to _____.

02 음식과 음료를 마음껏 드세요. (help)

_____ the food and drinks.

03 그녀는 자신에게 "정말 아름답구나!"라고 말했다. (say)

She _____, "How beautiful!"

A
배열 영작

다음 우리말과 일치하도록 괄호 안에 주어진 말을 바르게 배열하시오.

01　내 남동생은 너만큼 키가 작다. (my brother / as / you / short / is / as / are)

_____

02　그 개는 다섯 살짜리 아이만큼 영리하다. (a five-year-old child / the dog / as / smart / is / as)

_____

03　그의 신작은 예전 책만큼 인기 있다. (his new book / as / as / popular / is / the old one)

_____

04　코끼리는 대왕고래만큼 무겁지 않다. (the elephant / as / the blue whale / heavy / as / isn't)

_____

B
문장 완성

다음 우리말과 일치하도록 괄호 안에 주어진 말을 활용하여 문장을 완성하시오.

01　마드리드는 바르셀로나만큼 축구로 유명하다. (famous)

Madrid is _____ Barcelona for soccer.

02　나는 내 언니만큼 운동을 많이 했다. (much)

I exercised _____ my sister.

03　그녀는 레오나르도 다빈치만큼 창의적이다. (creative)

She is _____ Leonardo da Vinci.

04　우리 할머니는 이 집만큼 나이가 드셨다. (grandmother, house, old)

_____ .

C
조건 영작

다음 우리말과 일치하도록 〈보기〉에서 알맞은 말을 골라 「as ~ as」 구문을 활용하여 문장을 완성하시오.

보기	fast	diligent	important

01　Alex는 Brian만큼 부지런하지 않다.

_____

02　얼룩말은 호랑이만큼 빨리 달린다.

_____

03　시간은 돈만큼 중요하다.

_____

A
배열 영작

다음 우리말과 일치하도록 괄호 안에 주어진 말을 바르게 배열하시오.

01 그가 나보다 5배 더 많은 책을 가지고 있다. (he / many books / has / five times / as / as / I do)

_____

02 러시아는 미국보다 거의 2배 더 크다. (as / almost / large / Russia / twice / the U.S. / is / as)

_____

03 지호는 나보다 4배 더 많이 득점했다. (Jiho / many points / scored / as / as / I did / four times)

_____

04 딸기에는 사과보다 10배 더 많은 비타민 C가 들어 있다.
(as / strawberries / have / as / ten times / much vitamin C / apples)

_____

B
문장 완성

다음 우리말과 일치하도록 괄호 안에 주어진 말을 활용하여 문장을 완성하시오.

01 지구는 화성보다 태양에 거의 2배 더 가깝다. (close)
Earth is almost _____ Mars to the Sun.

02 그녀의 머리카락은 내 머리카락의 절반 길이였다. (half, long)
Her hair was _____ my hair.

03 나는 너보다 3배 더 많은 돈을 냈다. (much money)
I paid _____ as you did.

04 금은 은보다 거의 2배 더 무겁다. (almost, heavy)

_____ .

C
도표·그림

다음 표를 보고, 괄호 안에 주어진 표현과 「배수사+as ~ as」 구문을 활용하여 문장을 완성하시오.

Feature \ Type	Fare	Number of passengers	Comfort
Express bus A	48,000 won	15	★★★★
Express bus B	24,000 won	45	★

01 Express bus A is _____ Express bus B. (expensive)

02 Express bus B carries _____ Express bus A. (many people)

03 Express bus A is _____ Express bus B. (comfortable)

A 다음 우리말과 일치하도록 괄호 안에 주어진 말을 바르게 배열하시오.

배열 영작

01   그 영화는 원작 소설보다 덜 흥미진진하다. (is / exciting / less / than / the movie / the original novel)

_____

02   내 남동생은 나보다 돈을 더 적게 쓴다. (spends / less / than / my brother / I do)

_____

03   화성이 수성보다 밀도가 낮은가요? (Mars / Mercury / less / than / is / dense)

_____

04   서울이 제주도보다 살기에 돈이 덜 든다. (expensive / less / to live in / than / Seoul / is / Jeju Island)

_____

B 다음 우리말과 일치하도록 괄호 안에 주어진 말을 활용하여 문장을 완성하시오.

문장 완성

01   그녀의 라이브 공연은 내가 희망했던 것보다 덜 인상적이었다. (impressive)

Her live performance _____ I had hoped.

02   파리의 날씨는 런던의 날씨보다 덜 비가 온다. (rainy)

The weather in Paris _____ the weather in London.

03   새로운 약은 예전 것보다 덜 효과적이다. (effective)

The new medicine _____ the old one.

04   오늘은 어제보다 바람이 덜 분다. (windy)

_____ .

C 다음 우리말과 일치하도록 괄호 안에 주어진 표현과 「less ~ than」 구문을 활용하여 문장을 완성하시오.

문장 완성

01   내 파이는 엄마 파이보다 덜 맛있다. (delicious)

My pie _____ my mother's.

02   네가 Fred보다 나를 덜 지루하게 해. (bored)

You make me _____ .

03   그녀의 방은 내 방보다 덜 깨끗했다. (clean, room)

Her room _____ .

A 다음 우리말과 일치하도록 괄호 안에 주어진 말을 바르게 배열하시오.

배열 영작

01 이 책은 점점 더 재미있어지고 있다. (this book / getting / and / more / is / more / interesting)

_____

02 점점 더 적은 수의 사람들이 디지털카메라를 사용한다.
(people / fewer / and / use / digital cameras / fewer)

_____

03 그 말은 점점 더 빨리 달리기 시작했다. (the horse / to run / and / faster / began / faster)

_____

04 꽃들이 점점 더 커지고 있다. (the flowers / and / getting / bigger / are / bigger)

_____

B 다음 우리말과 일치하도록 괄호 안에 주어진 말을 활용하여 문장을 완성하시오.

문장 완성

01 나뭇잎들이 점점 더 노랗게 변했다. (much)
The leaves turned _____ yellow.

02 대기오염 때문에 공기가 점점 더 더러워지고 있다. (dirty)
The air is getting _____ because of air pollution.

03 나는 점점 더 바빠지고 있다. (busy)
I am becoming _____.

04 내 기억력이 점점 더 나빠졌다. (memory, get, bad)

_____

C 다음 〈보기〉에서 알맞은 말을 골라 「비교급+and+비교급」 구문을 활용하여 문장을 완성하시오.

문장 완성

| 보기 | healthy | good | crowded | slow |

01 My computer is getting _____.

02 This restaurant is becoming _____.

03 My knitting skills are getting _____.

04 If you exercise every day, you will get _____.

A 다음 우리말과 일치하도록 괄호 안에 주어진 말을 바르게 배열하시오.

배열 영작

01 책상과 식탁 중 어느 것이 더 무거운가요? (heavier / or the table / which / the desk / is)

_____

02 Judy와 Sophie 중 누가 더 친절하니? (Judy / is / who / kinder / or Sophie)

_____

03 시애틀과 뉴욕 중 어느 도시가 더 크니? (Seattle / is / which / city / larger / or New York)

_____

04 Henry와 Brain 중 누가 더 피아노를 잘 치니? (Henry / plays / the piano / who / or Brian / better)

_____

B 다음 우리말과 일치하도록 괄호 안에 주어진 말을 활용하여 문장을 완성하시오.

문장 완성

01 Kevin과 그의 남동생 중 누가 더 사교적이니? (sociable)

_____, Kevin or his brother?

02 신데렐라와 백설 공주 중 누가 더 아름답니? (beautiful)

_____, Cinderella or Snow White?

03 걷기와 달리기 중 어느 운동이 저에게 더 좋나요? (exercise, good)

_____ for me, walking or running?

04 빛과 소리 중 어느 것이 더 빠른가요? (fast, light, sound)

_____?

C 다음 괄호 안에 주어진 표현을 활용하여 밑줄 친 부분을 비교하는 질문을 완성하시오.

대화 완성

01 A: _____, the snake or the worm? (long)

B: The snake is longer.

02 A: _____, the N Seoul Tower or the Shanghai Tower?
   (building, tall)

B: The Shanghai Tower is taller.

03 A: _____, Mina or Yuri? (have, friends)

B: Yuri has more friends.

A

배열 영작

다음 우리말과 일치하도록 괄호 안에 주어진 말을 바르게 배열하시오.

01 시카고는 미국에서 가장 부유한 도시 중 하나이다.
(one / Is / of / the richest / cities / Chicago / in America)

_____

02 내 가장 친한 친구들 중 하나는 뉴질랜드 출신이다.
(one / my best friends / New Zealand / is / of / from)

_____

03 셰익스피어는 역사상 가장 유명한 작가들 중 하나이다.
(one / is / the most famous / Shakespeare / of / writers / in history)

_____

B

문장 완성

다음 우리말과 일치하도록 괄호 안에 주어진 말을 활용하여 문장을 완성하시오.

01 바티칸 시국은 세계에서 가장 작은 나라 중 하나이다. (small, country)
Vatican City is _____ in the world.

02 그것은 한국에서 가장 큰 백화점 중 하나이다. (large, department store)
It is _____ in Korea.

03 비빔밥은 가장 유명한 한국 음식 중 하나이다. (famous, Korean dish)
Bibimbap is _____.

04 오늘은 내 인생에서 가장 행복한 날 중 하나이다. (happy, day, of)

_____.

C

오류 수정

다음 문장에서 어법상 틀린 부분을 찾아 바르게 고쳐 쓰시오.

01 Morocco is one of the more interesting countries to visit.

_____ → _____

02 Siberia is one of the most cold places in the world.

_____ → _____

03 This is one of the tallest pine tree in our town.

_____ → _____

A

배열 영작

다음 우리말과 일치하도록 괄호 안에 주어진 말을 바르게 배열하시오.

01   Mary는 그들이 왜 그를 좋아하는지 알고 싶어 한다. (Mary / know / why / they / like / wants / to / him)

_____

02   나는 누가 내 방을 청소했는지 몰랐다. (I / who / cleaned / didn't know / my room)

_____

03   Mike는 내게 그들이 언제 토론토로 떠나는지 물었다.
     (Mike / left / asked / they / me / when / for Toronto)

_____

04   이 건물에 푸드코트가 어디에 있는지 말해주세요.
     (me / where / is / please tell / the food court / in this building)

_____

B

문장 완성

다음 우리말과 일치하도록 괄호 안에 주어진 말을 활용하여 문장을 완성하시오.

01   그들은 나에게 내가 어디에 사는지 물었다. (live)

     They asked me _____.

02   이 드레스가 나에게 어떤지 말해줘. (dress, look on)

     Tell me _____.

03   나는 그녀가 가장 좋아하는 음식이 뭔지 모른다. (favorite food)

     I don't know _____.

04   그녀는 나에게 그 콘서트가 언제 시작하는지 물었다. (the concert, start)

     _____.

C

문장 전환

다음 두 문장을 간접의문문을 활용하여 한 문장으로 바꿔 쓰시오.

01   I want to know. + Why did I get a C on my paper?

     → _____

02   I remember. + When did Daniel come to my club?

     → _____

03   Please tell me. + Who makes this robot?

     → _____

A 다음 우리말과 일치하도록 괄호 안에 주어진 말을 바르게 배열하시오.

배열 영작

01 그녀가 몇 살인지 아니? (she / know / do / how old / you / is)

_____

02 문제가 뭔지 알려주시겠어요? (what / can / me / the problem / you / tell / is)

_____

03 이 그림을 누가 그렸는지 아세요? (you / who / painted / do / know / this picture)

_____

04 네 남동생이 지금 무엇을 하고 있다고 생각하니?
(you / think / what / your brother / do / now / is / doing)

_____

B 다음 우리말과 일치하도록 괄호 안에 주어진 말을 활용하여 문장을 완성하시오.

문장 완성

01 그녀가 어떻게 그곳에 도착했는지 알려주겠니? (get)

Can you tell me _____?

02 그의 이름이 뭔지 아니? (name)

Do you know _____?

03 내가 어제 누구를 봤다고 생각하니? (think, see)

_____ yesterday?

04 첫 기차가 언제 떠났는지 아세요? (train, leave)

_____?

C 다음 의문문을 간접의문문으로 바꿔 문장을 완성하시오.

문장 전환

01 When is the library open?

→ Can you tell me _____?

02 Who built this tower?

→ Do you know _____?

03 What did you do after school?

→ Can you tell me _____?

A

배열 영작

다음 우리말과 일치하도록 괄호 안에 주어진 말을 바르게 배열하시오.

01 너는 어떤 스포츠를 배우고 싶니? (you / want / what / do / to learn / sport)

_____

02 뮤지컬에서 그녀가 어떤 배역을 맡았나요? (what / did / she / play / in the musical / role)

_____

03 그는 어떤 종류의 강의를 듣고 있니? (what / he / is / listening to / kind of / lecture)

_____

04 너는 어떤 계절을 가장 좋아하니? (do / you / what / like / season / best)

_____

B

문장 완성

다음 우리말과 일치하도록 괄호 안에 주어진 말을 활용하여 문장을 완성하시오. (단, 의문사 what을 사용할 것)

01 시내로 가는 버스는 몇 번인가요? (number)

_____ the bus for downtown?

02 너는 사진을 편집하기 위해 어떤 앱을 쓰니? (application, use)

_____ to edit your photos?

03 너는 어느 채널을 보고 싶니? (channel, want)

_____ to watch?

04 말은 어떤 음식을 먹나요? (food, horses, eat)

_____?

C

대화 완성

괄호 안에 주어진 단어와 B의 응답에 쓴 표현을 활용하여 다음 질문을 완성하시오.

01 A: _____ to go to Mokpo? (what train, should)

B: He should take KTX 415.

02 A: _____ from? (what platform)

B: The train leaves from platform 10.

03 A: _____? (what time)

B: The train departs at 10:30 a.m.

A 다음 우리말과 일치하도록 괄호 안에 주어진 말을 바르게 배열하시오.

배열 영작

01 너는 문자 메시지와 전화 중 어떤 것을 더 좋아하니?
(you / prefer / which / a text message / do / or a phone call)

_____

02 그녀는 치마와 바지 중 어떤 옷을 더 좋아하니? (she / prefer / clothes / which / does / skirts / or pants)

_____

03 너는 베트남과 태국 중 어떤 나라를 더 좋아하니?
(you / which / prefer / Vietnam / do / country / or / Thailland)

_____

B 다음 우리말과 일치하도록 괄호 안에 주어진 말을 활용하여 문장을 완성하시오. (단, 의문사 which를 사용할 것)

문장 완성

01 그는 시와 소설 중 어떤 것을 더 좋아하니? (novel)

_____, poems or _____?

02 당신은 엘사와 라푼젤 중 어떤 캐릭터를 더 좋아하세요? (character)

_____, Elsa or Rapunzel?

03 너는 점심으로 햄버거와 샌드위치 중 어떤 것을 더 좋아하니? (sandwich)

_____ for lunch, hamburgers or _____?

04 너는 호랑이와 사자 중 어떤 동물을 더 좋아하니? (tigers, lions)

_____?

C 다음 우리말과 일치하도록 주어진 〈조건〉에 맞게 문장을 완성하시오.

조건 영작

조건　1. which, prefer를 사용할 것　　2. 괄호 안에 주어진 표현을 활용할 것

01 그는 스케이트와 스키 중 어떤 것을 더 좋아하니? (skating, skiing)

_____

02 너는 바닐라와 초콜릿 중 어떤 맛을 더 좋아하니? (flavor, vanilla, chocolate)

_____

03 그녀는 장미와 백합 중 어떤 꽃을 더 좋아하니? (flower, a rose, a lily)

_____

Unit 11-05 how 주요 구문 ◀ 의문사 주요 구문

A 다음 우리말과 일치하도록 괄호 안에 주어진 말을 바르게 배열하시오.

배열 영작

01 너의 어머니는 얼마나 자주 빵을 구우시니? (your mother / bake / does / how often / bread)

_____

02 너는 얼마나 자주 친구들에게 문자를 보내니? (text / how often / your friends / do / you)

_____

03 그들은 얼마나 자주 봉사활동을 하니? (they / do / do / how often / volunteer work)

_____

04 너는 얼마나 자주 사촌들을 만나니? (you / how often / meet / do / your cousins)

_____

B 다음 우리말과 일치하도록 괄호 안에 주어진 말을 활용하여 문장을 완성하시오. (단, 의문사 how를 사용할 것)

문장 완성

01 그는 얼마나 자주 그의 개를 산책시키나요? (walk)

_____ his dog?

02 그 배는 얼마나 자주 제주도로 항해하니? (ship, sail)

_____ to Jeju Island?

03 너는 지난해에 얼마나 자주 축구 연습을 했니? (practice)

_____ last year?

04 너의 아버지는 얼마나 자주 외국에 가시니? (go abroad)

_____ ?

C 다음 우리말과 일치하도록 B에 쓰인 표현과 「How often ~?」 구문을 활용하여 빈도를 묻는 질문과 대답을 완성

대화 완성 하시오.

01 A: _____ ? (그는 얼마나 자주 이발을 하니?)

B: He gets a haircut _____ . (그는 한 달에 한 번 이발을 해.)

02 A: _____ ? (너는 얼마나 자주 물을 마시니?)

B: I drink water _____ . (나는 2시간마다 물을 마셔.)

03 A: _____ ? (너는 얼마나 자주 피아노 수업을 받니?)

B: I take piano lessons _____ . (나는 일주일에 두 번 피아노 수업을 받아.)

쓰작 ^{중학}^{영어} 시리즈

중학 내신
서술형 완벽대비

· **중학 교과서 진도 맞춤형** 내신 서술형 대비

· **한 페이지로 끝내는 핵심 영문법** 포인트별 정리+문제 풀이

· 효과적인 **3단계 쓰기 훈련**: 순서 배열 → 빈칸 완성 → 내신 기출

· 서술형 만점을 위한 **오답&감점 피하기 솔루션** 제공

· **최신 서술형 유형 100% 반영**된 <내신 서술형 잡기> 챕터별 수록

· 서술형 추가 연습을 위한 **워크북 제공**

부가자료 다운로드
www.cedubook.com

실전에 바로 적용하는

잘 풀리는 영문법

Easy, Speedy, Successful

정말
잘 풀려요!

풀고, 풀고,
또 풀고!
풀면서 문법을
내 것으로!

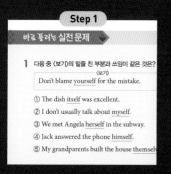

Step 1

바로 풀리는 실전 문제

1 다음 중 〈보기〉의 밑줄 친 부분과 쓰임이 같은 것은?

〈보기〉
Don't blame yourself for the mistake.

① The dish itself was excellent.
② I don't usually talk about myself.
③ We met Angela herself in the subway.
④ Jack answered the phone himself.
⑤ My grandparents built the house themselv

개념 적용하며 풀기

Step 2

응용까지 완벽완 **CHAPTER 1** | 통합 문제

[1-2] 다음 중 빈칸에 들어갈 말로 알맞은 것을 고르시오.

1
I'm so thirsty. Can I have _____ water?

① any   ② some   ③ one
④ it   ⑤ ones

2
My cell phone is broken. I need to buy a new _____.

① any   ② some   ③ one

5 다음 중 밑줄 는?

① May I intr
② Jake finis
③ You shoul
④ The pain
⑤ They thou

[6-7] 다음 중 밑줄 친
시오.

6 Each of u

CHAPTER 응용 풀기

Step 3

마무리 실전문제 1회 | **CHAPTER 1~5**

다음 중 명사의 복수형이 바르게 짝지어지지 않은 것은?

① piano – pianos   ② tooth – teeth
③ leaf – leaves   ④ sheep – sheeps
⑤ watch – watches

다음 중 동사의 과거형이 바르게 짝지어지지 않은 것은?

① plan – planned   ② hurt – hurt
③ stay – stayed   ④ lose – lost
⑤ break – broke

4) 다음 중 빈칸에 들어갈 말로 알맞은 것을 고르시오.

5 다음 중 공통으

- Drivers _____
  rules.
- Your voice is to
  keep quiet in t

① may
④ shouldn't

6 다음 중 빈칸에 들어갈

- I _____ (A) _____ th
- June may _____
  homework.

CHAPTER 누적 풀기

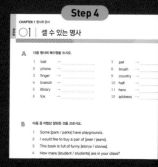

Step 4

CHAPTER 1 명사와 관사

01 셀 수 있는 명사

A 다음 명사의 복수형을 쓰시오.

1 ball   →   7 pet   →
2 phone   →   8 brush   →
3 finger →   9 country →
4 branch →   10 half   →
5 library →   11 hero   →
6 fox   →   12 address →

B 다음 중 어법상 알맞은 것을 고르시오.

1 Some [park / parks] have playgrounds.
2 I would like to buy a pair of [jean / jeans].
3 This book is full of funny [storys / stories].
4 How many [student / students] are in your class?

WORKBOOK 복습 풀기

쎄듀

중학 내신부터 수능 기초까지 완성하는 16가지 독해유형 정복

READING 16

LEVEL 1, 2, 3

1 유형 소개

- 글의 중심 내용이 글의 주제에 해당하므로, 구체적인 진술보다는 일반적인 진술에서 주제를 찾는다.
- 글의 주제가 명시적으로 드러나지 않는 경우 내용을 종합해서 하나의 공통된 주제를 찾아야 하므로 글을 종합하여 추론하는 능력이 요구된다.

2 유형 전략

'글의 주제 파악' 유형은 일반적인 진술을 종합하여 답을 찾도록 한다.

Step 1 대부분의 글에는 주제문이 제시되어 있으므로 핵심 주제문을 찾도록 한다.

Step 2 주제문이 명확하게 제시되어 있지 않을 경우, 주요하게 흐르는 개념이나 생각, 혹은 사실에 대한 공통점을 찾는다.

Step 3 글에 있는 생각, 사실의 공통점을 종합해서 주제를 추론해 본다.

3 문제 풀기

Example 다음 글의 주제로 가장 적절한 것은?   정답 및 해설 p.03

My favorite class is physical education. I love sports and exercising in the gym. I enjoy everything from baseball to basketball to soccer. I'm top in my class for gymnastics and wrestling. When I grow up, I want to teach physical education. My teacher lets me help other students when they don't know something. He encouraged me to follow my dream. But he also told me

4 문제 해결

Step 1 주제문 찾기
한 문장으로 집약된 주제문이 없으므로 공통점이 있는 어구나 표현들을 찾아본다. My favorite class, physical education, love sports and exercising, baseball, basketball, gymnastics, wrestling 등 좋아하는 체육 종목이나 스포츠 등 체육과 관련된 것들이 많이 언급되고 있다.

Step 2 핵심적인 생각 또는 사실에 대한 공통점 찾기
문장 중간에 When I grow up, I want to teach physical education.(커서 체육을 가르치고 싶다)은 꿈을 밝히고 있고, He encouraged me to follow my dream.(선생님이 꿈을 좇으라고 격려해 주셨다)

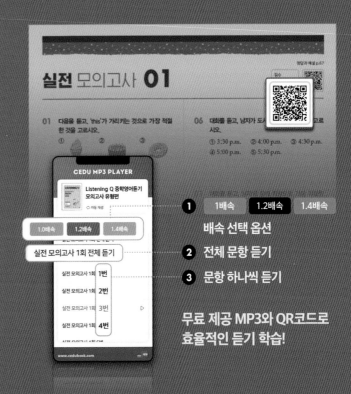

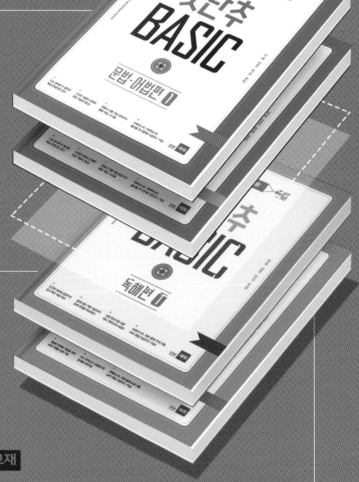

중학 서술형이
만만해지는 문장연습

중학 영어

쓰기 + 작문

쓰작

2

정답 및 해설

쎄듀

중학
영어

쓰작

쓰기 + 작문

2

정답 및 해설

Unit 01   시제

01-01 현재진행형 긍정문   p. 16

A 배열 영작

01 I am sitting next to him now.
02 My father is watering flowers in the garden.
03 She is leaving for L.A. next week.

B 문장 완성

01 is getting off the train
02 is moving a table
03 My sister and I are buying some fruit

내신 기출

> 01 A woman is feeding the cats in the street.
>   한 여자가 길에서 고양이들에게 먹이를 주고 있다.
> 02 Children are looking at the pandas in the zoo.
>   아이들이 동물원에서 판다를 보고 있다.
> 03 Mina is swimming in the pool.
>   미나가 수영장에서 수영을 하고 있다.
>
> 🎯 **감정 피하기**
> He is having a hamburger for lunch.
> 그는 점심으로 햄버거를 먹고 있다.

01-02 현재진행형 부정문/의문문   p. 17

A 배열 영작

01 Grace is not tying her hair.
02 Are the tourists looking for the museum?
03 When are you moving to Seoul?

B 문장 완성

01 Is he washing
02 are you taking pictures
03 My sister is not[isn't] playing the piano

내신 기출

> 01 A: What is he watching now?
>   그는 지금 뭘 보고 있니?
>   B: He's watching a soccer game.
>   그는 축구 경기를 보고 있어.
> 02 A: Are they eating apples?
>   그들은 사과를 먹고 있니?
>   B: No, they aren't eating apples.
>   아니, 그들은 사과를 먹고 있지 않아.
>   They're eating ice cream.
>   그들은 아이스크림을 먹고 있어.

🎯 **감정 피하기**

A: Who is calling you?
   누가 너를 부르고 있니?
B: My dad is calling me.
   우리 아빠가 나를 부르고 있어.

01-03 과거진행형 긍정문   p. 18

A 배열 영작

01 I was sending text messages to you.
02 Haley was living in England then.
03 We were watching the parade on the street.

B 문장 완성

01 was taking selfies
02 I was talking with her
03 Jane and Eric were riding bikes this morning

내신 기출

나: 누가 우리 집에 오고 있니? 나는 치킨을 주문하고 있어. (오후 6시)	유라: 가고 있어! 나는 버스를 타는 중이야. 곧 그곳에 갈게. (오후 6시 10분)	민호: 미안하지만, 난 갈 수 없어. 나는 남동생이랑 축구를 하고 있어. (오후 7시)

> 01 Hojin was ordering chicken.
>   호진이는 치킨을 주문하고 있었다.
> 02 Yura was getting on the bus.
>   유라는 버스를 타고 있었다.
> 03 Minho and his brother were playing soccer.
>   민호와 그의 남동생은 축구를 하고 있었다.

🎯 **감정 피하기**

나: 나는 유라와 컴퓨터 게임을 하고 있어. 축구를 한 후에 우리 집에 와. (오후 7시 10분)

Yura and Hojin were playing a computer game.
유라와 호진이는 컴퓨터 게임을 하고 있었다.

01-04 과거진행형 부정문/의문문   p. 19

A 배열 영작

01 We were not studying in the library.
02 She was not wearing her glasses then.
03 Was your computer working well that day?

B 문장 완성

01 Were you staying at home
02 He was not[wasn't] doing his homework
03 When were you meeting them

01 A: Were you taking an online class at 9 a.m.?

너는 오전 9시에 온라인 수업을 듣고 있었니?

   B: Yes, I was.

응, 그랬어.

02 A: Were you swimming in the pool at 4 p.m.?

너는 오후 4시에 수영장에서 수영하고 있었니?

   B: No, I wasn't. I was sleeping then.

아니, 그러지 않았어. 나는 그때 자고 있었어.

03 A: John was not[wasn't] walking his dog then.

John은 그때 자신의 개를 산책시키고 있지 않았어.

   B: Right. He was washing his dog.

맞아. 그는 자신의 개를 씻기고 있었어.

🎯 감점 피하기

A: Why were they taking medicine?

그들은 왜 약을 먹고 있었니?

B: They had a bad cold.

그들은 심한 감기에 걸렸어.

01-05 현재완료 (경험)　　　　　p. 20

A 배열 영작

01 I have met her twice.

02 Julie has eaten snails in Paris.

03 My sister has gone bowling before.

B 문장 완성

01 I have read the book

02 He has seen the magic show

03 We have heard the rumor before

내신 기출

	이름	경험
01	Harry	말 타기
02	Jessica	무대에서 공연하기
Q	Eric	록 콘서트 가기

01 Harry has ridden a horse

02 Jessica has performed on the stage

🎯 감점 피하기

Eric has been to a rock concert

01-06 현재완료 (계속)　　　　　p. 21

A 배열 영작

01 He has lived in Hawaii since February.

02 She has known Ken for a long time.

03 I have read the same book for a month.

B 문장 완성

01 have been best friends

02 He has suffered from memory loss

03 The store has been empty since last month

내신 기출

01 have taken violin lessons for

02 has played tennis since

03 have lived in the country since

🎯 감점 피하기

have learned German since

01-07 현재완료 (완료)　　　　　p. 22

A 배열 영작

01 My mom has already ordered pizza.

02 She has not met Danny yet.

03 Our team has just finished the project.

B 문장 완성

01 has just taken a shower

02 I have already decided

03 Jake has already returned my call

내신 기출

	할 일	
01	내 방 청소하기	○
02	내 물고기 먹이주기	○
Q	보고서 쓰기	×

01 Anna has already cleaned her room.

Anna는 벌써 자신의 방을 청소했다.

02 Anna has just fed her fish.

Anna는 막 물고기 밥을 주었다.

🎯 감점 피하기

Anna has not[hasn't] written a report yet.

Anna는 아직 보고서를 쓰지 않았다.

01-08 현재완료 (결과)　　　　　p. 23

A 배열 영작

01 Daniel has washed his car.

02 I have made a big mistake.

03 Several trees have fallen down during the storm.

B 문장 완성

01 has broken my cup

02 They have cut the grass

03 His family has moved to the city

01 The train has left the station.
02 I have lost my cellphone on the bus.
03 Ted has broken his camera.

🎯 감점 피하기

Mark has gone to Beijing.

01-09 현재완료 부정문 p. 24

A 배열 영작

01 He hasn't sent an email to me yet.
02 They haven't exercised since March.
03 I have never bought flowers before.

B 문장 완성

01 have not[haven't] arrived
02 have not[haven't] climbed a mountain
03 He has not[hasn't] been in the hospital

01 don't have → haven't
　나는 아직 일을 끝내지 못했다.
　해설 현재완료 부정문은 「have not[haven't]+p.p.」의 형태로 쓴다.
02 didn't live → hasn't lived
　우리 삼촌은 작년 이후로 토론토에서 살지 않았다.
　해설 작년 이후로 계속되지 않은 일을 말하므로 현재완료시제(계속)로 써야 한다.
03 never eat → have never eaten
　유리와 나는 전에 블루치즈를 먹어본 적이 전혀 없다.
　해설 이전에 하지 않았던 경험을 말하므로 현재완료시제(경험)로 써야 한다.

🎯 감점 피하기

haven't gone → didn't go
그들은 어젯밤에 영화를 보러 가지 않았다.
해설 last night은 과거를 나타내는 부사구로 현재완료시제와 함께 쓸 수 없다.

01-10 현재완료 의문문 p. 25

A 배열 영작

01 Have you seen the new teacher?
02 Has it stopped raining yet?
03 Has he tried Tiramisu in this shop?

B 문장 완성

01 Have they lived here
02 Has her sister had dinner
03 Have you (ever) learned sign language

01 A: Has he found his cats?
　　그는 자신의 고양이들을 찾았니?
　B: Yes, he has just found them.
　　응. 그는 방금 그것들을 찾았어.
02 A: Have you checked out the website?
　　너는 그 웹사이트를 확인해봤니?
　B: No, I haven't checked it out yet.
　　아니. 나는 아직 그것을 확인하지 않았어.
03 A: How long has he worked here?
　　그는 여기서 얼마나 오래 일했니?
　B: He has worked here for 2 years.
　　그는 여기서 2년 간 일했어.

🎯 감점 피하기

A: How have you been?
　너는 어떻게 지냈니?
B: Good, but I have been a little busy.
　잘 지냈지만. 나는 좀 바빴어.

내신 서술형 잡기 Unit 01~10

Step 1 　기본 다지기 p. 26

| 배열 영작 |

01 I am getting on the plane now.
02 Is Tom playing tennis with his dad?
03 I was cleaning my desk.
04 She was not working at a hospital last year.
05 He has already arrived at the house.
06 I have not seen a rainbow in years.
07 Have you ever heard of Jin?

| 빈칸 완성 |

08 is looking for
09 is not sleeping
10 was reading
11 Were you singing
12 have never been late
13 has lived
14 has just opened
15 Has Gary stayed, since

| 오류 수정 |

16 writting → writing
17 Are you having → Do you have
18 were → was
19 was getting not → was not[wasn't] getting
20 tried → have tried
21 already has finished → has already finished

22 since → for
23 haven't went → didn't go
24 already → yet
25 never → ever

16 해설   write의 -ing형은 writing이다.
17 해설   have가 '가지다'의 뜻을 나타낼 때는 진행형으로 쓸 수 없다.
18 해설   주어가 My father이므로 3인칭 단수형 be동사 was를 써야 한다.
19 해설   부정어 not은 be동사 뒤에 쓴다.
20 해설   여러 번 시도한 경험을 말하므로 현재완료시제(경험)로 써야 한다.
21 해설   부사 already는 has와 p.p.(과거분사) 사이에 쓴다.
22 해설   '~ 동안'이라는 의미로 기간을 나타내는 말 앞에는 for를 쓴다.
23 해설   yesterday는 과거를 나타내는 시간 부사로 현재완료 시제와 같이 쓰지 않는다.
24 해설   현재완료 부정문에서는 '아직'의 뜻으로 부사 yet을 쓴다.
25 해설   현재완료 의문문에서는 ever를 쓴다. never는 부정문에 쓰인다.

Step 2   응용하기   p. 27

| 문장 완성 |

26 Is Sera drawing a picture
27 Was he making a fire
28 has not[hasn't] gone to the gym
29 have just moved into
30 was taking out the trash
31 I was lying on the sofa
32 Have you (ever) had a cat
33 has visited his grandmother

| 문장 전환 |

34 They were watching an action movie.
35 Eric is not[isn't] running to the bank.
36 Has she finished her homework?
37 My father is watering the plants.
38 My dog has not[hasn't] eaten anything since yesterday.
39 Was Kate taking a bath alone?
40 I have met several famous actors.
41 Has he washed the dishes?

| 대화 완성 |

42 I am doing, She is reading
43 have learned, Have you ever been
44 Who was, talking, Is, teaching
45 has already had, Has he finished

34 해설   그들은 액션 영화를 보고 있었다.
35 해설   Eric은 은행으로 달려가고 있지 않다.
36 해설   그녀는 숙제를 끝냈니?
37 해설   우리 아버지는 식물에 물을 주고 계신다.
38 해설   나의 개는 어제 이후로 아무것도 먹지 않았다.

---

39 해설   Kate는 혼자서 목욕을 하고 있었니?
40 해설   나는 유명한 배우를 몇 명 만난 적이 있다.
41 해설   그는 설거지를 했니?
42 해설   A: 너 지금 뭐 하고 있니?
    B: 나는 지금 수학 숙제를 하고 있어.
    A: 너의 여동생은 뭐 하고 있니?
    B: 그녀는 만화책을 읽고 있어.
43 해설   A: 너는 스페인어를 잘하는구나.
    B: 나는 그것을 2년 동안 배웠어.
    A: 너는 스페인에 가본 적이 있니?
    B: 응, 나는 그곳에 한 번 가봤어.
44 해설   A: 지호는 누구와 이야기하고 있었니?
    B: 그는 홍 선생님과 이야기하고 있었어.
    A: 홍 선생님이 과학을 가르치고 계시니?
    B: 아니, 그는 수학을 가르치고 계셔.
45 해설   A: Rob는 아직 자고 있니?
    B: 아니. 그는 벌써 아침을 먹었어.
    A: 그는 숙제를 끝냈니?
    B: 아니 아직. 그는 지금 그것을 하고 있어.

Step 3   고난도 도전하기   p. 29

46 (1) is reading a book
   (2) is playing a computer game
   (3) is listening to music
47 (1) Chris has not[hasn't] had anything all day
   (2) Somebody has taken my sneakers
   (3) I have not[haven't] cleaned my room
48 ⓑ → since
49 (1) was having lunch with Tony
   (2) was playing the violin
   (3) was writing a report
50 (1) Have you been to Egypt
   (2) I have been there with my family
   (3) I have visited China with my sister

46 해설

이름	그들이 하고 있는 일
지민	소파 위에서 책 읽는 중
민호	컴퓨터 게임 하는 중
소진	음악 듣는 중

Q 엄마: 네 친구들은 지금 무엇을 하고 있니?
A 유미: (1) 지민이는 소파에서 책을 읽고 있어요.
      (2) 민호는 컴퓨터 게임을 하고 있어요.
      (3) 소진이는 음악을 듣고 있어요.
   해설   지금 하고 있는 일을 말할 때는 현재진행형으로 쓴다.
47 해설   (1) Chris는 하루 종일 아무것도 먹지 않았다. 그는 매우 배가 고프다.
    (2) 누군가 내 운동화를 가져갔다. 나는 그것을 찾을 수 없다.
    (3) 나는 내 방을 치우지 않았다. 그것은 매우 지저분하다.
   해설   과거에 한 일의 결과가 현재까지 영향을 미치고 있으므로, 현재완료의 결과 용법에 해당한다.
48 해설   내 친구 Clara는 지난달 이후로 서울에 머물렀다. 그녀는 N 서울 타워를 방문했다. 그녀는 많은 종류의 한국 음식을 먹어보았다. 그녀는 내일 베이징으로 떠날 것이다.
   해설   since+특정 시점: ~ 이후로 / for+기간: ~ 동안

시간	해야 할 일
오전 9:00 ~ 11:00	수영장에서 수영하기
오후 12:00 ~ 1:00	Tony와 점심 먹기
오후 1:00 ~ 3:00	중국어 공부하기
오후 3:00 ~ 5:00	바이올린 연주하기
오후 5:00 ~ 7:00	보고서 쓰기

해석 (1) Peter는 정오부터 1시간 동안 Tony와 점심을 먹고 있었다.
(2) 그는 3시에서 5시 사이에 바이올린을 연주하고 있었다.
(3) 그는 5시부터 7시까지 보고서를 쓰고 있었다.

50 해석 David: (1) 너는 이집트에 가본 적이 있니?
민주: 아니, 없어. 너는 어떠니?
David: (2) 나는 가족과 거기 가본 적이 있어. 나는 피라미드를 봤어.
민주: 나는 사진에서 그것들을 본 적이 있어.
David: 너는 다른 나라를 방문한 적이 있니?
민주: 응, 있어. (3) 나는 언니와 중국에 방문한 적이 있어. 나는 거기서 만리장성을 봤어.

해설 현재까지의 경험을 묻거나 말할 때는 「have[has]+p.p.」를 써서 나타낸다.

Unit 02 문장 형식

02-01 감각동사＋형용사   p. 30

A 배열 영작

01 Your voice always sounds sweet.
02 The hotel looks like a castle.
03 The steak at the restaurant tasted terrible.

B 문장 완성

01 feels smooth
02 tastes spicy
03 The bread smells like herbs

내신 기출

01 tastes like → tastes
이 초콜릿케이크는 맛이 좋다.
해설 tastes 뒤에 형용사 great가 나오므로 like를 쓰지 않는다.

02 sadness → sad
그녀의 목소리는 매우 슬프게 들린다.
해설 sounds 뒤에는 형용사 sad가 와야 한다. sadness(슬픔)는 명사형이다.

03 looks → looks like
이 도서관 건물은 일렬의 책들처럼 보인다.
해설 looks 뒤에 명사구 a row of books가 나오므로 전치사 like를 함께 써야 한다.

🎯 감점 피하기

beautifully → beautiful
그녀는 아름답게 보인다.

02-02 수여동사＋직접목적어＋전치사＋간접목적어   p. 31

A 배열 영작

01 I made milk tea for my grandmother.
02 May I ask a favor of you?
03 My uncle sent a bike to me.

B 문장 완성

01 find my dog for
02 write letters to
03 She cooked seafood spaghetti for us

내신 기출

01 He lent his umbrella to me.
그는 나에게 자신의 우산을 빌려주었다.
02 I got some gifts for my friends.
나는 내 친구들에게 선물을 좀 가져다주었다.
03 My brother often asks a favor of me.
나의 형은 나에게 자주 부탁을 한다.

🎯 감점 피하기

I bought some roses for her.
나는 그녀에게 장미를 좀 사주었다.

02-03 동사＋목적어＋목적격 보어(명사)   p. 32

A 배열 영작

01 We think the firefighter a hero.
02 People call Bach the "Father of Music."
03 Mina and I kept it a secret.

B 문장 완성

01 made her a superstar
02 find it a problem
03 I named the dog "Bolt."

내신 기출

01 Ann knew a lot of recipes, so I thought her[Ann] a cook.
Ann은 많은 조리법을 알고 있어서, 나는 그녀를(Ann을) 요리사라고 생각했다.
02 He plays soccer very well, so we call him Little Messi.
그는 축구를 아주 잘해서, 우리는 그를 '리틀 메시'라고 부른다.
03 Mr. Davis was a hard worker, so people elected him[Mr. Davis] the mayor.
Davis 씨는 열심히 일하는 사람이어서, 사람들은 그(Davis 씨)를 시장으로 선출했다.

🎯 감점 피하기

My daughter was good at dancing, so I made her[my daughter] a ballerina.
내 딸이 춤추기를 잘해서, 나는 그녀를(내 딸을) 발레리나로 만들었다.

02-04 동사＋목적어＋목적격 보어(형용사) p. 33

A 배열 영작

01 My cat made the sofa dirty.
02 Katie found him very honest.
03 Some candles kept my room bright.

B 문장 완성

01 leaves the window open
02 consider the toy safe
03 They found the math exam difficult

내신 기출

01 A: What is this penguin doing?
　이 펭귄이 뭘 하고 있니?
　B: It is keeping the egg warm.
　알을 따뜻하게 유지하고 있어.
02 A: What was in the box?
　상자 안에 무엇이 있었니?
　B: I found it[the box] empty.
　나는 그것이(상자가) 비어 있다는 것을 알게 되었어.

🐾 감점 피하기

A: How was the story about a monster?
괴물에 대한 이야기는 어땠니?
B: I thought it[the story] strange.
나는 그것이(그 이야기가) 이상하다고 생각했어.

02-05 동사＋목적어＋목적격 보어(to부정사) p. 34

A 배열 영작

01 Ask her to take care of your sister.
02 Parents want their children to be healthy.
03 The teacher told Fred to turn off the light.

B 문장 완성

01 told Tom to bring a basketball
02 expected me to join her club
03 She wants Mike to come home early

내신 기출

엄마: 유미야, 설거지
할래?

엄마: 유진아, 거실 좀
치워주렴.

엄마: 유빈아, 약 좀
먹어야 한단다.

01 Mom wants Yumi[her] to wash the dishes.
　엄마는 유미(그녀)가 설거지하기를 원한다.
02 Mom tells Yujin[her] to clean the living room.
　엄마는 유진(그녀)에게 거실을 청소하라고 말한다.
03 Mom advises Yubin[her] to take some medicine.
　엄마는 유빈(그녀)에게 약을 먹으라고 충고한다.

🐾 감점 피하기

엄마: 유라야, 엄마 좀
도와줄래?

Mom asks Yura[her] to help her.
엄마는 유라(그녀)에게 자신을 도와 달라고 요청한다.

02-06 지각동사＋목적어＋목적격 보어 p. 35

A 배열 영작

01 He heard a dog bark outside.
02 I saw you play with a ball.
03 Taylor listened to her sing at night.

B 문장 완성

01 saw a little girl cry[crying]
02 watching him paint[painting]
03 Mike heard the train leave[leaving]

내신 기출

01 I looked at him water[watering] the plants.
　나는 그가 식물들에 물을 주는(주고 있는) 것을 보았다.
02 I heard her play[playing] the guitar.
　나는 그녀가 기타를 치는(치고 있는) 것을 들었다.
03 I felt her touch[touching] my shoulder.
　나는 그녀가 내 어깨를 만지는(만지고 있는) 것을 느꼈다.

🐾 감점 피하기

I saw a horse run[running] on the grass.
나는 말 한 마리가 초원 위를 달리는(달리고 있는) 것을 보았다.

02-07 사역동사＋목적어＋목적격 보어 p. 36

A 배열 영작

01 Let me watch my favorite cartoon.
02 The sign had us go straight.
03 Too much work made him feel tired.

B 문장 완성

01 let me play
02 make her call me
03 Joe had his brother bring a laptop

내신 기출

01 delivered → deliver
　그는 로봇이 음식을 배달하게 했다.
02 finishes → finish
　엄마는 내가 숙제를 끝내게 했다.
03 to go → go
　나는 내 아이들이 나가서 놀게 했다.
　해설 사역동사 made, had, let의 목적격 보어로 동사원형을 써야 한다.

감점 피하기

felt → feel

이 영화는 나를 슬프게 한다.

02-08 help+목적어+목적격 보어   p. 37

A 배열 영작

01 I'll help you to learn to swim.
02 They helped me to move the sofa.
03 Yoga helps the body become flexible.

B 문장 완성

01 helped me (to) find my son
02 help me (to) set the table
03 I helped my brother (to) write his report

내신 기출

01 my mom (to) cook dinner
02 his dad (to) wash his car
03 you (to) feel better

 감점 피하기

Emma (to) pick up trash

내신 서술형 잡기   Unit 01~08

Step 1   기본 다지기   p. 38

| 배열 영작 |

01 The cake looks like a rabbit's face.
02 My sister tells funny jokes to me.
03 He found the test very difficult.
04 He told me to pay attention to the class.
05 I saw the boy run to the sea.
06 Mom made me wash my hands again.
07 John helps me to clean the classroom.

| 빈칸 완성 |

08 looks like
09 juice to him
10 makes us tired
11 expect, to win
12 watched[saw] them play[playing]
13 had[made] us write
14 helps people find

| 오류 수정 |

15 looked → looked like
16 for → to
17 scones such bread → such bread scones
18 warmly → warm
19 help → to help
20 to call → call[calling]
21 losing → (to) lose

15 해설 a sick person이 명사구이므로 앞에 전치사 like를 써야 한다.
16 해설 수여동사 give는 전치사 to를 쓰는 동사이다.
17 해설 목적어(such bread) 뒤에 목적격 보어(scones)가 나온다.
18 해설 감각동사 keep의 목적격 보어로 형용사(warm)를 써야 한다.
19 해설 ask는 목적격 보어로 to부정사를 쓴다.
20 해설 지각동사 hear의 목적격 보어로 동사원형 또는 현재분사(-ing)를 쓴다.
21 해설 help는 목적격 보어로 동사원형 또는 to부정사를 둘 다 쓸 수 있다.

Step 2   응용하기   p. 39

| 문장 완성 |

22 made Picasso famous
23 asked me to lend
24 cooked meat for
25 my voice sound strange
26 felt someone[somebody] touch[touching]
27 had me take

| 문장 전환 |

28 My dad sent new sneakers to me.[My dad sent me new sneakers.]
29 She made her students be quiet.
30 The food smells like fish.
31 My uncle heard a baby cry[crying].
32 He wanted me to make a plan.
33 A good sleep makes you feel better.

| 대화 완성 |

34 him swim[swimming]
35 look, to take
36 me to move, help you to
37 calls him, look like

28 해석 아빠가 내게 새 운동화를 보내주셨다.
29 해석 그녀는 자기 학생들을 조용히 시켰다.
30 해석 그 음식은 생선 냄새가 난다.
31 해석 나의 삼촌은 아이가 우는(울고 있는) 것을 들었다.
32 해석 그는 내가 계획을 짜기를 원했다.
33 해석 좋은 수면이 너를 기분 좋게 만든다.
34 해석 A: 그는 오늘 아침에 무엇을 했니?
　　　 B: 나는 그가 수영장에서 수영하는(수영하고 있는) 것을 봤어. 그는 수영을 잘

하더라.

35 해석 A: 너는 피곤해 보여. 무슨 일 있니?
　　 B: 오늘 일이 많았어. 나는 정말 피곤해.
　　 A: 나는 네가 따뜻한 목욕을 하기를 권해.

36 해석 A: 나를 도와줄래?
　　 B: 물론이야. 그게 뭔데?
　　 A: 아빠가 내게 이 상자를 위층으로 옮겨 달라고 부탁하셨어.
　　 B: 좋아. 내가 그것을 옮기는 것을 도와줄게.

37 해석 A: 그의 별명이 뭐니?
　　 B: 우리 가족은 그를 '쿠키 몬스터'라고 불러.
　　 A: 그가 쿠키처럼 생겼니?
　　 B: 아니, 하지만 그는 쿠키를 아주 좋아해.

Step 3 고난도 도전하기　　　　　　　p. 40

38 (1) gave flowers to
　 (2) bought a wallet for
39 (1) had Linda buy some milk
　 (2) made Brian feed his dogs
　 (3) let Susan play his new piano
40 I heard birds singing
41 ⓑ → look like
42 (1) asked Rob[him] to help her
　 (2) told Liz[her] to enter, (to) click

38 해석 (1) Jenny는 보미에게 꽃을 주었다.
　　　 (2) 지수는 보미에게 지갑을 사주었다.
　 해설 수여동사 give, buy는 사람을 나타내는 말(간접목적어) 앞에 각각 전치사 to 와 for를 쓴다.

39 해석
이름		내가 부탁한 일
(1)	Linda	우유 사 오기
(2)	Brian	내 개들에게 먹이 주기
(3)	Susan	나의 새 피아노 연주하기

　　　 (1) Chris는 Linda가 우유를 좀 사 오게 했다.
　　　 (2) Chris는 Brian이 그의 개들에게 먹이를 주게 했다.
　　　 (3) Chris는 Susan이 그의 새 피아노를 치게 해주었다.
　 해설 사역동사 have, make, let은 목적격 보어로 동사원형을 쓴다.

40 해설 지각동사 hear는 목적격 보어로 동사원형과 현재분사(-ing)를 둘 다 쓰는데, 동작의 진행을 강조할 때는 현재분사를 쓴다.

41 해석 나는 쿠키를 좀 만들었다. 그것들은 나무처럼 생겼다. 그것들은 아주 좋은 냄 새가 나고 땅콩버터 같은 맛이 난다. 나는 아주 행복하다.
　 해설 ⓑ look 뒤에 명사 trees가 나오므로 전치사 like를 동사 뒤에 붙여야 한다.

42 해석
Liz: 나는 와이파이를 사용하고 싶어. 나를 도와줄래?
Rob: 물론이지. 너의 학생증 번호를 입력하고 '예' 버튼을 눌러.

　　　 (1) Liz는 Rob(그)에게 자신이 와이파이를 사용하도록 도와 달라고 부탁했다.
　　　 (2) Rob은 Liz(그녀)에게 그녀의 학생증 번호를 입력하고 '예' 버튼을 누르라 고 말했다.
　 해설 ask, tell은 목적격 보어로 to부정사를 쓰는 동사들이다.

Unit 03　to부정사와 동명사

03-01 to부정사의 명사적 용법　　　　　　p. 42

A 배열 영작

01 My goal is to become a doctor.
02 Jenny wants to buy a new bag.
03 To ride a motorcycle is dangerous.

B 문장 완성

01 To collect old coins
02 decided to watch
03 My uncle's job is to build houses

내신 기출

01 I'm getting fat. To lose weight is my goal.
　 나는 살이 찌고 있어. 살을 빼는 것이 내 목표야.
02 Nami's hobby is to play soccer.
　 나미의 취미는 축구를 하는 것이다.
03 To keep a pet isn't easy. I have to take good care of it.
　 반려동물을 기르는 것은 쉽지 않다. 나는 그것을 잘 돌봐야 한다.
04 They planned to go to a movie tonight.
　 그들은 오늘밤 영화 보러 가는 것을 계획했다.

감점 피하기

You only eat meat. To eat vegetables is good for your health.
너는 고기만 먹는구나. 채소를 먹는 것이 너의 건강에 좋아.

03-02 to부정사의 형용사적 용법　　　　　　p. 43

A 배열 영작

01 He didn't find sneakers to wear.
02 I need something to eat.
03 Here are some tips to stay healthy.

B 문장 완성

01 ability to make
02 a sheet of paper to write on
03 There are[There're] many books to read in this library

내신 기출

01 saving → to save
　 나는 돈을 저축할 계획이 있다.
　 해설 an idea를 꾸미는 역할을 하는 to부정사 to save로 써야 한다.
02 talking → talk
　 Nick은 대화를 나눌 좋은 사람이다.
　 해설 a good person을 꾸미는 역할을 하는 to부정사 to talk가 되어야 한다.

03 meet → to meet

너는 그녀를 만날 계획이 있니?

해설 any plans를 꾸미는 역할을 하는 to부정사 to meet으로 써야 한다.

 감점 피하기

sit → sit on

나는 앉을 의자가 필요하다.

해설 a chair를 꾸미는 to sit에 전치사 on이 있어야 완전한 의미가 된다.

03-03 to부정사의 부사적 용법
p. 44

A 배열 영작

01 She was happy to see him.

02 I studied hard to make my dream come true.

03 We were sad to hear about the accident.

B 문장 완성

01 (in order) to earn money

02 was delighted to see

03 We are[We're] glad to be with you

내신 기출

01 Ann was happy to get a good grade.

Ann은 좋은 성적을 받아서 행복했다.

02 I'm going to the library (in order) to return books.

나는 책을 반납하러 도서관에 가고 있다.

03 They were sorry to be late for the ceremony.

그들은 예식에 늦어서 죄송했다.

감점 피하기

He grew up to be a famous movie director.

그는 자라서 유명한 영화감독이 되었다.

03-04 to부정사의 부정
p. 45

A 배열 영작

01 Be careful not to touch the painting.

02 They told me not to go downtown.

03 She was sad not to be with him.

B 문장 완성

01 not to fall asleep

02 not to find the error

03 Ben promised not to tell a lie

내신 기출

01 not to buy

02 not to open the window

03 not to play computer games

감점 피하기

not to be late

03-05 It ~ to부정사
p. 46

A 배열 영작

01 It is fun to make a snowman.

02 It is impossible to live without water.

03 It is interesting to learn foreign languages.

B 문장 완성

01 It is[It's] exciting to go

02 It is[It's] bad to sleep

03 It is[It's] healthy to climb mountains

내신 기출

01 It is[It's] difficult to break bad habits.

나쁜 습관을 고치는 것은 어렵다.

02 It is[It's] important to make good friends.

좋은 친구를 사귀는 것은 중요하다.

03 It is[It's] dangerous to ride a bike during a storm.

폭풍우속에서 자전거를 타는 것은 위험하다.

감점 피하기

It is[It's] interesting to take pictures of animals.

동물의 사진을 찍는 것은 재미있다.

03-06 to부정사의 의미상 주어
p. 47

A 배열 영작

01 It is difficult for Oliver to play tennis.

02 It was foolish of her to waste her money.

03 It is lucky for me to meet you.

B 문장 완성

01 It is[It's] dangerous for them to swim

02 It is[It's] nice of you to show

03 It is[It's] easy for her to skate on the ice

내신 기출

01 for, inviting → of, to invite

저희를 초대해 주시다니 매우 친절하시군요.

해설 가주어 It으로 보아, 뒤에 진주어인 to부정사가 나와야 하므로 inviting을 to invite로 고쳐야 하고, kind는 사람의 성격을 나타내는 형용사이므로 「of+목적격」으로 의미상 주어를 나타낸다.

02 you, overcame → for you, to overcome

네가 스트레스를 극복하는 것은 가능하다.

해설 가주어 It으로 보아, 뒤에 진주어인 to부정사가 나와야 하므로 overcame을 to overcome으로 고쳐야 하고, to부정사의 의미상 주어인 you 앞에 전치사 for를 써야 한다.

03 his, follows → him, follow

그가 학교 규칙을 지키는 것은 중요하다.

해설 전치사 for 뒤에는 목적격 형태인 him으로 to부정사의 의미상의 주어를 써야 한다. to부정사 뒤에는 동사원형으로 쓴다.

감점 피하기

of, seeing → for, to see

그가 치과 진료를 받아야 하는 것은 필수적이다.

해설 가주어 It으로 보아, 뒤에 진주어인 to부정사가 나와야 하므로 seeing을 to see로 고쳐야 하고, 의미상 주어 him 앞에 전치사 for를 써야 한다.

---

03 I was too tired to walk my dog.

나는 너무 피곤해서 내 개를 산책시킬 수 없었다.

감점 피하기

These shoes are too big for you to wear.

이 신발은 너무 커서 네가 신을 수 없다.

03-07 의문사+to부정사 p. 48

A 배열 영작

01 Kevin learned how to draw cartoons.
02 I forgot when to meet Matt.
03 She asked where to put the table.

B 문장 완성

01 how to ride
02 where to get
03 He did not[didn't] decide what to give for his parents

내신 기출

01 A: Do you know where to buy some fruit?
　　너는 어디에서 과일을 좀 살지 알고 있니?
　B: Yes, go to the Grand Market.
　　응. Grand 마켓으로 가.
02 A: Do you know how to make kimchi?
　　너는 김치를 만드는 법을 알고 있니?
　B: No. But I want to learn how.
　　아니. 하지만 나는 방법을 배우고 싶어.

감점 피하기

A: Do you know who(m) to believe?

너희는 누구를 믿어야 할지 알고 있니?

B: Yes, our parents.

네. 저희 부모님이요.

03-08 too … to부정사 p. 49

A 배열 영작

01 It is too cold to go out.
02 He is too sad to say anything.
03 I was too hungry to fall asleep.

B 문장 완성

01 too sleepy to watch
02 too fast for me to catch
03 This chicken is too spicy to eat

내신 기출

01 Ken was too sick to eat anything.
　　Ken은 너무 아파서 아무것도 먹을 수 없었다.
02 My parents are too busy to play with me.
　　우리 부모님은 너무 바쁘셔서 나와 놀아주실 수 없다.

03-09 … enough to부정사 p. 50

A 배열 영작

01 It's warm enough to swim in the sea.
02 Emily is old enough to sleep alone.
03 He spoke loudly enough for us to hear.

B 문장 완성

01 big enough to hold
02 is interesting enough to read
03 The problem is easy enough for me to solve

내신 기출

01 My phone is small enough to fit in my pocket.
　　내 전화기는 주머니에 들어갈 만큼 충분히 작다.
02 The chair is comfortable enough for me to sleep in.
　　그 의자는 내가 잠들 만큼 충분히 편안하다.
03 The runner ran fast enough to break a record.
　　그 주자는 기록을 깰 만큼 충분히 빨리 달렸다.

감점 피하기

He is strong enough to pull a car.

그는 차를 끌만큼 충분히 힘이 세다.

03-10 주어와 보어로 쓰인 동명사 p. 51

A 배열 영작

01 Helping others brings happiness.
02 Learning new things takes time.
03 Ted's hobby is taking pictures of food.

B 문장 완성

01 Getting up early
02 is becoming
03 My hobby is watching cartoons

내신 기출

01 Swim → Swimming[To swim]
　　준비운동 없이 수영하는 것은 위험하다.
　　해설 Swim은 주어 역할을 하는 동명사로 써야 한다. 주어로 쓰인 동명사는 to부정사로 대신할 수 있다.
02 write → writing[to write]
　　그의 일은 어린이를 위한 이야기를 쓰는 것이다.
　　해설 write는 보어 역할을 하는 동명사나 to부정사로 써야 한다.

03 help → helps

물을 마시는 것은 우리가 건강을 유지하도록 도와준다.

해설 동명사구가 주어이면 단수 취급하므로 help를 helps로 고쳐야 한다.

🎯 감점 피하기

camp → camping[to camp]

Kate의 취미는 숲속에서 캠핑하는 것이다.

해설 camp는 보어 역할을 하는 동명사나 to부정사로 써야 한다.

🎯 감점 피하기

A: I have to go now. Thank you for inviting me.

저는 이제 가봐야 해요. 초대해 주셔서 감사합니다.

B: We look forward to talking with you again.

우리는 다시 당신과 이야기 나누기를 기대합니다.

03-11 목적어로 쓰인 동명사와 to부정사   p. 52

A 배열 영작

01 I'll continue to stay here.

02 Most children love going to the zoo.

03 He didn't finish fixing my computer.

B 문장 완성

01 enjoys cooking

02 started drawing[to draw]

03 She began taking[to take] violin lessons

내신 기출

01 We gave up exercising

02 They plan to sell electric cars.

03 My sister wishes to move to the city.

🎯 감점 피하기

I stopped smelling flowers.

03-12 동명사의 관용 표현   p. 53

A 배열 영작

01 I'm afraid of answering the question.

02 They spent two hours washing their car.

03 John couldn't help accepting her idea.

B 문장 완성

01 is used to living

02 is worth discussing

03 On arriving at the airport, Daniel called her parents

내신 기출

01 A: How is Marie doing these days?

Marie는 요즘 어떻게 지내니?

B: She is busy preparing for the trip.

그녀는 여행 준비로 바빠.

02 A: How about ordering a pizza for dinner?

저녁 식사로 피자를 주문하는 게 어때?

B: I feel like eating out.

나는 외식하고 싶어.

내신 서술형 잡기   Unit 01~12

| Step 1 | 기본 다지기 | p. 54

| 배열 영작 |

01 Her hobby is to collect seashells.

02 Do you have something to tell me?

03 I got up early not to be late for school.

04 It is wrong to keep animals in cages.

05 It is easy for Mike to cook dinner.

06 I decided what to wear at the party.

07 His idea is too difficult to understand.

08 The palace is beautiful enough to visit.

09 Keeping a diary in English is hard.

10 The girl continued drawing pictures on the paper.

| 빈칸 완성 |

11 to become[be]

12 to see

13 not to laugh

14 for you to speak[talk]

15 where to go

16 too young to swim

17 creative enough to

18 Listening to music

19 hates[dislikes] brushing

20 On arriving

| 오류 수정 |

21 clean → to clean[cleaning]

22 live → live in

23 hear → to hear

24 to not → not to

25 That → It

26 for → of

27 meeting → meet

28 enough warm → warm enough

29 make → makes

30 to turn → turning

31 to sleep → sleeping

21 해설 '~하는 것, ~하기'라는 뜻의 보어로 쓰였으므로 to부정사 또는 동명사로 써야 한다.

22 해설 a house를 꾸미는 to live에 전치사 in이 있어야 완전한 의미가 된다.
23 해설 앞에 감정의 원인을 나타내는 형용사(surprised)가 있으므로 to부정사 to hear로 써야 한다.
24 해설 to부정사의 부정은 not을 to부정사 앞에 쓴다.
25 해설 that이 아닌 to부정사구를 대신하는 가주어 It으로 써야 한다.
26 해설 사람의 성격을 나타내는 형용사(smart)가 있으므로 to부정사의 의미상 주어로 「of+목적격」을 쓴다.
27 해설 「when+to부정사」: 언제 ~할지
28 해설 「형용사+enough+to부정사」: ~할 만큼 충분히 …한
29 해설 동명사 주어는 단수 취급하여 단수동사로 쓴다.
30 해설 mind는 동명사를 목적어로 쓰는 동사이다.
31 해설 「feel like+-ing」: ~하고 싶다

| Step 2 | 응용하기 | p. 56 |

| 문장 완성 |

32 too busy to help
33 friends to play with
34 looking forward to passing
35 how to recycle
36 not to make

| 문장 전환 |

37 It is, to take
38 too tired to finish
39 where to stay
40 to wash
41 strong enough to lift

| 대화 완성 |

42 want to be
43 to study, It is, to sleep
44 busy doing, to clean
45 to tell, to talk with

---

37 해석 아침에 산책하는 것은 좋다.
38 해석 그는 너무 피곤해서 책을 다 읽을 수 없었다.
39 해석 나는 내가 어디에 머물러야 할지 모르겠다.
40 해석 그는 자신의 개를 씻기기 시작했다.
41 해석 그는 이 상자들을 들 만큼 충분히 힘이 세다.
42 해석 A: 너는 장래에 무엇이 되고 싶니?
　　　 B: 나는 그림을 그리는 것을 좋아해서, 화가가 되고 싶어.
　　　 A: 정말 멋진 꿈이구나.
43 해석 A: 너 피곤해 보여. 무슨 일이니?
　　　 B: 나는 시험공부를 하려고 밤을 새웠어.
　　　 A: 그것은 네 건강에 좋지 않아. 잠을 잘 자는 것이 중요해.
44 해석 A: 네 방 청소를 끝냈니?
　　　 B: 아니요. 저는 숙제하느라 바빠요.
　　　 A: 너는 네 방을 청소하겠다고 약속했잖아.
　　　 B: 죄송해요. 지금 할게요.
45 해석 A: Wilson 선생님, 드릴 말씀이 있어요.
　　　 B: 그게 뭔데? 얘기해 봐.
　　　 A: 저는 같이 이야기할 친구가 없어요.
　　　 B: 먼저 Amy에게 말해보는 게 어떠니? 그녀는 매우 친절하단다.

| Step 3 | 고난도 도전하기 | p. 57 |

46 (1) a report to write
　 (2) I have books to buy
　 (3) I have a sister to take care of
47 (1) (in order) to buy a cake
　 (2) to buy a necklace
48 ⓑ → making
49 (1) too hot to drink
　 (2) tall enough to reach
　 (3) too sick to go out
50 It is impossible for you to solve the puzzle.

46 해설 모두 앞의 명사를 꾸미는 to부정사의 형용사적 용법이 쓰였다.
47 해석
> A: 지민아, 너 어디 가는 중이니?
> B: 나는 빵집에 가고 있어. 나는 케이크를 살 거야. 오늘이 엄마 생신이거든.
> A: 너는 엄마를 위한 선물을 샀니?
> B: 아직 안 샀어. 엄마를 위해 무엇을 사야 할까?
> A: 목걸이 어떠니?
> B: 그게 좋겠어.

(1) 지민이는 케이크를 사려고 빵집에 가고 있다.
(2) 지민이는 엄마를 위해 목걸이를 사고 싶어 한다.
해설 (1) 목적을 나타내는 to부정사의 부사적 용법이 쓰였다.
　　 (2) wants의 목적어 역할을 하는 to부정사의 명사적 용법이 쓰였다.
48 해석
> 내 취미는 우리 할아버지와 체스를 두는 것이다. 나는 또한 모형 비행기를 만드는 것을 즐긴다. 나는 비행기 조종사가 되기를 꿈꾼다. 나는 하늘을 날아다니고 싶다. 나는 내 꿈을 이루기 위해 최선을 다할 것이다.

해설 enjoy는 동명사를 목적어로 쓰는 동사이다.
49 해석 (1) 이 차는 너무 뜨거워서 마실 수가 없다.
　　 (2) 그녀는 꼭대기 선반에 닿을 만큼 충분히 키가 크다.
　　 (3) 나의 남동생은 너무 아파서 외출할 수 없었다.
해설 「too+형용사+to부정사」는 '너무 …해서 ~할 수 없다'라는 뜻이고, 「형용사+enough+to부정사」는 '~하기에 충분히 …한'이라는 뜻이다.
50 해설 주어 역할을 하는 to부정사구를 대신하는 가주어 It을 문장 앞에 쓰고, to부정사구는 뒤로 보낸다. to부정사의 의미상 주어는 형용사 impossible이 있으므로 「for+목적격」으로 나타낸다.

04-01 현재분사
p. 58

A 배열 영작

01 Look at the girl playing on the grass.
02 She fell asleep next to a sleeping baby.
03 Is your brother the kid drawing a picture?

B 문장 완성

01 candles burning
02 flying in the sky
03 Susie likes the student wearing blue jeans

내신 기출

01 the boy swimming
02 the dog barking

🎯 감점 피하기

riding bikes

04-02 과거분사
p. 59

A 배열 영작

01 I ate fried rice for breakfast.
02 This is the novel written by Hemingway.
03 Ann received the box filled with candies.

B 문장 완성

01 covered with snow
02 hidden messages
03 He lives in the house built in the 1800s

내신 기출

01 broken window
02 cookies baked
03 flowers put

🎯 감점 피하기

boiled potatoes

04-03 감정분사 – 현재분사
p. 60

A 배열 영작

01 Watching soccer is exciting.
02 The hotel's pool was very disappointing.
03 The story about Korean history was interesting.

B 문장 완성

01 is amazing

02 interesting story
03 The accident was shocking

내신 기출

01 The news was really surprising.
02 His behavior is annoying me.
03 I listened to his boring speech.

🎯 감점 피하기

The ending of the movie is touching.

04-04 감정분사 – 과거분사
p. 61

A 배열 영작

01 I'm bored with the math class.
02 We were surprised at the view.
03 Brad was pleased to hear the news.

B 문장 완성

01 was satisfied
02 I am[I'm] interested
03 My mom was disappointed

내신 기출

01 shocking → shocked
   그 운전자는 사고에 충격을 받았다.
   해설 운전자가 충격을 받은 주체이므로 과거분사를 쓴다.
02 exciting → excited
   경기장에 있던 사람들은 모두 흥분했다.
   해설 사람들이 흥분한 주체이므로 과거분사를 쓴다.
03 amazing → amazed
   그들은 Dave의 아이디어에 놀랐다.
   해설 They가 놀란 주체이므로 과거분사를 쓴다.

🎯 감점 피하기

annoyed → annoying
나의 짜증 나는 남자친구는 나를 화나게 만든다.
해설 남자친구가 짜증 나는 감정을 일으키는 대상이므로 현재분사를 쓴다.

내신 서술형 잡기
Unit 01~04

Step 1 기본 다지기
p. 62

| 배열 영작 |

01 I like the man smiling at me.
02 Luke bought a used car last week.
03 His lecture was really boring.
04 We were disappointed with their performance.

| 빈칸 완성 |

05 the boy running

06 his broken bike[bicycle]

07 was touching

08 am interested

| 오류 수정 |

09 wear → wearing

10 falling → fallen

11 interested → interesting

12 shocking → shocked

09 해설 '입은'이라는 능동의 의미를 나타내므로 현재분사를 쓴다.

10 해설 '떨어진'이라는 완료의 의미를 나타내므로 과거분사를 쓴다.

11 해설 주어인 Your suggestion이 감정을 일으키는 대상이므로 현재분사를 쓴다.

12 해설 I가 감정을 느끼는 주체이므로 과거분사를 쓴다.

Step 2   응용하기   p. 62

| 문장 완성 |

13 are surprised

14 is exciting

15 was amazing

16 was annoyed

| 문장 전환 |

17 The boy playing the violin

18 a new bag made by my favorite designer

19 the woman holding flowers

20 a letter written in English

| 대화 완성 |

21 book, called, interesting

22 exciting, scared

17 해석 바이올린을 연주하는 남자아이는 내 아들이다.

18 해석 나는 내가 가장 좋아하는 디자이너에 의해 만들어진 새 가방을 샀다.

19 해석 나는 꽃을 들고 있는 여자를 알고 있다.

20 해석 그는 영어로 쓰여진 편지를 받았다.

21 해석 A: 너는 〈코스모스〉라고 불리는 책을 읽어본 적이 있니?

B: 응. 그것은 우주에 대한 이야기야. 그 이야기는 나에게 흥미로웠어.

A: 나도 그 책을 읽고 싶어.

B: 내가 너에게 그것을 빌려줄게.

22 해석 A: 너는 겨울 스포츠를 좋아하니?

B: 응. 스키를 타는 것은 매우 신이 나. 너는 스키 타는 거 좋아하니?

A: 아니. 나는 너무 무서워.

Step 3   고난도 도전하기   p. 63

23 (1) (a) made   (b) making

(2) (a) drawn   (b) drawing

(3) (a) broken   (b) breaking

24 The girl playing the piano is Sally.

25 (1) was very interesting

(2) I felt excited

(3) I was satisfied

23 해석 (1) (a) Tom은 그 감독에 의해 만들어진 영화들을 좋아한다.

(b) 나는 부엌에서 파스타를 만들고 있는 내 형을 보고 있다.

(2) (a) 그는 유명한 화가에 의해 그려진 그림을 살 것이다.

(b) 그림을 그리고 있는 남자는 내 삼촌이다.

(3) (a) 고장 난 엘리베이터를 고쳐 주세요.

(b) 나는 남자아이가 꽃병을 깨뜨리는 것을 보았다.

해설 현재분사는 '능동, 진행'의 의미를 나타내고, 과거분사는 '수동, 완료'의 의미를 나타낸다. 분사가 단독으로 쓰이면 명사 앞에서 수식하고, 수식어구를 동반하면 명사 뒤에서 수식한다.

24 해설 '피아노를 치고 있는'이라는 진행의 의미를 나타내려면 현재분사를 써야 한다.

25 해설

6월 18일 토요일

오늘 나는 야구장에 갔다. 경기는 매우 재미있었다. 내가 가장 좋아하는 선수가 홈런을 쳤을 때 나는 흥분을 느꼈다. 결국 내가 응원하는 팀은 졌다. 하지만 나는 그 경기에 만족했다.

해설 감정을 일으키는 대상(the game)에는 현재분사를 쓰고, 감정을 느끼는 주체(I)에는 과거분사를 쓴다.

Unit 05   수동태

05-01   수동태의 현재시제   p. 64

A 배열 영작

01 My computer is often used by my sister.

02 These small plants are grown by Anna.

03 My classroom is cleaned every day.

B 문장 완성

01 is loved by

02 is spoken

03 He is[He's] respected by many people

내신 기출

01 Fashion is inspired by works of art.
패션은 예술 작품에서 영감을 받는다.

02 The dog is looked after by Jessica.
그 개는 Jessica에 의해 돌보아진다.

03 The wooden tables are made by a Finnish company.
그 나무 탁자들은 핀란드 회사에서 만들어진다.

감점 피하기

Our meals are cooked by them.
우리 식사는 그들에 의해 요리된다.

A 배열 영작

01 This movie was directed by my friend.

02 My bike was fixed by my father.

03 These flowers were planted by students.

B 문장 완성

01 were cut down by

02 was written by

03 Hangeul was created by King Sejong

내신 기출

01 The sneakers were bought by Olivia.

그 운동화는 Olivia에 의해 구매되었다.

02 The bags were made by Emily.

그 가방들은 Emily에 의해 만들어졌다.

03 The cap was brought by Ted.

그 야구모자는 Ted에 의해 가져가졌다.

🎯 감점 피하기

The grapes were sold at the market.

그 포도는 시장에서 팔렸다.

A 배열 영작

01 My new book will be released soon.

02 The result will be shown in 15 minutes.

03 Dinner will be prepared by the boys.

B 문장 완성

01 will be led by

02 will be visited by

03 The report will be finished by Ken today

내신 기출

01 A: When will they play the football match?

그들은 언제 풋볼 경기를 할 거니?

B: The match will be played this Friday night. I'm so excited!

그 경기는 이번 주 금요일 밤에 할 거야. 나 너무 신나!

02 A: I heard the company will invent a great robot.

나는 그 회사에서 대단한 로봇을 발명할 거라고 들었어.

B: That's right. Even greater robots will be invented in the future.

맞아. 심지어 더 대단한 로봇들이 미래에 발명될 거야.

🎯 감점 피하기

A: What will deliver this medicine?

무엇이 이 약품을 배달할 겁니까?

B: The medicine will be delivered by a drone.

그 약품은 드론에 의해 배달될 겁니다.

A 배열 영작

01 The new library wasn't built downtown.

02 The work won't be done by him.

03 The teacher isn't respected by the students.

B 문장 완성

01 were not[weren't] painted by

02 will not[won't] be posted

03 The chicken is not[isn't] cooked well

내신 기출

01 This system isn't used by the company.

이 시스템은 그 회사에서 사용되지 않는다.

02 The crops weren't hurt by bad weather.

그 작물들은 나쁜 날씨에 의해 피해를 입지 않았다.

03 The store won't be opened (by them) for three days.

그 가게는 3일 동안 (그들에 의해) 문을 열지 않을 것이다.

🎯 감점 피하기

The memo wasn't written by Minho.

그 메모는 민호에 의해 쓰여지지 않았다.

A 배열 영작

01 Is smog caused by air pollution?

02 Was that tree planted by your father?

03 Where was the book found?

B 문장 완성

01 Are cacao beans used

02 Is soccer played

03 Were these cookies baked last night

내신 기출

01 A: The guests arrived at the office this morning.

손님들이 오늘 아침 사무실에 도착했어요.

B: They were taken there by bus, weren't they?

그들은 버스로 데려져 왔어요, 그렇지 않나요?

How were the guests taken to the office?

손님들은 어떻게 사무실로 데려져 왔습니까?

02 A: The global company will build a hospital in Vietnam.

세계적인 회사가 베트남에 병원을 세울 거야.

B: Right. It's a hospital for children.

맞아. 그것은 어린이 병원이야.

Where will the hospital (for children) be built by the global company?

(어린이) 병원은 세계적인 회사에 의해 어디에 세워질 겁니까?

A: David directed the movie last year.
　　David는 작년에 그 영화를 감독했어.
B: That's cool. I didn't know that.
　　멋있다. 나는 그건 몰랐어.
When was the movie directed by David?
그 영화는 David에 의해 언제 감독 되었습니까?

내신 서술형 잡기　　　　Unit 01~05

Step 1　　기본 다지기　　　　　p. 69

| 배열 영작 |

01 This dish is called *japchae* by Koreans.
02 My bike was broken by my little brother.
03 Some jobs will be replaced by robots.
04 This letter wasn't hidden by me.
05 Was the car driven by Jake?

| 빈칸 완성 |

06 is visited by
07 was loved by
08 will be delivered
09 was not greeted[welcomed] by
10 Are these stamps sold

| 오류 수정 |

11 compose → composed
12 is → was
13 tear → be torn
14 be shot → shot
15 taken this picture → this picture taken

11 해설　수동태는 「be동사+p.p.」의 형태로 써야 한다.
12 해설　수동태의 과거시제는 「was[were]+p.p.」의 형태로 써야 한다. 주어가 3인칭
　　　　단수 주어(This bag)이므로 be동사는 was를 쓴다.
13 해설　수동태의 미래시제는 「will+be+p.p.」의 형태로 쓴다.
14 해설　수동태는 「be동사+p.p.」의 형태이므로, be동사의 과거시제 부정형인 wasn't
　　　　(was not) 뒤에 다시 be를 쓸 필요가 없다.
15 해설　수동태의 의문문은 「의문사+be동사+주어+p.p. ~?」의 어순으로 쓴다.

Step 2　　응용하기　　　　　p. 70

| 문장 완성 |

16 was supported
17 will be reviewed by Mr. Smith
18 are controlled by computers

| 문장 전환 |

19 Fast foods were not[weren't] sold (by them) at schools.
20 The file was deleted by Nick.
21 Is Turkey loved by lots of tourists?

| 대화 완성 |

22 was written by, Was it made
23 are sold, are made

19 해석　패스트푸드는 학교에서 (그들에 의해) 팔리지 않았다.
20 해석　그 파일은 Nick에 의해 삭제되었다.
21 해석　터키는 많은 관광객들에 의해 사랑받니?
22 해석　A: 〈작은 아씨들〉은 누구에 의해 쓰여졌니?
　　　　B: 그것은 Louisa May Alcott에 의해 쓰였어.
　　　　A: 그것이 영화로 만들어졌니?
　　　　B: 응. 그 영화는 정말 좋아.
23 해석　A: 나는 시원한 마실 것을 원해.
　　　　B: 이 가게에서 맛있는 스무디를 팔아. 그것들은 신선한 과일로 만들어지거
　　　　든.

Step 3　　고난도 도전하기　　　　　p. 70

24 (1) was built by
　　(2) was born
　　(3) was named, by UNESCO
25 (1) is held
　　(2) was invented
　　(3) will be closed by

24 해석　(1) 구엘 공원은 Antoni Gaudi에 의해 세워졌다.
　　　　(2) Antoni Gaudi는 1852년 스페인에서 태어났다.
　　　　(3) 구엘 공원은 유네스코에 의해 세계문화유산으로 지정되었다.
　　해설　동작의 대상이 되는 말이 주어이므로 수동태 문장으로 쓴다. 수동태는 「be
　　　　동사+p.p.」로 쓰고, 과거의 일이므로 be동사는 과거형으로 쓴다.
25 해석　(1) 월드컵은 4년마다 열린다.
　　　　(2) 종이는 중국에서 발명되었다.
　　　　(3) 그 문은 오늘 밤 관리인에 의해 닫힐 것이다.
　　해설　(1) 수동태 현재시제: is[are]+p.p.
　　　　(2) 수동태 과거시제: was[were]+p.p.
　　　　(3) 수동태 미래시제: will+be+p.p.

06-01 관계대명사 who
p. 71

A 배열 영작

01 He is a soccer player who many Koreans like.
02 The man who helped her was my brother.
03 I found a girl who likes to play chess.

B 문장 완성

01 who(m) I am[I'm] waiting for
02 The woman who answered the phone
03 The man who(m) we met yesterday is a famous architect

내신 기출

> 01 The boy who is working at the restaurant is Kevin.
> 그 식당에서 일하고 있는 남자아이는 Kevin이다.
> 02 Do you know the student who(m) the reporter interviewed?
> 너는 기자가 인터뷰한 그 학생을 아니?
> 03 I have a friend who draws cartoons.
> 나는 만화를 그리는 친구가 한 명 있다.
>
> 🎯 감점 피하기
> He hates the people who tell lies.
> 그는 거짓말하는 사람들을 싫어한다.

06-02 관계대명사 which
p. 72

A 배열 영작

01 Show me the pictures which you took.
02 Sally is holding the bag I saw in the magazine.
03 He threw out the chair which was old.

B 문장 완성

01 which you cooked
02 The rabbits which are hopping
03 Pizza is the food which I like the most

내신 기출

> 01 My aunt keeps two dogs which look like sheep.
> 우리 숙모는 양처럼 생긴 개 두 마리를 기르신다.
> 02 This is the table which I made by myself.
> 이것은 내가 직접 만든 탁자이다.
> 03 He remembers the house which he lived in before.
> 그는 그가 전에 살았던 집을 기억한다.
>
> 🎯 감점 피하기
> Look at that house which has no windows.
> 창문이 없는 저 집을 봐라.

06-03 관계대명사 that
p. 73

A 배열 영작

01 The jacket that you want is sold out.
02 He is a man that has a beautiful mind.
03 Is there anybody that lives on Jeju Island?

B 문장 완성

01 the novel that she wrote
02 the cafe that is next to the park
03 The wallet that is on the table is mine

내신 기출

> 01 the sneakers that I recommended
> 02 The event that was held yesterday
> 03 many people that were standing in line
>
> 🎯 감점 피하기
> that I met Kate

06-04 관계대명사 whose
p. 74

A 배열 영작

01 She lives in a house whose roof is yellow.
02 There was a king whose name was Arthur.
03 Vincent has a dog whose ears are brown.

B 문장 완성

01 whose color is blue
02 whose pasta is popular
03 I met a girl whose sister is an actress

내신 기출

> 01 which → whose
> 그는 표지가 빨간색인 책을 샀다.
> 02 who → whose
> 나는 어머니가 유명한 화가인 소년을 안다.
> 03 who → whose
> 머리가 금발인 여자는 나의 숙모이시다.
> 해설 선행사(the book, a boy, The woman)와 관계사 뒤에 나오는 명사
> (cover, mother, hair)가 소유관계이므로 소유격 관계대명사
> whose를 써야 한다.
>
> 🎯 감점 피하기
> brother whose → whose brother
> 나는 형이 시를 쓰는 소년을 만났다.

Step 1   기본 다지기   p. 75

| 배열 영작 |

01 Scientists who study stars did a special experiment.
02 I will become a figure skater whom people like.
03 There are cows which are grazing in the field.
04 Seri likes the cap which I am wearing.
05 I have a friend whose mother is a nurse.
06 This is the train station that was built in the 1920s.
07 A memory is something that you remember.

| 빈칸 완성 |

08 who[that] likes to cook
09 who(m)[that] I met
10 which[that] are black
11 which[that] you have
12 whose hobby is camping
13 which[that] I wanted to eat[have]

| 오류 수정 |

14 help → helps
15 whose → who(m)[that]
16 which[lost] → which I[I lost]
17 who → whose
18 whose → which[that]
19 whom → which[that]

14 해설   관계대명사절의 동사는 선행사에 수를 일치시킨다. 주어(the person)에 맞게 3인칭 단수형 동사(helps)로 써야 한다.

15 해설   앞의 명사 The woman이 사람이고, 관계대명사절에서 목적어 역할을 하므로 who(m) 또는 that을 써야 한다.

16 해설   내가 카메라를 잃어버린 것이므로 관계대명사절의 주어 I를 써야 한다.

17 해설   The woman과 son은 소유관계이므로 소유격 관계대명사를 써야 한다.

18 해설   앞의 명사 a place가 사람이 아니고 관계대명사절에서 주어 역할을 하므로 which 또는 that을 써야 한다.

19 해설   앞의 명사 The songs가 사람이 아니고 관계대명사절에서 목적어 역할을 하므로 which 또는 that을 써야 한다.

Step 2   응용하기   p. 76

| 문장 완성 |

20 the steak which[that] she is cooking
21 The woman whose hair is black
22 students who[that] have special talents
23 someone that[who(m)] I know

| 문장 전환 |

24 The black dress which[that] the actress wore is very popular.

25 My mom wants to buy shoes whose color is red.
26 I want to have a friend who[that] makes me happy.
27 There is a building which[that] has five elevators.

| 대화 완성 |

28 who[that] lives
29 picture which[that], painted[drew]
30 man whose

24 해석   그 여배우가 입었던 검은색 드레스는 매우 인기가 있다.
25 해석   우리 엄마는 색이 빨간 구두를 사고 싶어 하신다.
26 해석   나는 나를 행복하게 해주는 친구를 갖고 싶다.
27 해석   엘리베이터가 다섯 개인 건물이 있다.
28 해석   A: 그는 내 옆집에 사는 소년이야.
      B: 나는 그가 매우 똑똑하다고 들었어.
29 해석   A: 정말 멋진 그림이구나!
      B: 이것은 우리 사촌이 그린 그림이야. 그는 유명한 화가거든.
30 해석   A: 너는 어떤 유형의 남자를 좋아하니?
      B: 나는 마음이 열려있는 남자가 좋아.
      A: 그건 Mike야. 사람들은 그에 대해 그렇게 말해.

Step 3   고난도 도전하기   p. 77

31 (1) an[the] inventor who invented the light bulb
    (2) was an[the] artist who painted *Guernica*
32 He was the person who(m) I respected the most
33 ⓓ → which[that]
34 (1) ⓒ. He has an uncle whose job is a firefighter.
    (2) ⓐ. I called the girl who(m)[that] I met yesterday.
    (3) ⓑ. She doesn't like the food which[that] is very spicy.
35 the people who[that] are sitting on the bench

31 해석

이름	직업	한 일
Thomas Edison	발명가	전구를 발명했음
Pablo Picasso	화가	〈게르니카〉를 그렸음

     (1) Thomas Edison은 전구를 발명한 발명가였다.
     (2) Pablo Picasso는 〈게르니카〉를 그린 화가였다.

    해설   직업을 선행사로 두고, 한 일을 관계대명사절에 쓴다. 선행사가 사람이고 관계대명사절에서 주어 역할을 하므로, 관계대명사 who로 연결한다. 또한 모두 과거에 해당하는 내용이므로 과거시제로 쓴다.

32 해설   선행사 the person이 관계대명사절의 목적어 역할을 하므로, 관계대명사 who 또는 whom으로 연결한다.

33 해석   나는 취미가 독서인 친구가 있다. 그는 나에게 온라인으로 구입한 책을 주었다. 그것은 사진이 많은 책이다. 유명한 사진작가들에 의해 찍힌 그 사진들은 아주 멋져 보인다. 그것은 내가 지금껏 읽어 본 것 중 최고의 책이다.

    해설   앞의 명사 The pictures가 사물이고 관계대명사절에서 주어 역할을 하므로, 주격 관계대명사 which[that]를 써야 한다.

34 해석

	A
(1)	그는 삼촌이 있다.
(2)	나는 그 소녀에게 전화했다.
(3)	그녀는 그 음식을 좋아하지 않는다.

	B
ⓐ	나는 어제 그녀를 만났다.
ⓑ	그것은 매우 맵다.
ⓒ	그의 직업은 소방관이다.

해석　(1) 그는 직업이 소방관인 삼촌이 있다.
　　　(2) 나는 어제 만난 그 소녀에게 전화했다.
　　　(3) 그녀는 아주 매운 음식을 좋아하지 않는다.

해설　(1) an uncle과 job은 소유관계이므로, 소유격 관계대명사 whose로 연결한다.
　　　(2) the girl과 her가 동일인을 나타내므로 목적격 관계대명사 who(m) 또는 that으로 연결한 뒤, 관계대명사절에서 중복된 목적어 her를 삭제해야 한다.
　　　(3) the food와 It은 같은 것을 나타내므로 It 대신 주격 관계대명사 which 또는 that으로 연결한다.

35 해석　벤치에 앉아 있는 사람들을 봐.
해설　선행사인 the people이 관계대명사절에서 주어 역할을 하므로 주격 관계대명사 who 또는 that으로 연결한다.

Unit 07 조동사

07-01 must
p. 78

A 배열 영작
01 Students must obey the school rules.
02 The man must be a thief.
03 I must send these letters tomorrow.

B 문장 완성
01 must be an accident
02 must not[mustn't] make a noise
03 The woman must be a lawyer

내신 기출
01 must stop
02 must not[mustn't] play
03 must not[mustn't] disturb

🎯 감점 피하기
had to get

07-02 should
p. 79

A 배열 영작
01 We should learn from history.
02 You should not waste paper.
03 I should water the plant once a week.

B 문장 완성
01 You should brush your teeth

02 She should not[shouldn't] pick flowers
03 Amy should not[shouldn't] drink soda

내신 기출
01 The sink is full. You should wash the dishes.
　　싱크대가 가득 차 있다. 너는 설거지를 해야 한다.
02 You have a cold. You should not[shouldn't] play outside.
　　너는 감기에 걸렸다. 너는 밖에서 놀지 말아야 한다.

🎯 감점 피하기
It's raining hard. He should drive carefully.
비가 세차게 오고 있다. 그는 조심히 운전해야 한다.

07-03 have to
p. 80

A 배열 영작
01 You have to speak carefully.
02 Does she have to learn to swim?
03 He will have to check this product.

B 문장 완성
01 had to accept
02 Do I have to show
03 He has to deliver milk every morning

내신 기출
01 You have to turn right at the corner.
02 Do I have to change buses here?
03 We had to leave early this morning.

🎯 감점 피하기
She has to feed her dog every day.

07-04 don't have to
p. 81

A 배열 영작
01 You don't have to go with us.
02 She didn't have to tell me twice.
03 He doesn't have to exchange the shoes.

B 문장 완성
01 won't have to stay
02 don't have to go on a diet
03 She doesn't have to join us

내신 기출
01 have not → don't[do not] have
　　너는 오늘 숙제를 하지 않아도 된다.
　　해설　don't[do not] have to는 have to의 부정형으로 '~하지 않아도 된다'라는 뜻이다.

02 don't has → doesn't have

Amy는 자신의 남동생을 돌보지 않아도 된다.

해설 주어가 3인칭 단수이므로 doesn't have to로 써야 한다.

03 doesn't[yesterday] → didn't[yesterday 삭제]

그녀는 어제 택시를 탈 필요가 없었다.

해설 과거시제이므로 didn't have to로 써야 한다. 또는 과거시제에 해당하는 부사 yesterday를 삭제하여 현재형으로 쓴다.

🎯 **감점 피하기**

must not → don't have[need] to

오늘은 일요일이다. 너는 일찍 일어나지 않아도 된다.

해설 일요일에 일찍 일어나는 것이 해서는 안 되는 일(강한 금지)이 아니라 할 필요가 없는 일(불필요)이므로, must not이 아니라 don't have[need] to를 써야 한다.

07-05 had better
p. 82

A 배열 영작

01 You had better leave me alone.

02 He had better watch his step.

03 They had better not buy the house.

B 문장 완성

01 had better eat

02 had better not miss

03 Ann had better not stay up late

내신 기출

01 Andy has been busy, so he often skips breakfast.

He had better have breakfast.

Andy는 바빠서, 아침 식사를 종종 거른다.

그는 아침 식사를 하는 게 좋을 것이다.

02 Andy got up late, so he could be late for school.

He had better take a taxi.

Andy는 늦게 일어나서, 학교에 늦을 수도 있다.

그는 택시를 타는 게 좋을 것이다.

03 Andy studied until late last night, so he's very tired.

He had better get some rest.

Andy는 어제 밤늦게까지 공부해서, 매우 피곤하다.

그는 좀 쉬는 게 좋을 것이다.

🎯 **감점 피하기**

Andy can't sleep well, so he had better not drink coffee.

Andy는 잠을 잘 못 자서, 커피를 마시지 않는 게 좋을 것이다.

07-06 would like to
p. 83

A 배열 영작

01 Justin would like to travel alone.

02 I'd like to know about Jason.

03 Would you like to go hiking this Sunday?

B 문장 완성

01 would like to have hamburgers

02 would like to visit

03 I would[I'd] like to introduce my friend

내신 기출

01 A: Are you ready to order?

주문하시겠어요?

B: Yes. I would like to order a steak.

네. 저는 스테이크를 주문하고 싶어요.

02 A: What would you like to have for dessert?

후식으로 무엇을 드시겠어요?

B: I would like to have chocolate ice cream.

저는 초콜릿 아이스크림을 먹고 싶어요.

🎯 **감점 피하기**

A: What would you like to drink?

무엇을 마시고 싶으세요?

B: I would like to drink a glass of water.

저는 물 한 잔을 마시고 싶어요.

내신 서술형 잡기
Unit 01~06

Step 1 기본 다지기
p. 84

배열 영작

01 I must say goodbye now.

02 He should not make fun of others.

03 Oliver has to finish the work by ten.

04 You don't have to make a reservation.

05 You had better take an umbrella.

06 I'd like to take a walk after dinner.

빈칸 완성

07 must[should] learn

08 should[must] buy

09 have to return

10 don't have[need] to meet

11 had better buy

12 Would you like to come

오류 수정

13 must[angry] → must be[be angry]

14 should → should not[shouldn't] 또는 must not[mustn't]

15 must → had to

16 don't → doesn't

17 not better → better not

18 go → to go

13 해설 must가 추측을 나타내는 조동사로 쓰였는데, 뒤에 동사가 없이 형용사 angry가 바로 나오므로 must 뒤에 be동사의 원형인 be를 써야 한다.

14 해설 '~하지 말아야 한다'라는 뜻으로 should not[shouldn't] 또는 must not[mustn't]를 써야 한다.

15 해설 의무를 나타내는 조동사 must는 과거형으로 had to를 쓴다.

16 해설 Keith가 3인칭 단수이므로 doesn't have to로 써야 한다.

17 해설 had better의 부정형은 had better not으로 쓴다.

18 해설 뒤에 동사 go가 나오므로 would like 뒤에 to를 붙여야 한다.

Step 2 응용하기   p. 85

| 문장 완성 |

19 We should not[shouldn't] waste
20 Do I have to wash my hands
21 He must be a special child
22 You did not[didn't] have to say
23 had better go to the dentist
24 Would you like to build a snowman

| 문장 전환 |

25 has to clean
26 had better not buy
27 must not be rude
28 would like to invite
29 Do, have to send
30 doesn't have to come

| 대화 완성 |

31 must
32 had better
33 don't have[need] to, would you like to
34 should[must] not

25 해석 내 여동생은 자신의 방을 치워야 한다.
26 해석 너는 그것을 사지 않는 게 좋을 것이다.
27 해석 너는 다른 사람들에게 무례하게 해서는 안 된다.
28 해석 저는 당신을 우리 집에 초대하고 싶어요.
29 해석 너는 오늘 그녀에게 소포를 보내야 하니?
30 해석 그녀는 일찍 집에 오지 않아도 된다.
31 해석 A: 너는 아침을 먹었니?
　　　B: 아니. 그리고 나는 점심도 먹지 않았어.
　　　A: 너는 틀림없이 매우 배가 고프겠구나.
32 해석 A: 나는 매 식사 후에 배가 아파.
　　　B: 너는 천천히 먹는 게 좋을 거야.
　　　A: 알아. 네 말이 맞아.
33 해석 A: 너는 왜 집에 있니?
　　　B: 나는 오늘 학교에 가지 않아도 돼.
　　　A: 그러면 나랑 수영하러 갈래?
　　　B: 응, 좋아.
34 해석 A: 너는 해변 안전 수칙을 알고 있니?
　　　B: 아니, 몰라.
　　　A: 이것만 기억해. 너는 너무 멀리까지 헤엄쳐 나가지 말아야 해.

Step 3 고난도 도전하기   p. 86

35 (1) should come to school on time
　　(2) should follow the school rules
　　(3) should not[shouldn't] fall asleep in class
　　(4) should not[shouldn't] fight with their friends
36 I'd like to invite you to dinner.
37 have to study
38 had[have] better[to] water
39 ⓔ → had better not 또는 should not[shouldn't]
40 (1) Emily has to volunteer at a hospital.
　　(2) Eddie doesn't have to write a report.
　　(3) Emily doesn't have to go to the dentist.

35 해석

	할 것		하지 말 것
(1)	제시간에 학교에 오기	(3)	수업 중에 잠들지 말기
(2)	교칙을 따르기	(4)	친구들과 싸우지 말기

(1) 학생들은 제시간에 학교에 와야 한다.
(2) 그들은 교칙을 따라야 한다.
(3) 학생들은 수업 중에 잠들지 말아야 한다.
(4) 그들은 친구들과 싸우지 말아야 한다.
해설 Dos에 있는 항목은 '~해야 한다'라는 뜻의 should로, Don'ts에 있는 항목은 '~하지 말아야 한다'라는 뜻의 should not[shouldn't]로 쓴다.

36 해설 '~하고 싶다'라는 뜻으로 would like to를 쓰는데, 주어인 I와 함께 줄여서 I'd like to로 쓸 수 있다.

37 해석 A: 방과 후에 축구할래?
　　　B: 미안한데, 난 할 수 없어. 시험 공부해야 돼.
해설 '~해야 한다'라는 뜻의 의무를 나타내는 조동사로는 must, should, have to가 있는데, 빈칸이 3개이므로 have to를 쓴다.

38 해석 A: 이 식물이 죽어가고 있어. 잎들이 떨어졌어.
　　　B: 너는 그것에 물을 주는 게 좋을 거야(주어야 해).
해설 '~하는 게 좋다'라는 뜻의 had better와 '~해야 한다'라는 뜻의 have to를 쓸 수 있다.

39 해석 Tom은 살을 빼고 싶다. 그가 먼저 무엇을 해야 할까? 그는 덜 먹고 규칙적으로 운동해야 한다. 그는 패스트푸드를 먹지 말아야 한다. 그는 먹은 후에 눕는(→ 눕지 않는) 게 좋을 것이다.
해설 살을 빼고 싶은 사람에게 하는 충고가 되어야 하므로, 식사 후에 눕지 말라는 내용이 알맞다. 따라서 had better not 또는 should의 부정형인 should not[shouldn't]로 고쳐야 한다.

40 해석

Emily	Eddie
• 보고서 쓰기	• 개를 산책시키기
• 병원에서 자원봉사 하기	• 치과에 가기

(1) A: 누가 병원에서 자원봉사를 해야 합니까?
　　B: Emily가 병원에서 자원봉사를 해야 합니다.
(2) A: 누가 보고서를 쓸 필요가 없습니까?
　　B: Eddie는 보고서를 쓸 필요가 없습니다.
(3) A: 누가 치과에 가지 않아도 됩니까?
　　B: Emily는 치과에 가지 않아도 됩니다.
해설 Emily와 Eddie 모두 3인칭 단수이므로 has to나 doesn't have to를 쓴다.

접속사

08-01 명령문+and/or
p. 88

A 배열 영작

01 Buy this book, or you will regret it.

02 Rest for a while, and you will feel better.

03 Hurry up, or you will miss your flight.

B 문장 완성

01 or you will[you'll] get hurt

02 and you can have dinner with us

03 Turn right, and you will[you'll] see a bank

내신 기출

01 Be honest, and everyone will respect you.
정직하세요, 그러면 모두 당신을 존경할 거예요.

02 Water the plant, or it will[it'll] die soon.
식물에 물을 주세요, 그렇지 않으면 그것은 곧 죽을 거예요.

03 Open the window, and you will[you'll] get some fresh air.
창문을 여세요, 그러면 당신은 상쾌한 공기를 좀 마실 거예요.

감점 피하기

Take your umbrella, or you will[you'll] get wet.
우산을 가져가라, 그렇지 않으면 너는 젖을 거야.

08-02 while
p. 89

A 배열 영작

01 While he was cooking, I set the table.
[I set the table while he was cooking.]

02 While she was cleaning her room, he came in.
[He came in while she was cleaning her room.]

B 문장 완성

01 I was sleeping[I slept]

02 While she was dancing[While she danced]

03 While you're crossing[you cross] the street, don't use your cellphone[Don't use your cellphone while you're crossing [you cross] the street]

내신 기출

01 While I was washing my hair, I listened to the radio.
나는 머리를 감는 동안 라디오를 들었다.

02 While Laura was walking home, she dropped her ice cream.
Laura는 집에 걸어오는 동안 아이스크림을 떨어뜨렸다.

03 My brother hurt his leg while he was playing basketball.
내 남동생은 농구를 하는 동안 다리를 다쳤다.

감점 피하기

While Tom was reading a book, he fell asleep.
Tom은 책을 읽는 동안 잠이 들었다.

08-03 as soon as
p. 90

A 배열 영작

01 As soon as Bill saw me, he ran away.
[Bill ran away as soon as he saw me.]

02 As soon as I find it, I will let you know.
[I will let you know as soon as I find it.]

03 As soon as I woke up, I checked my smartphone.
[I checked my smartphone as soon as I woke up.]

B 문장 완성

01 as soon as she comes in

02 As soon as the water boiled

03 As soon as you arrive, call me
[Call me as soon as you arrive]

내신 기출

01 As soon as the sun rises, they will go climbing.
해가 뜨자마자 그들은 등산하러 갈 것이다.

02 As soon as the baseball game started, it started to rain.
야구 경기가 시작하자마자 비가 오기 시작했다.

03 Linda answered the phone as soon as it rang.
Linda는 전화벨이 울리자마자 전화를 받았다.

감점 피하기

As soon as Nick got on the subway, he felt dizzy.
Nick은 지하철을 타자마자 어지러움을 느꼈다.

08-04 until
p. 91

A 배열 영작

01 Go straight until you find the bookstore.
[Until you find the bookstore, go straight.]

02 My sister slept until I finished cleaning.
[Until I finished cleaning, my sister slept.]

03 You should sit here until your name is called.
[Until your name is called, you should sit here.]

B 문장 완성

01 until he apologizes

02 until the snow stopped

03 We danced until the sun went down

01 until the movie was over
02 until she graduates
03 Until I told him the news
   [Until I told the news to him]

🎯 감점 피하기

until it gets dark

08-05   so that ~
p. 92

A 배열 영작

01 She started jogging so that she could lose weight.
02 Drink a lot of water so that you have clear skin.
03 I bought a vase so that I could decorate my room.

B 문장 완성

01 so that we can understand them
02 so that I can fall asleep
03 He goes to bed early so that he can get up early

내신 기출

01 They wear sunglasses so that they can protect their eyes.
   그들은 눈을 보호하기 위해 선글라스를 낀다.
02 I practice playing the piano every day so that I can become a pianist.
   나는 피아니스트가 되기 위해 매일 피아노를 연습한다.

🎯 감점 피하기

Jane went to her teacher so that she could ask questions.
Jane은 질문을 하기 위해 선생님에게 갔다.

08-06   so … that ~
p. 93

A 배열 영작

01 The box is so big that you can't move it.
02 He spoke so quickly that I couldn't understand him.

B 문장 완성

01 so tired that he cannot[can't] walk
02 so boring that we fell asleep
03 It was so cold that she stayed inside

내신 기출

01 The roller coaster was so popular that we waited for an hour.
02 The traffic was so heavy that he could not[couldn't] arrive on time.

🎯 감점 피하기

He was so sick that he could not[couldn't] do anything.

08-07   if
p. 94

A 배열 영작

01 If you have any questions, raise your hands.
   [Raise your hands if you have any questions.]
02 If you have a fever, you should see a doctor.
   [You should see a doctor if you have a fever.]
03 If they leave now, they won't be late.
   [They won't be late if they leave now.]

B 문장 완성

01 If Andy wins
02 if you cannot[can't] attend
03 If you have time tomorrow, come to my home.
   [Come to my home if you have time tomorrow.]

내신 기출

01 will rain → rains
   내일 비가 오면 나는 소풍을 가지 않을 거야.
02 will hurry → hurries
   서두르면 그는 모임에 늦지 않을 것이다.
03 you'll → you
   네가 나를 도와준다면 나는 이 일을 끝낼 수 있을 거야.
   해설 조건을 나타내는 부사절에서는 현재시제가 미래시제를 대신한다.

🎯 감점 피하기

go → will go
나는 내년에 거기 갈 수 있을지 모르겠어.
해설 if가 이끄는 절이 동사 know의 목적어 역할을 하는 명사절이므로, 미래를 나타내는 부사구 next year에 맞춰 미래시제로 써야 한다. if를 조건 접속사로 혼동하지 않도록 주의해야 한다.

08-08   though/although
p. 95

A 배열 영작

01 Although it was raining hard, I went out.
   [I went out although it was raining hard.]
02 Though he's good at drawing, he failed to become an artist. [He failed to become an artist though he's good at drawing.]
03 Though the soup was salty, it was delicious.
   [The soup was delicious though it was salty.]

B 문장 완성

01 Though she was tired
02 Although Judy lives
03 I could not[couldn't] solve the puzzle though I tried
   [Though I tried, I could not[couldn't] solve the puzzle]

내신 기출

01 Though I had a hard time, I didn't give up my dream.
   나는 힘든 시기를 보냈지만 내 꿈을 포기하지 않았다.

02 Though he is short, he plays basketball very well.
그는 키가 작지만 농구를 매우 잘한다.

03 My dad goes to work by bike though he has a car.
나의 아빠는 자동차가 있지만 자전거로 출근하신다.

🎯 **감점 피하기**

Though I'm busy, I have time to meet you.
나는 바쁘지만 너를 만날 시간이 있다.

08-09 명사절 접속사 that
p. 96

A 배열 영작

01 I heard that you have a sister.

02 I believed that she would come to the party.

03 I learned that spiders are not insects.

B 문장 완성

01 My friend hopes (that)

02 told me (that) she saw

03 I do not[don't] think (that) she likes my friend

내신 기출

01 I thought that she was hungry.

02 He knows that washing his hands is important.

🎯 **감점 피하기**

The problem is that I forgot his name.

08-10 both A and B
p. 97

A 배열 영작

01 He lost both his passport and his camera.

02 Both Jenny and Lisa have cats.

03 You should bring both your hat and gloves.

B 문장 완성

01 both summer and winter

02 Both Cuba and Iceland are

03 Both Jack and his brother are handsome

내신 기출

01 Herbs are both beautiful and useful.
허브는 아름답고 유용하다.

02 She's interested in both movies and music.
그녀는 영화와 음악 둘 다에 관심이 있다.

03 I can speak both Chinese and Spanish.
나는 중국어와 스페인어 둘 다 할 수 있다.

🎯 **감점 피하기**

Both you and Bill are right.
너와 Bill 둘 다 옳다.

08-11 either A or B/neither A nor B
p. 98

A 배열 영작

01 Either my sister or I wash the dishes after dinner.

02 Neither she nor I have any plans for this weekend.

B 문장 완성

01 either a piece of pie or

02 neither eats nor drinks

03 Neither Ted nor I was in the library

내신 기출

01 Neither[or] → Either[nor]
너나 나 둘 중 하나가 거기 가야 한다. / 너와 나 둘 다 거기 가지 말아야 한다.
해설 「either A or B」 또는 「neither A nor B」의 구문이 되어야 한다.

02 have → has
그녀나 Peter가 화장실을 청소해야 한다.
해설 「either A or B」가 주어로 쓰이면 B(Peter)에 동사의 수를 일치시키
므로, has to가 되어야 한다.

03 nor[didn't go either] → or[went neither]
Kate는 파리나 런던에 가지 않았다. / Kate는 파리와 런던 둘 다에 가지
않았다.
해설 「either A or B」 또는 「neither A nor B」의 구문으로 쓴다.
단, neither를 쓸 경우에는 부정의 의미가 중복되므로 didn't go
대신에 went를 쓴다.

🎯 **감점 피하기**

is → are
그녀와 내 친구들 둘 다 그 병원에 없다.
해설 「neither A nor B」가 주어로 쓰이면 B에 동사의 수를 일치시켜야 하므로,
my friends에 동사를 일치시켜 복수형 동사 are로 쓴다.

08-12 not A but B
p. 99

A 배열 영작

01 I ordered not lemon tea but lemonade.

02 The man is not a model but a designer.

03 My favorite sport is not baseball but basketball.

B 문장 완성

01 put not milk but sugar

02 did not[didn't] visit, but called

03 Not he but his brother broke the window

내신 기출

01 Alex plays not with a balloon but with a ball.
Alex는 풍선이 아니라 공을 가지고 논다.

02 Not Emily but Judy is riding[rides] a bike.
Emily가 아니라 Judy가 자전거를 타고 있다(탄다).

03 Kate doesn't swim but builds a sandcastle.
Kate는 수영을 하지 않고 모래성을 쌓는다.

Judy's hair is <u>not</u> brown <u>but</u> blonde.

Judy의 머리는 갈색이 아니라 금발이다.

08-13 not only A but (also) B / B as well as A p. 100

A 배열 영작

01 Not only Kevin but also I saw the movie.

02 This book is not only fun but also helpful.

03 Belgium is famous for chocolate as well as waffles.

B 문장 완성

01 pretty but (also) kind

02 Harry but (also) his friends like

03 This hamburger is not only big but (also) cheap
   [This hamburger is cheap as well as big]

01 He can go there by train as well as (by) plane.
   그는 비행기로 뿐만 아니라 기차로도 그곳에 갈 수 있다.

02 We will not only go camping but (also) (go) fishing.
   우리는 캠핑뿐만 아니라 낚시도 하러 갈 것이다.

03 Life in a city is interesting as well as busy.
   도시에서의 생활은 바쁠 뿐만 아니라 재미있다.

She as well as you is responsible for the accident.
너뿐만 아니라 그녀도 그 사고에 책임이 있다.

내신 서술형 잡기   Unit 01~13

| Step 1 | 기본 다지기 | p. 101 |

| 배열 영작 |

01 Go straight, and you'll find a police station.

02 While he was playing soccer, he hurt his leg.
   [He hurt his leg while he was playing soccer.]

03 As soon as I got off the bus, I felt cold.
   [I felt cold as soon as I got off the bus.]

04 Until she felt tired, she studied.
   [She studied until she felt tired.]

05 I drink coffee so that I can stay awake.

06 They were so happy that they laughed all day.

07 If you are sleepy, go to bed.
   [Go to bed if you are sleepy.]

08 Although Mary was busy, she helped her friend.
   [Mary helped her friend although she was busy.]

09 I believe that music can help the plants grow well.

---

10 Both December and January have 31 days.

11 You can go to either a movie theater or a museum.
   [You can either go to a movie theater or a museum.]

12 My sister is not only smart but also kind.

| 빈칸 완성 |

13 Wear your boots, or

14 While the baby was crying

15 As soon as she arrived

16 until I got[became, was] hungry

17 so that he can stay[keep]

18 so busy that he had

19 If I see her

20 (Al)though she was sick

21 that they got[were, became] lost

22 Neither you nor she has

23 as well as a singer

| 오류 수정 |

24 or → and

25 I → I was

26 stands → stood

27 will be → is

28 hardly → hard

29 will get → gets

30 doesn't sell → sells

31 was → is

32 is → are

33 Neither → Either

34 not → but

35 don't → doesn't

---

24 해설 '…해라. 그러면 ~할 것이다'라는 뜻이므로 「명령문+and ~」 구문으로 써야 한다.

25 해설 접속사 while 뒤에는 「주어+동사」의 형태의 절이 와야 하므로 I 뒤에 동사 was를 써야 한다.

26 해설 주절과 시제를 일치시켜야 하므로 as soon as가 이끄는 부사절에서 과거형 동사 stood로 써야 한다.

27 해설 until이 이끄는 시간 부사절에서는 현재시제가 미래시제를 대신하므로 will be는 is로 써야 한다.

28 해설 '너무[아주] …해서 ~하다'라는 뜻은 「so … that ~」 구문으로 쓰는데, so와 that 사이에는 형용사나 부사의 원형이 와야 한다. hardly는 '거의 ~않다'라는 뜻의 부사이므로 hard(열심히)로 고쳐 쓴다.

29 해설 if가 이끄는 조건 부사절에서는 현재시제가 미래시제를 대신하므로 will get은 gets로 써야 한다.

30 해설 잘 팔린다고 했으므로 주절의 부정문을 긍정문으로 바꾼다.

31 해설 주절과 시제를 일치시켜야 하므로 부사절에서 현재형 동사 is를 써야 한다.

32 해설 「both A and B」는 주어로 쓰일 때는 복수 취급하므로 are가 알맞다.

33 해설 'A나 B 둘 중 하나'라는 뜻이므로 「either A or B」 구문을 사용해야 한다.

34 해설 'A가 아니라 B'라는 뜻은 「not A but B」로 쓴다.

35 해설 「not only A but also B」는 주어로 쓰일 때 동사의 수를 B(Stanley)에 일치시키므로 don't가 아니라 doesn't를 써야 한다.

| 문장 완성 |

36 While I am[I'm] driving
37 (that) Daniel is good at dancing
38 As soon as my brother bought the computer
39 both cooking and listening
40 Though she lives in Seoul
41 If you add blue
42 until the children stopped crying

| 문장 전환 |

43 If you take a bath
44 or you'll gain weight
45 that he can write his new book
46 so heavy, I cannot[can't] carry it
47 the guitar but (also) the drums
48 You can use neither the computer

| 대화 완성 |

49 While I was
50 so that I can get
51 but an English teacher
52 I hope that

43 해석 목욕하면 너는 훨씬 기분이 좋아질 거야.
44 해석 규칙적으로 운동해라. 그렇지 않으면 넌 살이 찔 거야.
45 해석 그는 새 책을 쓰기 위해 자료들을 찾고 있다.
46 해석 그 짐은 너무 무거워서 나는 들 수 없다.
47 해석 Emma는 기타뿐만 아니라 드럼도 칠 수 있다.
48 해석 너는 컴퓨터와 노트북 둘 다 사용할 수 없다.
49 해석 A: 프랑스 여행은 어땠니?
B: 좋았어. 내가 프랑스에 있는 동안 나는 박물관 몇 군데를 방문했어.
A: 좋았겠다.
50 해석 A: 나는 수학 시험을 못 봤어.
B: 너는 매일 공부해야 해.
A: 나는 다음번에 좋은 점수를 받을 수 있도록 열심히 공부할 거야.
51 해석 A: Brown 선생님은 피아노를 잘 치셔.
B: 멋지시다! 그는 음악을 가르치시니?
A: 아니, 그는 음악 선생님이 아니라 영어 선생님이셔. 가끔 우리에게 영어 노래들을 가르쳐주셔.
52 해석 A: 너 무슨 일 있니?
B: 나는 심한 감기에 걸렸어.
A: 곧 낫기를 바랄게.
B: 고마워.

53 (1) (Al)though she was sleepy
(2) If the weather is fine
(3) that I could not[couldn't] get on it
54 (1) ⓑ Neither you nor he likes
(2) ⓐ Both you and he are
(3) ⓒ Not only you but (also) he was
55 The concert was so poular that all the seats were booked.

53 해석 (1) 그녀는 졸리지만 열심히 시험공부를 했다.
(2) 날씨가 좋으면 나는 테니스 칠 거야.
(3) 그 버스는 아주 꽉 차서 나는 탈 수 없었다.
해설 (1) '(비록) ~이지만, ~라도'의 뜻으로 양보를 나타내는 접속사 although 또는 though가 이끄는 부사절을 써서 나타낸다.
(2) '만약 ~라면'이라는 뜻으로 조건을 나타내는 접속사 if가 이끄는 부사절을 쓴다. 조건의 부사절에서는 현재시제가 미래시제를 대신하므로, 동사를 현재형으로 쓰는 것에 유의한다.
(3) '너무[아주] …해서 ~하다'는 「so … that ~」 구문으로 쓴다.
54 해설 (1) 「neither A nor B」는 'A와 B 둘 다 아닌'이라는 뜻이다. A와 B의 문법적 형태는 같아야 하고, 주어로 쓰일 때 동사는 B에 일치시킨다.
(2) 「both A and B」는 'A와 B 둘 다'라는 뜻으로, 주어로 쓰일 때는 복수 취급한다.
(3) 「not only A but (also) B」는 'A뿐만 아니라 B도'라는 뜻이다. 주어로 쓰일 때 동사의 수를 B에 일치시킨다.
55 해설 '너무[아주] …해서 주어가 ~하다'라는 뜻이 되도록 「so+형용사+that+주어+동사」 구문으로 쓴다.

Unit 09   대명사와 형용사

09-01   some/any   p. 106

A 배열 영작

01 Do you have any good ideas?
02 There weren't any empty seats on the bus.
03 Camilla bought some clothes on the Internet.

B 문장 완성

01 had some bread
02 any questions
03 Do you want some apple juice

내신 기출

01 A: How about going shopping?
쇼핑 가는 거 어때?
B: I'm sorry, but I have some work to do.
미안하지만, 나는 할 일이 좀 있어.
02 A: Are you a vegetarian?
너는 채식주의자니?
B: Yes. I don't eat any meat.
응. 나는 고기를 전혀 먹지 않아.
03 A: Does Amy have any plans for this Sunday?
Amy는 이번 일요일에 계획이 좀 있니?
B: Yes, she is going to visit her grandparents.
응, 그녀는 조부모님을 방문할 예정이야.

A: Would you like some dessert?

후식을 좀 드시겠어요?

B: Yes, I'd like a waffle.

네, 와플을 주세요.

09-02 something/anything/nothing+형용사   p. 107

A 배열 영작

01 I saw something small in the woods.

02 I'm looking for someone diligent.

03 He didn't want to read anything boring.

B 문장 완성

01 anything wrong

02 nothing special

03 I want to eat something sour

내신 기출

01 I am bored. I want to do something interesting.

나는 지루해. 나는 무언가 재미있는 것을 하고 싶어.

02 The boy is buying a cake. He wants something sweet.

그 소년은 케이크를 사고 있다. 그는 어떤 달콤한 것을 원한다.

03 Tomorrow is Ann's birthday. Let's go to buy something nice for her.

내일은 Ann의 생일이야. 그녀를 위해 무언가 좋은 것을 사러 가자.

감정 피하기

The weather is very hot. He wants something cold to drink.

날씨가 매우 덥다. 그는 시원한 마실 것을 원한다.

09-03 few/little   p. 108

A 배열 영작

01 There are few places to ride a bike in our area.

02 This room gets little sunlight.

03 Mark spends little money on clothes.

B 문장 완성

01 There were few boats

02 have little snow

03 I have few friends

내신 기출

01 makes little noise

02 Few deer live

해설   deer은 단수형과 복수형의 형태가 같다. 여기서는 복수형으로 쓰였으며 셀 수 있는 명사의 복수형 앞에는 few를 써야 한다.

03 She had little time

감정 피하기

Few people know

09-04 a few/a little   p. 109

A 배열 영작

01 There is a little furniture in the living room.

02 He bought her a few roses.

03 I saw a few students in the library.

B 문장 완성

01 There were a few stars

02 found a few errors

03 gave me a little information[gave a little information to me]

내신 기출

01 A little → (A) Few

운동장에서 농구를 하고 있는 소년들이 좀 있다. / 운동장에서 농구를 하고 있는 소년들이 거의 없다.

해설   boy는 셀 수 있는 명사이므로 few 또는 a few와 함께 쓸 수 있다.

02 is[a few oranges] → are[an orange]

바구니에 오렌지가 좀 있다. / 바구니에 오렌지가 한 개 있다.

해설   복수형 명사 a few oranges에 맞게 are로 쓰거나 단수 동사 is에 맞게 an orange로 써야 한다.

03 a few → (a) little

그는 그 소년에게 약간의 돈을 주었다. / 그는 그 소년에게 돈을 거의 주지 않았다.

해설   money는 셀 수 없는 명사이므로 little 또는 a little과 함께 쓸 수 있다.

감정 피하기

book → books

책상 위에 책이 몇 권 있다.

해설   book은 셀 수 있는 명사이므로 a few 다음에 복수형으로 쓰여야 한다.

09-05 each/every/all   p. 110

A 배열 영작

01 Every person needs friends.

02 All my sisters like bread.

03 Each of the rooms has an air conditioner.

B 문장 완성

01 Each pen[Each of the pens]

02 All (of) their bikes

03 Every student was taking pictures

내신 기출

01 (the) players are[(of) the players are]

모든 선수들이 야구 모자를 쓰고 있다.

해설   all은 셀 수 있는 명사의 복수형과 함께 쓰이므로 각각 복수형 형태인 players, are로 고친다. 또는, 「all (of)+셀 수 있는 명사의 복수형+복수동사」 형태로 고친다.

02 girl was

모든 소녀들은 그를 봐서 행복했다.

해설 every는 셀 수 있는 명사의 단수형과 함께 쓰이므로 girl로 고치고, 단수 취급하므로 be동사도 was로 고친다.

03 child is[of the children is]

각각의 아이들은 얼음 위에서 스케이트를 타고 있다.

해설 each는 셀 수 있는 명사의 단수형과 함께 쓰이므로 child로 고치고, 단수 취급하므로 be동사도 is로 고친다. 또는, 「each of+셀 수 있는 명사의 복수형+단수동사」 형태로 써도 된다.

🎯 감점 피하기

students has

각각의 학생들은 자신들의 사물함을 가지고 있다.

해설 each of 뒤에는 「셀 수 있는 명사의 복수형+단수동사」 형태로 쓴다.

09-06 one/another/the other

p. 111

A 배열 영작

01 One is soccer, another is rugby, and the other is bowling.

02 One is from China, another is from Greece, and the other is from India.

B 문장 완성

01 One is, the other is yellow

02 One is jumping, the other is going

03 One was pizza, another was pasta, and the other was steak

내신 기출

01 There are two people next to the river. One is riding a bike, and the other is running.

강 옆에 두 사람이 있다. 한 명은 자전거를 타고 있고, 나머지 한 명은 달리고 있다.

02 There are three people. One is a doctor, another is an engineer, and the other is a businessman.

세 사람이 있다. 한 명은 의사이고, 다른 한 명은 엔지니어이고, 나머지 한 명은 회사원이다.

🎯 감점 피하기

A boy has two pets. One is a dog, and the other is a cat.

한 소년은 반려동물 두 마리를 기른다. 하나는 개이고, 나머지 하나는 고양이다.

09-07 물질명사의 수량 표현

p. 112

A 배열 영작

01 I ordered two cups of green tea.

02 She is eating a bowl of cereal.

03 He bought three bars of soap at a store.

B 문장 완성

01 three slices of cheese

02 a bowl of soup

03 Keith drinks a glass of milk every day

내신 기출

① six pieces[slices] of pizza

② three bottles of juice

③ two loaves of bread

④ a cup of coffee

🎯 감점 피하기

two spoonfuls of sugar

09-08 재귀대명사

p. 113

A 배열 영작

01 Olivia was proud of herself.

02 He tried to find the answer for himself.

03 Between ourselves, I think he likes Jenny.

B 문장 완성

01 take a walk by himself

02 beautiful in itself

03 I fixed my computer myself [I myself fixed my computer]

내신 기출

01 made her clothes herself [herself made her clothes]

02 They enjoyed themselves

🎯 감점 피하기

Help yourself to

내신 서술형 잡기 Unit 01~08

| Step 1 | 기본 다지기

p. 114

| 배열 영작 |

01 Are there any flat shoes in the store?

02 I picked up something strange on the street.

03 There are few books on the bookshelf.

04 You need to rest for a few days.

05 Each room is full of flowers.

06 One is white, and the other is brown.

07 Could you give me a glass of water?

08 The girl likes to look at herself in the mirror.

| 빈칸 완성 |

09 Some children

10 something wrong

11 little time

12 a little money

13 Every student knows[All students know]

14 One is, the other is

15 two loaves of bread
16 by yourself

| 오류 수정 |

17 some → any
18 warm something → something warm
19 student → students
20 a few → a little[some]
21 receive → receives
22 another → the other
23 cup of teas → cups of tea
24 him → himself

17 해설　부정문에서는 some이 아니라 any를 쓴다.
18 해설　-thing으로 끝나는 대명사는 형용사가 대명사 뒤에 온다.
19 해설　few 뒤에는 셀 수 있는 명사의 복수형이 온다.
20 해설　advice는 셀 수 없는 명사이고 긍정의 의미이므로 a little 또는 some으로 써야 한다.
21 해설　「each of+복수명사」는 단수 취급하므로 동사를 단수형으로 써야 한다.
22 해설　둘 중 하나는 one, 다른 하나는 the other로 나타낸다.
23 해설　tea는 물질명사이므로, 단위를 나타내는 cup을 써서 수량을 나타내고, 두 잔 이상인 경우 용기의 복수형 cups를 써서 나타낸다.
24 해설 · 주어와 목적어가 같으므로 재귀대명사 himself로 써야 한다.

| 문장 완성 |

25 like some coffee
26 Each bench[Each of the benches], is
27 has few leaves
28 There is[There's] nothing unique
29 One is a skirt, another is a jacket, the other is a sweater

| 문장 전환 |

30 There are not[aren't] any vegetables in the fridge.
31 I did something exciting at the festival.
32 I had little time to read.
33 There are three bottles of wine on the table.
34 Every child is crazy about toys.

| 대화 완성 |

35 any food, Help yourself to
36 One is, the other is
37 something spicy, glass of

30 해설　냉장고에 채소가 전혀 없다.
31 해설　나는 축제에서 신나는 무언가를 했다.
32 해설　나는 독서할 시간이 거의 없다.
33 해설　탁자 위에 와인이 세 병 있다.
34 해설　모든 아이는 장난감을 아주 좋아한다.
35 해설　A: 나 배가 너무 고파. 먹을 게 좀 있니?
　　　　B: 냉장고에 있는 음식을 마음껏 먹어.
　　　　A: 고마워.

36 해설　A: Jake는 반려동물을 키우니?
　　　　B: 응. 그는 두 마리를 키워. 하나는 햄스터고, 나머지 하나는 이구아나야.
　　　　A: 나는 그것들을 보고 싶어.
　　　　B: 내일 그의 집에 가자.
37 해설　A: 나 무언가 매운 것을 먹고 싶어.
　　　　B: 매운 거? 너 스트레스 받고 있니?
　　　　A: 응. 나는 할 일이 너무 많아!
　　　　B: 좋아. 매운 치킨을 좀 주문하자. 그래도 물 한 잔은 근처에 둬. 너는 그게 필요할 거야!

38 Picasso painted himself over 76 years.
39 One is playing the violin[piano], and the other is playing the piano[violin].
40 (1) three bars of soap
　　(2) two sheets[pieces] of paper
　　(3) four slices[pieces] of cheese

38 해설　주어와 목적어가 같은 사람이므로 Picasso를 나타내는 재귀대명사 himself를 목적어 자리에 쓴다.
39 해설　A: 두 아이들은 무엇을 하고 있나요?
　　　　B: 한 명은 바이올린(피아노)을 연주하고 있고, 다른 한 명은 피아노(바이올린)를 연주하고 있어요.
　　해설　둘 중 하나는 one, 나머지 하나는 the other로 나타낸다.
40 해설　A: 우리는 비누 세 개를 사야 해.
　　　　B: 나는 종이 두 장과 치즈 네 장이 필요해.
　　해설　soap, paper, cheese는 셀 수 없는 명사이므로, 각각 bar, sheet[piece], slice(얇게 썰어진 경우)라는 단위를 나타내는 말을 써서 수량을 나타낸다. 두 개 이상일 경우 단위를 나타내는 말을 복수형으로 쓴다.

Unit 10　비교

10-01　원급　p. 117

A 배열 영작

01 I sing as well as she does.
02 A bike isn't so expensive as a car.
03 The theater is as small as my classroom.

B 문장 완성

01 as tall as
02 as[so] beautiful as
03 Kevin studies as hard as I (do) [Kevin studies as hard as me]

| 내신 기출 |

01 Today is as hot as yesterday (was).
02 Ted is as handsome as Jason (is).
03 My brother is not[isn't] as[so] strong as my uncle (is).

🔊 감점 피하기

Kate knows as much as her sister (does)

10-02 원급 표현 「배수사+as ~ as」 p. 118

A 배열 영작

01 This hat is twice as good as that one.

02 The elephant is three times as heavy as the giraffe.

03 Amy ate twice as much food as I did.

B 문장 완성

01 four times as big as

02 three times as fast as

03 This building is five times as high as that building (is)

내신 기출

이름 \ 기록	골	어시스트	프리킥	파울
Harry	8	6	4	3
Bruno	4	3	1	9

01 Bruno scored half as many goals as Harry did.

　Bruno는 Harry보다 절반의 골을 득점했다.

02 Harry made twice as many assists as Bruno did.

　Harry는 Bruno보다 2배 많게 어시스트를 했다.

03 Harry made four times as many free kicks as Bruno did.

　Harry는 Bruno보다 4배 많게 프리킥을 만들어 냈다.

🔊 감점 피하기

Bruno made three times as many fouls as Harry did.

Bruno는 Harry보다 3배 많은 파울을 했다.

10-03 비교급 표현 「less ~ than」 p. 119

A 배열 영작

01 My desk is less dirty than yours.

02 Lemons are less sweet than apples.

03 The game was less interesting than I thought.

B 문장 완성

01 less slowly than

02 are less popular than

03 Cats are less active than dogs

내신 기출

01 eats less vegetables than

02 is less heavy than

🔊 감점 피하기

grew less tall than

10-04 비교급 표현 「비교급+and+비교급」 p. 120

A 배열 영작

01 The world is becoming smaller and smaller.

02 She is getting better and better at tennis.

03 The lecture was getting more and more boring.

B 문장 완성

01 stronger and stronger

02 bigger and bigger

03 My grades are getting higher and higher

내신 기출

01 It is already November. It's getting colder and colder outside.

　벌써 11월이다. 밖은 점점 더 추워지고 있다.

02 My eyesight is becoming worse and worse.

　나의 시력이 점점 더 나빠지고 있다.

03 The bus ran more and more slowly.

　그 버스는 점점 더 천천히 달렸다.

04 Prices are getting higher and higher every year.

　물가가 매년 점점 더 높아지고 있다.

🔊 감점 피하기

My cousin is already 4 years old. He is getting taller and taller.

나의 사촌은 벌써 4살이다. 그는 점점 더 키가 커지고 있다.

10-05 비교급 표현 「Which/Who+동사+비교급, A or B?」 p. 121

A 배열 영작

01 Which is more popular, soccer or baseball?

02 Which is better for eyesight, the carrot or the potato?

03 Which runs faster, a lion or a rabbit?

B 문장 완성

01 Who is more handsome

02 Which animal lives longer

03 Which is bigger, the sun or the earth

내신 기출

01 A: Which is larger, the Pacific Ocean or the Indian Ocean?

　태평양과 인도양 중 어느 것이 더 크니?

　B: The Pacific Ocean is larger.

　태평양이 더 커.

02 A: Who ate more cookies, Harry or William?

　Harry와 William 중 누가 더 많은 과자를 먹었니?

　B: William ate more cookies.

　William이 더 많은 과자를 먹었어.

03 A: Which fruit is sweeter, the banana or the mango?

　바나나와 망고 중 어느 과일이 더 달콤하니?

　B: The mango is sweeter.

　망고가 더 달콤해.

A: Who was faster in the race, Eric or Jack?

Eric과 Jack 중 누가 경주에서 더 빨랐니?

B: Eric was faster.

Eric이 더 빨랐어.

10-06 최상급 표현 「one of the+최상급+복수명사」 p. 122

A 배열 영작

01 One of the tallest animals is the giraffe.

[The giraffe is one of the tallest animals.]

02 Finland is one of the happiest countries in the world.

[One of the happiest countries in the world is Finland.]

B 문장 완성

01 one of the most wonderful shows

02 one of the hottest cities

03 Basketball is one of the most popular sports in the world

내신 기출

01 most longest → longest

나일강은 세계에서 가장 긴 강 중 하나이다.

해설 long의 최상급은 longest이다. most는 2음절 이상의 형용사 앞에서 쓴다.

02 country → countries

그리스는 방문하기에 가장 아름다운 나라 중 하나이다.

해설 「one of the+최상급+복수명사」의 구조가 되어야 하므로 countries 가 알맞다.

03 most large → largest

그것은 한국에서 가장 큰 시장 중 하나이다.

해설 large의 최상급은 largest이다.

🎯 감점 피하기

are → is

가장 인기 있는 음악 장르 중 하나는 재즈이다.

해설 「one of the+최상급+복수명사」 구문이 주어로 쓰인 문장이므로 one에 맞춰 단수동사 is가 와야 한다.

내신 서술형 잡기 Unit 01~06

Step 1 기본 다지기 p. 123

| 배열 영작 |

01 Frank isn't as diligent as Chris.

02 Her cellphone is twice as expensive as mine.

03 You go shopping less often than I do.

04 The marathoner ran faster and faster.

05 Which is cheaper, an apple or a pear?

06 Dave is one of the tallest boys in his class.

| 빈칸 완성 |

07 as fast as

08 three times as much as

09 less famous than

10 taller[bigger] and taller[bigger]

11 Which is easier

12 one of the longest rivers

| 오류 수정 |

13 do → does

14 than → as

15 less more → less

16 worst → worse

17 the more → more

18 band → bands

13 해설 비교 대상인 Lisa에 수를 일치시켜 3인칭 단수형 조동사 does로 써야 한다.

14 해설 '…보다 몇 배 더 ~한'이라는 의미는 「배수사+as+형용사의 원급+as」 구문으로 나타낸다.

15 해설 '…보다 덜 ~한'이라는 의미는 「less+형용사의 원급+than」 구문으로 나타낸다.

16 해설 '점점 더 ~한'이라는 의미는 「비교급+and+비교급」 구문으로 나타낸다.

17 해설 'A와 B 중에서 어느 것이 더 ~한가요?'라는 의미는 「Which+동사+비교급, A or B?」로 나타낸다. 비교급 앞에는 the를 쓰지 않는다.

18 해설 '가장 ~한 … 중 하나'라는 의미는 「one of the+최상급+복수명사」 구문으로 나타낸다.

Step 2 응용하기 p. 124

| 문장 완성 |

19 less difficult than

20 four times as expensive as

21 as late as

22 Who plays the piano better

23 Which is quicker

24 one of the coldest places

25 more and more slowly

| 문장 전환 |

26 Busan is less cold than Seoul in winter.

27 He donated twice as much as she (did).

[He donated twice as much as her.]

28 This is one of the best scenes in the movie.

29 Your room is as big as my room (is).

[Your room is as big as mine.]

30 The space industry is getting bigger and bigger.

31 Which is more interesting, the movie or the musical?

| 대화 완성 |

32 as fast as

33 harder, harder

34 Who is, taller than, the tallest

35 the most interesting books

26 해석 겨울에 부산은 서울보다 덜 춥다.

27 해석 그는 그녀보다 2배 더 많이 기부했다.

28 해석 이것은 그 영화에서 가장 좋은 장면 중 하나이다.

29 해석 너의 방은 내 방(내 것)만큼 크다.

30 해석 우주 산업은 점점 더 커지고 있다.

31 해석 영화와 뮤지컬 중 어느 것이 더 재미있니?

32 해석 A: 바쁜 도시에서 자전거를 타는 것은 자동차를 운전하는 것보다 2배 더 빨라요.

B: 또한 자전거는 자동차보다 훨씬 더 저렴하죠.

33 해석 A: 비가 와. 저 동굴 안으로 가자.

B: 그래야 해! 비가 점점 너 세시고 있어.

34 해석 A: 민수와 지호 중 누가 더 키가 크니?

B: 민수야. 그리고 민수는 수지보다도 훨씬 더 키가 커.

A: 아, 민수가 셋 중에 가장 키가 크구나.

35 해석 A: 이 책 재미있니?

B: 응. 이것은 내가 읽어본 가장 재미있는 책 중 하나야.

A: 그럼 나도 읽고 싶어!

B: 나는 복사본이 두 권 있어. 너에게 하나 줄게.

Step 3 고난도 도전하기 p. 125

36 (1) The lion is as heavy as the tiger (is).
(2) The tiger runs less fast than the lion (does).

37 ⓔ → houses

38 It is getting brighter and brighter.

39 Which is more important, as important as

36 해석

	사자	호랑이
무게	100kg	100kg
속도	80km/h	50km/h

(1) Q: 사자와 호랑이 중 어느 것이 더 무겁나요?
A: 사자는 호랑이만큼 무겁다.

(2) Q: 사자와 호랑이 중 어느 것이 더 빨리 달리나요?
A: 호랑이가 사자보다 덜 빨리 달린다.

해설 (1) 「as+형용사의 원급+as」 구문을 활용하여 나타낸다.

(2) 50 km/h로 호랑이가 사자보다 더 느리게 달리므로 The tiger를 주어로 「less +부사의 원급+than」 구문을 활용하여 나타낸다.

37 해석 그의 집과 내 집 중 어느 것이 더 클까? 그의 집은 내 집만큼 크지는 않지만, 더 아름답다. 그의 집은 우리 마을에서 가장 아름다운 집 중 하나이다.

해설 「one of the+최상급+복수명사」의 형태가 되어야 하므로 ⓔ는 복수명사 houses로 써야 한다.

38 해석 '점점 더 ~한'이라는 뜻은 「비교급+and+비교급」 구문으로 나타낸다.

39 해석 A: 시간과 돈 중 어느 것이 더 중요하니?

B: 나는 시간이 돈만큼 중요하다고 생각해.

해설 「Which+is+비교급. A or B?」: 'A와 B 중에서 어느 것이 더 ~한가요?' 「as+형용사의 원급+as」: '…만큼 ~한'

Unit 11 의문사 주요 구문

11-01 간접의문문 p. 126

A 배열 영작

01 Tell me why Jessica looks so sad.

02 She knows when the store opens.

03 They asked me where the restroom was.

B 문장 완성

01 who wrote this letter

02 what I should bring

03 I want to know where his house[home] is

내신 기출

01 Tell me what your name is.
당신의 성함이 무엇인지 알려주세요.

02 I don't know what made you angry.
나는 무엇이 너를 화나게 했는지 모르겠다.

03 My parents asked me why I spent so much money on it.
나의 부모님은 내가 그것에 왜 그렇게 많은 돈을 썼는지 물으셨다.

🎯 감점 피하기

I know how this machine works.
나는 이 기계가 어떻게 작동하는지 안다.

11-02 간접의문문 「Do you know+의문사」 구문 p. 127

A 배열 영작

01 Do you know who he is?

02 Can you tell me how you made this bag?

03 Do you know what time we should meet?

B 문장 완성

01 why she is[she's] crying

02 Where do you think Tom is going

03 Can you tell me when the store opens

내신 기출

01 Do you know where she lives?
그녀가 어디에 사는지 아니?

02 Can you tell me where the nearest bus stop is?
가장 가까운 버스 정류장이 어디에 있는지 알려주시겠어요?

03 Do you know what he ate for dinner?
그가 저녁으로 무엇을 먹었는지 아니?

🎯 감점 피하기

Do you know who went to the bank?
당신은 누가 은행에 갔는지 아시나요?

11-03 what 주요 구문　　p. 128

A 배열 영작

01 What train is Emma on now?
02 What grade are you in?
03 What gift did he choose for his parents?

B 문장 완성

01 What bus should I take
02 What topic did we discuss
03 What city did you visit last year

내신 기출

01 A: What flight should she take to go to New York?
　　그녀가 뉴욕으로 가려면 어느 비행기를 타야 하나요?
　B: She should take flight A01623.
　　그녀는 A01623편을 타야 해요.
02 A: What gate does the flight leave from?
　　비행기가 어느 게이트에서 출발하나요?
　B: The flight leaves from gate 7.
　　비행기는 7번 게이트에서 출발해요.
03 A: What city did she depart from?
　　그녀가 어느 도시에서 출발했나요?
　B: She departed from Sydney.
　　그녀는 시드니에서 출발했어요.

감점 피하기
A: What time will she arrive in New York?
　그녀는 뉴욕에 몇 시에 도착할까요?
B: She will arrive at 4:20 p.m.
　그녀는 오후 4시 20분에 도착할 거예요.

11-04 which 주요 구문　　p. 129

A 배열 영작

01 Which season do you prefer, summer or winter?
02 Which do they prefer, country life or city life?

B 문장 완성

01 Which seat do you prefer
02 Which do you prefer, skydiving
03 Which you do prefer, daytime or nighttime?

내신 기출

01 Which sport does he prefer, basketball or soccer?
02 Which food do you prefer, pizza or pasta?

감점 피하기
Which do you prefer, dancing or singing?

11-05 how 주요 구문　　p. 130

A 배열 영작

01 How often do you walk to school?
02 How often do traffic accidents happen in Seoul?
03 How often does he go to the dentist?

B 문장 완성

01 How often does she buy
02 How often did they go
03 How often do you drink milk

내신 기출

01 How often do you exercise, every two days
02 How often does she watch TV, twice a week
03 How often does he go shopping, once a month

감점 피하기
How often do you visit temples, every two years

내신 서술형 잡기　　Unit 01~05

Step 1　기본 다지기　　p. 131

| 배열 영작 |

01 Do you know how the story ended?
02 Tell me what your hobby is.
03 What kind of car does he drive?
04 Which do you prefer, a package tour or an individual trip?
05 Which color do you prefer, black or white?
06 How often does she listen to music?

| 빈칸 완성 |

07 when they built
08 how old your pet is
09 where the school is
10 What[Which] song
11 Which do you prefer, or
12 Which city, prefer, or
13 How often do you drink

| 오류 수정 |

14 does he come → he comes
15 would his family → his family would
16 wrong is → is wrong
17 How → What[Which]
18 and → or
19 many → often
20 day → days

14 해설 간접의문문은 「의문사+주어+동사」의 어순으로 써야 하고, 의문문에 있던 조동사(does)가 없어지면서 동사를 주어와 시제에 일치시켜야 한다.

15 해설 간접의문문은 「의문사+주어+동사」의 어순이 되어야 한다. 의미를 가지고 있는 조동사(would)는 함께 써준다.

16 해설 의문사 what이 주어로 쓰였으므로 간접의문문은 「의문사+동사」의 형태로 쓴다.

17 해설 '어느, 어떤'이라는 뜻의 의문사 what 또는 which가 의문 형용사로 쓰여 뒤에 오는 명사를 꾸미는 「What[Which]+명사 ～?」 구문이다.

18 해설 「Which do you prefer, A or B?」: 너는 A와 B 중 어느 것을 더 좋아하니?

19 해설 「How often+do[does]+주어+동사 ～?」: 주어는 얼마나 자주 ～을 하니?

20 해설 '～마다'라고 빈도를 말할 때는 'every+기수+복수명사」로 써야 한다.

| Step **2** | 응용하기 | p. 132 |

| 문장 완성 |

21 when the musical starts
22 How often does he clean
23 where we are[we're] going
24 Which do you prefer, or
25 What color do you like
26 how she made
27 How often do you feed

| 문장 전환 |

28 What size does she wear
29 How often does he go swimming
30 Which do you prefer, coffee or tea
31 Do you know where he bought the food
32 What kind of movies do you like (the) best

| 대화 완성 |

33 what you want to be, What kind(s)
34 How often, What kind(s)
35 what he was wearing, what color, was

28 해석 A: 그녀는 몇 사이즈를 입니?
B: 그녀는 7 사이즈를 입어.

29 해석 A: 그는 얼마나 자주 수영하러 가니?
B: 그는 매일 수영하러 가.

30 해석 A: 너는 커피와 차 중 어떤 것을 더 좋아하니?
B: 나는 커피를 더 좋아해.

31 해석 A: 그가 그 음식을 어디에서 샀는지 아니?
B: 그는 시장에서 그 음식을 샀어.

32 해석 A: 너는 어떤 종류의 영화를 가장 좋아하니?
B: 나는 액션 영화를 가장 좋아해.

33 해석 A: 당신이 장래에 무엇이 되고 싶은지 말해주세요.
B: 저는 작가가 되고 싶어요.
A: 당신은 어떤 종류의 책을 쓰고 싶은가요?
B: 저는 역사 소설을 쓰고 싶어요.

34 해석 A: 너희 아버지는 얼마나 자주 요리하시니?
B: 그는 일주일에 한 번 요리하셔.
A: 어떤 종류의 음식을 요리하시니?
B: 보통 스테이크나 파스타를 요리하셔.

35 해석 A: 그 남자가 무엇을 입고 있었는지 말해주시겠어요?
B: 저는 그가 무엇을 입고 있었는지 기억나지 않아요.

A: 그의 머리카락 색이 무슨 색이었는지 아세요?
B: 음. 회색이었던 거 같아요.

| Step **3** | 고난도 도전하기 | p. 133 |

36 (1) when the concert is
(2) how she can go there
(3) what time she[Kate] will[she'll] come home
37 (1) Which music do you prefer, jazz or rock?
(2) Which do you prefer, taking a shower or (taking a) bath?
38 ⓒ → where she lives
39 (1) How often do they clean their house
(2) How often does your family go camping
(3) How often do you wash your dog

36 해석 (1) 아빠: 그 콘서트는 언제니?
Kate: 이번 주 금요일 저녁 7시예요.
→ 아빠는 그녀에게 그 콘서트가 언제인지 묻는다.
(2) 아빠: 너는 그곳에 어떻게 갈거니?
Kate: 저도 모르겠어요.
→ Kate는 그곳에 어떻게 갈 수 있는지 모른다.
(3) 아빠: 집에 언제 올 거니?
Kate: 집에 저녁 열시까지 올게요.
→ 아빠는 그녀(Kate)가 몇 시에 집에 올지 알고 싶어 한다.

해설 의문사가 있는 문장을 간접의문문으로 쓸 때는 「의문사+주어+동사」의 어순으로 쓴다.

37 해설 '너는 A와 B 중 어느 것을(명사를) 더 좋아하니?'라는 뜻으로 「Which(+명사) do you prefer, A or B?」 구문을 쓴다.

38 해석 한 소녀가 시장에서 울고 있다. 한 경찰관이 다가와 그녀에게 이름이 무엇인지 묻는다. 그는 그녀에게 몇 살인지 묻는다. 그는 그녀가 어디에 사는지 묻는다. 그녀는 자신의 부모님이 어디에 계시는지 알고 싶어 한다. 그녀는 언제 그들을 마지막으로 봤는지 기억하지 못한다.

해설 간접의문문은 「의문사+주어+동사」의 평서문 어순으로 써야 하므로 ⓒ에서 의문사 where이 이끄는 절에 있던 조동사 does를 없애고 동사 live를 주어와 시제에 일치시켜 where she lives로 쓴다.

39 해석 (1) A: 그들은 얼마나 자주 집을 청소하니?
B: 그들은 이틀마다 집을 청소해.
(2) A: 너희 가족은 얼마나 자주 캠핑을 가니?
B: 나의 가족은 한 달에 한 번 캠핑을 가.
(3) A: 너는 얼마나 자주 네 개를 씻기니?
B: 나는 일주일에 두 번 내 개를 씻겨.

해설 '주어는 얼마나 자주 ～을 하니?'라는 뜻으로 빈도를 물을 때는 「How often+do[does]+주어+동사 ～?」 구문을 쓴다.

중학
영어

쓰작

쓰기 + 작문

2

___

정답 및 해설

서술형 WORKBOOK

01-01 현재진행형 긍정문
p. 6

A 01 My father is taking me to the station.
02 Two girls are smiling at each other.
03 Mike is playing baseball on the playground.
04 I am having lunch with my friends.

B 01 Lena is posting her pictures
02 The train is leaving
03 I am[I'm] preparing dinner
04 She is[She's] coming to my house[home]

C 01 He is[He's] moving the luggage to his room.
그는 자신의 방으로 짐을 옮기고 있다.
02 The rabbits are running in the field.
그 토끼들은 들판을 달리고 있다.
03 They are[They're] riding bikes along the river.
그들은 강을 따라서 자전거를 타고 있다.

01-02 현재진행형 부정문/의문문
p. 7

A 01 I am not learning Chinese now.
02 Are you planning to take part in the experiment?
03 He is not listening to the radio in his room.
04 Where are Alice and Lily talking?

B 01 are not[aren't] having lunch
02 Is your father reading a newspaper
03 is waiting for her
04 Julia is not[isn't] wearing a sweater

C 01 A: Does she have an exam tomorrow?
그녀는 내일 시험이 있니?
B: Yes. But she is not[isn't] studying now.
응. 하지만 그녀는 지금 공부하고 있지 않아.
02 A: Are you making a pizza?
너는 피자를 만들고 있니?
B: Yes, I am.
응, 그래.
03 A: What is he fixing now?
그는 지금 무엇을 고치고 있니?
B: He is fixing his computer.
그는 자신의 컴퓨터를 고치고 있어.

01-03 과거진행형 긍정문
p. 8

A 01 He was living on Jeju Island at that time.
02 We were walking across the street.
03 I was making chicken sandwiches.
04 A strong wind was blowing outside.

B 01 We were putting clothes
02 My teacher was explaining
03 I was taking a piano lesson
04 They were working at a hospital

C
| 나: 안녕, 얘들아. 누가 우리 집에 오고 있니? 나는 파스타를 요리하고 있어. (오후 1시) | **Helen:** 나는 Eric과 가고 있어. 우리는 아이스크림을 사는 중이야. 우리는 10분 후에 그곳에 도착할 거야. (오후 1시 5분) | **David:** 미안하지만, 난 갈 수 없어. 나는 지금 엄마를 도와드리고 있어. (오후 1시 20분) |

01 Kevin was cooking pasta.
Kevin은 파스타를 요리하고 있었다.
02 Helen and Eric were buying ice cream.
Helen과 Eric은 아이스크림을 사고 있었다.
03 David was helping his mother[mom] then.
David는 그때 자신의 어머니를 돕고 있었다.

01-04 과거진행형 부정문/의문문
p. 9

A 01 It wasn't raining then.
02 Was my dog barking at somebody?
03 They were not writing books.
04 Was he wearing a blue coat at that time?

B 01 was not[wasn't] listening to
02 were not[weren't] baking cookies
03 were you looking for
04 Was he washing the dishes with you

C 01 A: Was she making coffee this morning?
그녀는 오늘 아침에 커피를 만들고 있었니?
B: Yes, she was.
응, 그랬어.
02 A: Where were they taking you?
그들은 너를 어디에 데리고 가고 있었니?
B: They were taking me to the museum.
그들은 나를 박물관에 데리고 가고 있었어.
03 A: Were you volunteering at 1 p.m.?
너는 오후 1시에 자원봉사를 하고 있었니?
B: No, I wasn't. I started at 2 p.m.
아니, 그러지 않았어. 나는 오후 2시에 시작했어.

01-05 현재완료 (경험)
p. 10

A 01 I have seen that star in the sky.
02 She has met James before.
03 I have been late for school twice.
04 Tony has eaten *japchae* in Korea.

B 01 I have heard of the story
02 They have been to the library
03 Mr. Louis has made kimchi
04 I have thought about my future

	이름	경험
01	지원	바다에서 수영하기
02	유민	토끼 기르기
03	소윤	한라산 오르기

01 has swum in the sea
02 has had a rabbit
03 has climbed Mt. Halla

01-06 현재완료 (계속) p. 11

A 01 My son has been sick for a week.
02 I have lived in Busan for six years.
03 The bookstore has been open since last month.
04 Justin has played table tennis for a year.

B 01 Tracy and I have known each other
02 My sister has lost weight
03 They have run the restaurant
04 My grandmother[grandma] has drawn pictures

C 01 have taken care of the dog since
02 have been friends for
03 has worked at the bank since

01-07 현재완료 (완료) p. 12

A 01 I have just come back from jogging.
02 She has already won the dance contest.
03 My nephew has already taken his first steps.
04 My parents have just arrived in Seoul.

B 01 has already cooked some food
02 has just called a taxi
03 have already checked his house[home]
04 I have just heard the story about them

C

	민호의 할 일 목록	
01	숙제 끝내기	○
02	세진이에게 이메일 보내기	○
03	쿠키 굽기	×

01 Minho has just finished his homework.
민호는 방금 자신의 숙제를 끝냈다.
02 He has already sent an email to Sejin.
그는 벌써 세진이에게 이메일을 보냈다.
03 Minho has not[hasn't] baked cookies yet.
민호는 아직 쿠키를 굽지 않았다.

01-08 현재완료 (결과) p. 13

A 01 Stella has finished her project.
02 The coffee has gone cold.
03 He has lost his passport in the airport.
04 I have thrown away all the old books.

B 01 have left my wallet
02 has won the game
03 have forgotten the password
04 He has found his ball in the park

C 01 My brother has broken my computer.
02 My dog has hurt his legs.
03 Kate has gone to New York.

01-09 현재완료 부정문 p. 14

A 01 The egg has not hatched yet.
02 He hasn't bought music online.
03 Jack hasn't broken his promise.
04 I have not seen her since last week.

B 01 has not[hasn't] come to school
02 has not[hasn't] won
03 have not[haven't] gone to the library
04 We have never eaten kebabs

C 01 wasn't rain → hasn't rained
지난달 이후로 비가 오지 않았다.
해설 지난달 이후로 계속 비가 오지 않은 상황이므로 계속을 나타내는 현재완료 시제로 써야 한다.
02 haven't gone → didn't go
나는 어제 등산을 가지 않았다.
해설 yesterday는 과거를 나타내는 부사이므로 현재완료 시제와 함께 쓸 수 없다.
03 doesn't change → hasn't changed
이 장소는 10년 동안 많이 변하지 않았다.
해설 10년 동안 계속 그 장소가 많이 변하지 않은 상황이므로 계속을 나타내는 현재완료 시제로 써야 한다.

01-10 현재완료 의문문 p. 15

A 01 Have you ever drunk carrot juice?
02 Have you played soccer for ten years?
03 Has his sister volunteered before?
04 Where have you been all day?

B 01 Have you (ever) broken
02 Have you (ever) been
03 Has Dylan lived here
04 Has Joe left his office yet

C 01 A: Have you (ever) visited the museum?
너는 그 박물관을 방문한 적이 있니?
B: Yes, I have visited it twice.
응. 나는 두 번 그곳을 방문했어.
02 A: Has the train arrived at the station?
그 열차가 역에 도착했니?
B: No, it hasn't arrived yet.
아니. 아직 도착하지 않았어.
03 A: Has your sister lost her hat?
네 여동생은 자신의 모자를 잃어버렸니?
B: Yes, she has lost it.
응. 그녀는 그것을 잃어버렸어.

02-01 감각동사+형용사 p. 16

A 01 Her song sounds very beautiful.
　02 This food tastes really delicious.
　03 Your cheeks look like peaches.
　04 This cloth feels soft but it's too thin.

B 01 smells good
　02 tasted sour
　03 look nice
　04 Your voice sounds different

C 01 nicely → nice
　해석　바구니 속 빵은 좋은 냄새가 난다.
　해설　smells 뒤에는 형용사 nice가 와야 한다. nicely(좋게)는 부사형이다.
　02 looks → looks like
　해석　이 바위는 거북이처럼 보인다.
　해설　looks 뒤에 명사 a turtle이 나오므로 전치사 like를 함께 써야 한다.
　03 well, salt → good, salty
　해석　그 수프는 맛이 좋지만 조금 짜다.
　해설　taste 뒤에는 형용사 good, salty가 와야 한다. well은 형용사로 쓰이면 '건강한'이라는 뜻이므로 내용상 어색하고, salt(소금)는 명사이다.

02-02 수여동사+직접목적어+전치사+간접목적어 p. 17

A 01 She gave some food to the cats.
　02 Could I get some dessert for you?
　03 The thief told a lie to the police.
　04 This app found the shortest way for us.

B 01 lent my umbrella to
　02 will buy a tuna sandwich for
　03 sent his picture to
　04 Susie made blueberry muffins for her parents

C 01 Can I ask a favor of you?
　너에게 부탁 하나 해도 될까?
　02 Maggie showed her smartwatch to me.
　Maggie는 나에게 자신의 스마트워치를 보여주었다.
　03 I cooked chicken soup for Kate yesterday.
　나는 어제 Kate에게 닭고기 수프를 요리해주었다.

02-03 동사+목적어+목적격 보어(명사) p. 18

A 01 My grandmother calls me "Puppy."
　02 She found the plan a success.
　03 My father made me the best soccer player.
　04 The judge thinks the man a criminal.

B 01 keep it a surprise
　02 thought Brian a kind boy

03 call him a genius pianist
04 He named his hamster Hamzzi

C 01 He is always smiling, so people call him Happy Harry.
　그는 항상 미소 짓고 있어서, 사람들은 그를 'Happy Harry'라고 부른다.
　02 John has leadership skills, so students elected him[John] president of the club.
　John은 리더십 기술이 있어서, 학생들은 그(John)를 동아리 회장으로 선출했다.
　03 Emma had an amazing memory, so her parents found her[Emma] a genius.
　Emma는 놀라운 기억력을 가지고 있어서, 그녀의 부모는 그녀(Emma)가 천재라는 것을 알게 되었다.

02-04 동사+목적어+목적격 보어(형용사) p. 19

A 01 I found the cartoon funny.
　02 A lot of homework makes us tired.
　03 You must keep the food cold.
　04 I thought the painting beautiful.

B 01 left the windows open
　02 kept them safe
　03 made me strong
　04 She found the song difficult

C 01 A: My desk is messy, so I can't find my report.
　　내 책상이 지저분해서, 내 보고서를 찾을 수 없어.
　　B: You should keep it[your desk] clean.
　　너는 그것(네 책상)을 깨끗하게 유지해야 해.
　02 A: Ricky won first place in a quiz contest.
　　Ricky가 퀴즈 대회에서 1등을 했어.
　　B: Really? People will consider him[Ricky] smart.
　　정말? 사람들이 그(Ricky)를 똑똑하다고 생각하겠다.
　03 A: I'm a little tired today, but I'm going to exercise.
　　나는 오늘 좀 피곤하지만, 운동하러 갈 거야.
　　B: Good. Exercise makes you healthy.
　　좋아. 운동은 너를 건강하게 만들어.

02-05 동사+목적어+목적격 보어(to부정사) p. 20

A 01 I want Lisa to dance with me.
　02 She told her son to lock the door.
　03 He advised his wife to drive slowly.
　04 Dave asked me to prepare some food.

B 01 wants me to be
　02 told us to go
　03 asked me to share
　04 People expected the boy to walk

C
White 선생님: 학생 여러분, 수업 시간에 제 때 오세요.
경찰관: Joe, 건물에서 나가.
엄마: 지수야, 시험공부를 열심히 하렴.

01 Mr. White told the students[them] to be on time for class.
White 선생님은 학생들(그들)에게 수업 시간에 제때 오라고 말했다.

02 The police officer ordered Joe[him] to get out of the building.
그 경찰관은 Joe(그)에게 건물에서 나가라고 명령했다.

03 Mom wanted Jisu[her] to study hard for the exams.
엄마는 지수(그녀)가 시험공부를 열심히 하기를 원했다.

03 I helped her copy the book.
04 Could you help me to find a book?

B 01 helped him (to) plant
02 helped me (to) fix
03 will help him (to) earn
04 I help her (to) exercise

C 01 her aunt (to) make kimchi
02 his brother (to) solve math problems
03 me (to) sleep well

02-06 지각동사＋목적어＋목적격 보어 p. 21

A 01 He heard his son cry in the morning.
02 I saw a cat eating fish.
03 Bella felt a bug biting her.
04 He listened to something move outside.

B 01 saw her make[making]
02 watched the children build[building]
03 heard his sister play[playing] the cello
04 I felt the ground shake[shaking]

C 01 I heard Julie talk[talking] on the phone.
나는 Julie가 전화로 이야기하는(이야기 하고 있는) 것을 들었다.

02 I'm watching the girls dance[dancing] on the stage.
나는 소녀들이 무대에서 춤추는(춤추고 있는) 것을 보고 있다.

03 I felt my cat touch[touching] my face.
나는 내 고양이가 내 얼굴을 만지는(만지고 있는) 것을 느꼈다.

02-07 사역동사＋목적어＋목적격 보어 p. 22

A 01 I had him turn on the radio.
02 He made the boy tell the truth.
03 My sister lets me wear her clothes.
04 His parents made him study all weekend.

B 01 let us play
02 make me want
03 let him drive
04 I had my sister bring an umbrella

C 01 turning → turn
Jones 선생님은 내가 교실의 불을 끄게 했다.

02 walked → walk
나는 점심 식사 후에 Jenny가 개를 산책시키게 했다.

03 to take → take
그는 사람들이 그 꽃들의 사진을 찍게 허락했다.
해설 사역동사 made, had, let의 목적격 보어로 동사원형을 써야 한다.

02-08 help＋목적어＋목적격 보어 p. 23

A 01 My friends helped me to move.
02 Help him carry his bags to his room.

03-01 to부정사의 명사적 용법 p. 24

A 01 To exercise regularly makes you live longer.
02 My aunt's dream is to be a writer.
03 To pronounce this word is difficult.
04 I want to make a cake for my parents.

B 01 To have breakfast
02 need to rest
03 to explore the moon
04 My plan is to live on Jeju Island for a month

C 01 To swim in a deep lake is dangerous.
깊은 호수에서 수영을 하는 것은 위험하다.

02 His hobby is to read books.
그의 취미는 책을 읽는 것이다.

03 My mother's job is to give tours to visitors.
나의 어머니의 직업은 방문객들에게 여행안내를 하는 것이다.

04 Susie wants to be a good doctor.
Susie는 좋은 의사가 되기를 원한다.

03-02 to부정사의 형용사적 용법 p. 25

A 01 It is time to say goodbye.
02 I have a sister to take care of.
03 She had a plan to join a soccer club.
04 Do you have something to say?

B 01 work to finish
02 a postcard to show
03 a chance to take a photo
04 Here are[Here're] some sandwiches to give out

C 01 fly → to fly
Emma는 벨기에로 날아갈 표를 샀다.
해설 a ticket을 수식하는 형용사적 용법의 to부정사 to fly로 써야 한다.

02 play → play with

David는 함께 놀 많은 친구들을 원한다.

해설 friends를 꾸미는 to play에 전치사 with가 있어야 완전한 의미가 된다.

03 write → write with

제게 쓸 연필을 주세요.

해설 a pencil을 꾸미는 to write에 전치사 with가 있어야 완전한 의미가 된다.

03-03 to부정사의 부사적 용법　　　　p. 26

A 01 I'm sorry to hear that.
   02 Jiwon went to Spain to study Spanish.
   03 I am happy to introduce you to my friends.
   04 My son grew up to be a good person.

B 01 were surprised to see
   02 (in order) to take care of animals
   03 be sad to lose
   04 She was disappointed to know the truth

C 01 My father exercises (in order) to lose weight.

우리 아버지는 살을 빼기 위해 운동하신다.

   02 Bill was shocked to hear a girl's scream.

Bill은 여자아이의 비명을 듣고 충격을 받았다.

   03 My grandmother lived to be 100 years old.

우리 할머니는 100세까지 사셨다.

03-04 to부정사의 부정　　　　　　p. 27

A 01 We were sad not to hear from them.
   02 My teacher advises us not to eat snacks.
   03 They decided not to move to Dubai.
   04 Some students ran not to miss the bus.

B 01 not to go out
   02 not to get a refund
   03 not to believe
   04 Be careful not to spill the milk

C 01 not to see their concert
   02 not to waste her time
   03 not to wake up the baby

03-05 It ~ to부정사　　　　　　p. 28

A 01 It is fun to hang out with friends.
   02 It is important to wake up early.
   03 It is boring to read this book.
   04 It is safe to swim in this river.

B 01 It is[It's] expensive to study
   02 It is[It's] amazing to see
   03 It is[It's] meaningful to participate in

04 It is[It's] good to walk fast to lose weight

C 01 It is[It's] strange to wear a sweater in summer.

여름에 스웨터를 입는 것은 이상하다.

   02 It is[It's] interesting to make a model plane.

모형 비행기를 만드는 것은 재미있다.

   03 It is[It's] difficult to take care of babies.

아기들을 돌보는 것은 어렵다.

03-06 to부정사의 의미상 주어　　　　p. 29

A 01 It is dangerous for children to play with fire.
   02 It was foolish of him to say so.
   03 It is easy for me to exercise every day.
   04 It was wise of her to accept my opinion.

B 01 It is[It's] very kind of them to help
   02 It was rude of him to look at
   03 Is it difficult for James to learn
   04 It is[It's] hard for him to make friends

C 01 of, learned → for, to learn

당신은 당신의 실수로부터 배우는 것이 필요하다.

   해설 형용사 necessary가 있으므로, to부정사의 의미상 주어를 나타낼 때 「for+목적격+to부정사」의 순서로 쓴다.

   02 for, making → of, to make

다시 잘못된 결정을 내리다니 그는 어리석었다.

   해설 사람의 특성을 나타내는 형용사 silly가 있으므로, to부정사의 의미상 주어를 나타낼 때 「of+목적격+to부정사」로 쓴다.

   03 him, answer → of him, to answer

내 질문들에 답해주다니 그는 매우 친절하다.

   해설 사람의 성격을 나타내는 형용사 nice가 있으므로, to부정사의 의미상 주어를 나타낼 때 「of+목적격+to부정사」로 쓴다.

03-07 의문사+to부정사　　　　　　p. 30

A 01 Tell me what to do next.
   02 We discussed when to go to Shanghai.
   03 I didn't know where to put the garbage.
   04 Could you tell me how to spell the word?

B 01 how to play
   02 when to turn off
   03 what to bring
   04 He decided where to hang the picture

C 01 A: Does Harry know when to leave for the airport?

Harry가 언제 공항으로 가야 하는지 아니?

   B: Yes, he has to leave at 10 a.m.

응, 그는 오전 10시에 가야 해.

   02 A: Do you know who(m) to call?

너희는 누구에게 전화해야 할지 아니?

   B: Yes, we should call Mr. Brown.

응, 우리는 Brown 선생님께 전화 드려야 해.

03 A: Could you tell me <u>how to fill out</u> this form?

이 양식을 어떻게 기입할지 제게 알려주시겠어요?

B: Sure, write your name and address first.

그럼요. 이름과 주소를 먼저 쓰세요.

03-08 too … to부정사 p. 31

A 01 This food is too spicy for him to eat.
　 02 I am too sick to go to school.
　 03 They were too hungry to focus on the meeting.
　 04 You are too late to sign up for this class.

B 01 too nervous to finish
　 02 too short to ride a horse
　 03 too important to ignore
　 04 Anna arrived too late to meet us

C 01 That mountain is too steep for us to climb.

저 산은 너무 가팔라서 우리가 오를 수 없다.

　 02 This meat is too tough for my grandma to chew.

이 고기는 너무 질겨서 우리 할머니가 씹으실 수 없다.

　 03 Her behavior was too rude for me to stand.

그녀의 행동은 너무 무례해서 내가 참을 수 없었다.

03-09 … enough to부정사 p. 32

A 01 Fred is kind enough to help me.
　 02 My grandma cooks well enough to write a cookbook.
　 03 This house is nice enough to draw people's attention.

B 01 boring enough to put
　 02 fit enough to participate in
　 03 touching enough to make
　 04 They came early enough to get good seats

C 01 Billy is strong enough to move the refrigerator alone.

Billy는 혼자서 냉장고를 옮길 만큼 충분히 힘이 세다.

　 02 My cat is clever enough to understand certain words!

내 고양이는 어떤 단어들을 이해할 만큼 충분히 영리해!

　 03 The bag is light enough for me to carry.

그 가방은 내가 나르기에 충분히 가볍다.

03-10 주어와 보어로 쓰인 동명사 p. 33

A 01 My job is making furniture.
　 02 Studying all day long is very hard.
　 03 Walking regularly makes you healthy.
　 04 Playing the drums is very exciting.

B 01 Getting a job
　 02 Listening to music
　 03 Taking pictures
　 04 His plan is going skiing

C 01 Keep → Keeping[To keep]

일기를 쓰는 것은 좋은 습관이다.

해설 Keep은 주어 역할을 하는 동명사 또는 to부정사로 써야 한다.

　 02 fly → flying[to fly]

내가 가장 좋아하는 취미는 드론을 날리는 것이다.

해설 fly는 보어 역할을 하는 동명사나 to부정사로 써야 한다.

　 03 help → helps

모든 지출을 적는 것은 네가 돈을 절약하는 데 도움을 준다.

해설 동명사구가 주어이면 단수 취급하므로 help를 helps로 고쳐야 한다.

03-11 목적어로 쓰인 동명사와 to부정사 p. 34

A 01 People love eating street food.
　 02 Joe would like to join my band.
　 03 My mom and I started to clean the house.
　 04 Fred prefers staying home on the weekend.

B 01 continued falling[to fall]
　 02 likes drinking[to drink] coffee
　 03 I imagined living in space

C 01 My cat hates going[to go] to the vet.
　 02 Amy enjoys playing the guitar in the park.
　 03 People hoped to go to the concert.
　 04 My friend practiced dancing.

03-12 동명사의 관용 표현 p. 35

A 01 I was busy studying for the exams.
　 02 Jisu is used to shopping online.
　 03 We spend our weekend riding bikes.
　 04 Monica dreamed of dancing on the stage.

B 01 I feel like going
　 02 On seeing the photo
　 03 is looking forward to getting
　 04 I cannot[can't] help falling in love with her

C 01 A: Are you free this afternoon?

너 오늘 오후에 한가하니?

B: No, I am busy preparing for the school festival.

아니. 나는 학교 축제 준비로 바빠.

　 02 A: Shall we go to the museum?

우리 박물관에 갈래?

B: Yes. I think it's worth going there.

응. 나는 그곳에 가는 것이 가치 있다고 생각해.

　 03 A: Aren't you worried?

너 걱정되지 않니?

B: No. I'm not afraid of making mistakes.

아니. 나는 실수하는 것을 두려워하지 않아.

Unit 04 ▶ 분사

04-01 현재분사
p. 36

A 01 There is a dog running along the river.
    02 I saw the birds flying in a V shape.
    03 I heard a surprising answer from him.
    04 The bus coming from that direction goes to the library.

B 01 smiling baby
    02 climbing a tree
    03 the girl dancing
    04 Who is[Who's] the kid jumping rope

C 01 The man washing a car is handsome.
    세차를 하고 있는 남자는 잘생겼다.
    02 The people lying on the grass are my cousins.
    잔디밭에서 누워 있는 사람들은 내 사촌들이다.
    03 The girl using a laptop is my best friend.
    노트북을 사용하고 있는 여자아이는 내 가장 친한 친구이다.

04-02 과거분사
p. 37

A 01 We can see fallen leaves in autumn.
    02 The bicycle covered with dust is old.
    03 There are a lot of closed stores.
    04 The flowers planted in the garden are beautiful.

B 01 injured people
    02 a stolen car
    03 the picture drawn
    04 This is the letter written in Chinese

C 01 my broken computer
    02 the belt made
    03 the umbrella lying

04-03 감정분사 – 현재분사
p. 38

A 01 The girl's story is very interesting.
    02 Being in nature is relaxing.
    03 The singer has an amazing voice.
    04 The songs in the musical were touching.

B 01 was shocking
    02 disappointing result
    03 is annoying
    04 Watching basketball with friends is exciting

C 01 The artwork was really surprising.
    02 This meal was not[wasn't] satisfying.
    03 Your stories were boring to us.

04-04 감정분사 – 과거분사
p. 39

A 01 They were amazed at the circus show.
    02 Are you satisfied with your new hairstyle?
    03 I'm always bored in Mr. Park's lessons.
    04 She was confused by his message.

B 01 I am[I'm] tired
    02 was moved
    03 were surprised
    04 My parents were embarrassed

C 01 interesting → interested
    너는 고대 역사에 관심이 있니?
    해설 주어인 you가 관심을 갖는 주체이므로 과거분사 interested를 쓴다.
    02 annoying → annoyed
    그는 사람들이 크게 말할 때 종종 짜증이 난다.
    해설 주어인 He가 짜증을 내는 주체이므로 과거분사 annoyed를 쓴다.
    03 scaring → scared
    그녀는 나뭇가지 그림자로 인해 무서웠다.
    해설 주어인 She가 무서움을 느끼는 주체이므로 과거분사 scared를 쓴다.

Unit 05 ▶ 수동태

05-01 수동태의 현재시제
p. 40

A 01 Most back pain is caused by bad sleeping habits.
    02 The TV show is followed by an advertisement.
    03 The singer is loved by a lot of teenagers.
    04 English is spoken by many people around the world.

B 01 is owned by
    02 are produced
    03 are usually delivered to customers
    04 The robot is controlled by an engineer

C 01 The house is cleaned by Nancy.
    그 집은 Nancy에 의해 청소된다.
    02 Children's books are sold by Mr. Jones.
    아동 도서가 Jones 씨에 의해 팔린다.
    03 The Internet is used (by people) for many purposes.
    인터넷은 여러 목적으로 (사람들에 의해) 사용된다.

05-02 수동태의 과거시제
p. 41

A 01 The pot was broken by my brother.
    02 *The Kiss* was painted by Gustav Klimt.
    03 All flights were canceled because of the fog.
    04 The old bridges were closed by the government.

B 01 was fixed by

02 was built

03 was discovered by

04 They were caught by the police

C

이름	미나	세리	민호	세민
품목	스웨터	양초	꽃 사진들	시

01 The sweater was knitted by Mina.

그 스웨터는 미나에 의해 짜여졌다.

02 The candle was made by Seri.

그 양초는 세리에 의해 만들어졌다.

03 The photos of flowers were taken by Minho.

그 꽃 사진들은 민호에 의해 찍혔다.

04 The poem was written by Semin.

그 시는 세민이에 의해 쓰여졌다.

05-03 수동태의 미래시제 p. 42

A 01 His new movie will be released next week.

02 A shopping mall will be built here next month.

03 The old piano will be played by my daughter.

04 The grapes will be turned into wine in three months.

B 01 will be given

02 will be repaired

03 will be broadcast[broadcasted]

04 The airport will be moved near this city

C 01 A: Who will prepare the presentation?

누가 그 프레젠테이션을 준비할 거니?

B: The presentation will be prepared by Nick.

그 프레젠테이션은 Nick에 의해 준비될 거야.

02 A: Did you finish writing the history report?

너 역사 보고서 쓰는 거 끝냈니?

B: No, but the report will be finished by this week.

아니, 하지만 그 보고서는 이번 주까지 끝날 거야.

05-04 수동태의 부정문 p. 43

A 01 The articles weren't written by Olivia.

02 The bookshelf wasn't made by Colin.

03 The festival won't be held in May.

04 I wasn't invited to Jim's birthday party.

B 01 is not[isn't] led by

02 were not[weren't] invented by

03 will not[won't] be discussed

04 The phone was not[wasn't] connected yesterday

C 01 Meat isn't eaten by some people.

어떤 사람들은 고기를 먹지 않는다.

02 *The Four Seasons* wasn't composed by Bach.

〈사계〉는 바흐에 의해 작곡되지 않았다.

03 This house won't be bought by us.

이 집은 우리에 의해 구매되지 않을 것이다.

05-05 수동태의 의문문 p. 44

A 01 Will food be delivered by drones?

02 Is that metal used to make steel?

03 Is this train checked regularly[regularly checked]?

04 Was your letter read by your parents?

B 01 Is German spoken

02 Was your room cleaned

03 Will the dog be taken

04 Were light bulbs invented by Thomas Edison

C 01 A: I must finish the homework by two o'clock.

나는 2시까지 숙제를 끝내야 해.

B: Really? But it's already half past one.

정말? 하지만 벌써 1시 반인걸.

→ When must the homework[it] be finished by?

언제까지 숙제(그것)를 끝낼 것입니까?

02 A: Which languages are spoken in Canada?

캐나다에서 어떤 언어들이 쓰이니?

B: English and French are spoken in Canada.

영어와 프랑스어가 캐나다에서 쓰여.

→ Where are English and French[both languages] spoken?

영어와 프랑스어(두 언어 모두)가 어디에서 쓰입니까?

Unit 06 ▶ 관계대명사

06-01 관계대명사 who p. 45

A 01 I have a friend who exercises every day.

02 Emma was a student whom I met at the library.

03 Do you know the woman who came to this store?

04 Peter is a boy who always keeps his promises.

B 01 a person who can speak Chinese

02 the doctor who found a way

03 a person who(m) I respect

04 Daniel has a son who looks like him

C 01 I know the person who won the lottery.

나는 복권에 당첨된 사람을 안다.

02 She is the ballerina who(m) I really want to see.

그녀는 내가 정말 만나고 싶은 발레리나이다.

03 The girl who(m) you talked to yesterday is my sister.

네가 어제 이야기했던 소녀는 내 여동생이다.

06-02 관계대명사 which p. 46

A 01 I found the key which I lost.

02 The red pen which you are using is mine.

03 Look at the cat which is sleeping on the sofa.

04 Did you see the car they bought last week?

B 01 the book which is on the desk

02 cookies which she bought

03 the hotel which she stayed in

04 I went to the park which Gaudi designed

C 01 This is the car which two thieves stole last night.
이것은 어젯밤에 두 명의 도둑이 훔친 자동차이다.

02 He sent me a picture which was taken in Busan.
그는 부산에서 찍은 사진을 나에게 보냈다.

03 I like the dress which Monica wore on stage.
나는 Monica가 무대에서 입었던 드레스가 마음에 든다.

06-03 관계대명사 that
p. 47

A 01 I bought the phone that he has.

02 He married the woman that he met in Hawaii.

03 Where is the place that sells the tickets?

04 She is the girl that I told you about yesterday.

B 01 friends that I can trust

02 The dog that he has often hides

03 a castle that was built

04 This is a sweater that looks good on him

C 01 The uniform that Kevin is wearing

02 the only person that understands me

03 The woman that is taking pictures

06-04 관계대명사 whose
p. 48

A 01 Look at that cat whose legs are short!

02 I go to the bank whose security is good.

03 The house whose walls are white is my house.

04 The doctor treated a child whose leg was bleeding.

B 01 The boy whose nickname is "Little Bear"

02 a friend whose hobby is fishing

03 the thief whose jacket was black

04 A man whose smile is nice is sitting on the bench

C 01 who → whose
나는 남동생의 이름이 Larry인 소년을 안다.
해설 a boy와 brother는 소유관계이므로 소유격 관계대명사 whose를 써야
한다.

02 that → whose
저 사람은 이름이 독특한 여자이다.
해설 the woman과 first name은 소유관계이므로 소유격 관계대명사 whose
를 써야 한다.

03 whose → who[that]
그는 자신의 갤러리에 방문한 사람들에게 팸플릿을 준다.
해설 선행사 people이 관계대명사절에서 주어 역할을 하므로 주격 관계대명사
who 또는 that을 써야 한다.

07-01 must
p. 49

A 01 You must be nervous about the exam.

02 She must finish her homework.

03 His parents must be proud of him.

04 We must take off our shoes indoors.

B 01 We must not[mustn't] waste

02 There must be a mistake

03 I must go to the pharmacy

04 She must come back home

C 01 He must work out

02 You must be careful

03 She must not[mustn't] tell lies

07-02 should
p. 50

A 01 We should recycle plastic bottles.

02 You should not bite your nails.

03 I should do my best in everything.

04 Brian shouldn't lose his wallet again!

B 01 You should always think

02 We should not[shouldn't] use

03 should not[shouldn't] watch

04 I should spend more time with my family

C 01 After the field trip, Paul feels tired.
현장 학습 후에, Paul은 피곤함을 느낀다.
I think he should go home and rest.
나는 그가 집에 가서 쉬어야 한다고 생각한다.

02 We have an exam on Friday.
우리는 금요일에 시험이 있다.
You should study at the library today.
너는 오늘 도서관에서 공부해야 한다.

03 Two kids are making noise in the restaurant.
두 어린이가 식당에서 시끄럽게 하고 있다.
They should not[shouldn't] disturb others.
그들은 다른 사람들을 방해하지 말아야 한다.

07-03 have to
p. 51

A 01 Jenny has to practice dancing every day.

02 I had to read a book a day.

03 Do I have to learn to drive?

04 What time do we have to check out?

B 01 has to answer

02 I will[I'll] have to correct

03 The singer has to sing

04 My family had to prepare dinner

C 01 He has to hand in the report today.
 02 Chris had to leave home early this morning.
 03 I will[I'll] have to exchange money at the airport.

07-04 don't have to
p. 52

A 01 They won't have to wait for me.
 02 She doesn't have to lose weight.
 03 He doesn't have to finish this project today.
 04 You don't have to make excuses about it.

B 01 won't have to work
 02 don't have to pay for
 03 I didn't have to know
 04 He doesn't have to wash his car

C 01 don't → doesn't
   Peter는 이 상자를 치우지 않아도 된다.
   해설 don't have to를 3인칭 주어(Peter)에 맞게 doesn't have to로 써야 한다.
 02 didn't → won't
   너는 내일 내 자리를 잡아두지 않아도 될 것이다.
   해설 미래를 나타내는 부사 tomorrow가 있으므로, didn't have to를 won't have to로 써야 한다.
 03 have to → don't have[need] to
   나는 지금 아프지 않다. 나는 병원에 갈 필요가 없다.
   해설 '~할 필요가 없다, ~하지 않아도 된다'라는 뜻의 don't have to 또는 don't need to를 써야 한다.

07-05 had better
p. 53

A 01 You had better get some rest.
 02 I had better go right now.
 03 He had better not tell the truth.
 04 Ben had better go to bed earlier.

B 01 You'd better set an alarm
 02 She'd better not spend
 03 We'd better arrive on time
 04 He'd better not cut in line

C 01 It's raining hard. The road is slippery.
   비가 세차게 오고 있다. 길이 미끄럽다.
   The driver had better slow down.
   운전자는 속도를 줄이는 게 좋을 것이다.
 02 My pants are a little tight. I need to lose some weight.
   내 바지가 조금 껴. 나는 살을 좀 빼야 해.
   I had better not eat late at night.
   나는 밤늦게 먹지 않는 게 좋을 거야.
 03 It's Jack's birthday tomorrow. He's expecting birthday gifts.
   내일은 Jack의 생일이야. 그는 생일 선물을 기대하고 있어.
   We had better buy a present for him.
   우리는 그에게 선물을 사주는 것이 좋겠어.

07-06 would like to
p. 54

A 01 I'd like to buy a new pair of jeans.
 02 Would you like to have a piece of cake?
 03 I would like to speak to Jenny.
 04 He would like to know about Korean history.

B 01 I would[I'd] like to see
 02 Would you like to go camping
 03 He would[He'd] like to share
 04 They would[They'd] like to watch soccer

C 01 A: Would you like to hang your jacket here?
     네 재킷을 여기에 걸래?
   B: Yes, thank you.
     응, 고마워.
 02 A: Have you decided where to go on your vacation?
     너는 휴가를 어디로 갈지 정했니?
   B: Yes, I would[I'd] like to go to Singapore.
     응, 나는 싱가포르에 가고 싶어.
 03 A: Would you like to try some cookies?
     쿠키를 좀 먹어보겠니?
   B: No, thanks. I am full.
     아니, 괜찮아. 나는 배가 불러.

Unit 08 ▶ 접속사

08-01 명령문+and/or
p. 55

A 01 Eat your lunch, or you will be hungry later.
 02 Look around, and you will find him.
 02 Listen carefully, or you will miss the point.
 03 Take this bus, and you will arrive at the park.

B 01 and you will[you'll] find a bookstore
 02 or you will[you'll] make a mistake
 03 and you will[you'll] catch up with him
 04 Wear shorts, or you will[you'll] be too hot

C 01 Put a slice of lemon into your tea, and it will taste better.
   너의 차에 레몬 한 조각을 넣어라, 그러면 그것은 더 맛이 좋을 것이다.
 02 Push the button, and the door will open.
   그 버튼을 눌러라, 그러면 문이 열릴 것이다.
 03 Get enough sun, or you will have low vitamin D.
   충분한 햇볕을 쐬어라, 그렇지 않으면 너는 비타민 D가 부족할 것이다.

08-02 while
p. 56

A 01 While she studies, she listens to jazz music.
　　[She listens to jazz music while she studies.]
　02 While they were hiking, they saw many birds.
　　[They saw many birds while they were hiking.]
　03 While I was having dinner, my mom came in.
　　[My mom came in while I was having dinner.]
　04 While she was picking up the trash, she found a wallet.
　　[She found a wallet while she was picking up the trash.]

B 01 he was walking[he walked]
　02 while Danny was waiting[while Danny waited]
　03 While Sally is talking[While Sally talks] on the phone
　04 While I was in Paris, I stayed at his house
　　[I stayed at his house while I was in Paris]

C 01 You should be quiet while you are taking an exam.
　　너는 시험을 보는 동안 조용히 해야 한다.
　02 While I'm away, they will take care of my dog.
　　내가 없는 동안 그들이 내 개를 돌볼 것이다.
　03 I had a terrible dream while I was sleeping.
　　나는 자는 동안 끔찍한 꿈을 꿨다.

08-03 as soon as
p. 57

A 01 As soon as I finished my workout, I took a shower.
　　[I took a shower as soon as I finished my workout.]
　02 As soon as he saw her, his face turned red.
　　[His face turned red as soon as he saw her.]
　03 As soon as I solved the problem, I ran to my teacher.
　　[I ran to my teacher as soon as I solved the problem.]

B 01 As soon as I gave her
　02 as soon as he heard
　03 as soon as she ate the cake
　04 As soon as she arrived at the airport
　05 As soon as he got well, he went camping
　　[He went camping as soon as he got well]

C 01 As soon as I get back home, I will do my homework.
　　나는 집에 돌아가자마자 숙제를 할 것이다.
　02 As soon as the plane took off, Peter felt nervous.
　　비행기가 이륙하자마자 Peter는 긴장했다.
　03 Mary burst into tears as soon as she saw us.
　　Mary는 우리를 보자마자 눈물을 터트렸다.

08-04 until
p. 58

A 01 We kept quiet until she spoke.
　　[Until she spoke, we kept quiet.]
　02 We won't start the party until he comes back.
　　[Until he comes back, we won't start the party.]
　03 I watched TV until my mother finished washing the dishes.
　　[Until my mother finished washing the dishes, I watched TV.]
　04 She talked on the phone until the class started.
　　[Until the class started, she talked on the phone.]

B 01 until you arrive
　02 Until you pointed out
　03 until she was out of breath
　04 We will[We'll] stay in the car until the rain stops

C 01 until everybody went out
　02 until the traffic light turns green
　03 until they finished the reports

08-05 so that ~
p. 59

A 01 He built a hospital so that he could help sick children.
　02 Norah goes to the beach so that she can pick up trash.
　03 I set an alarm so that I could wake up at 6 a.m.

B 01 so that I can get
　02 so that I can prepare dinner
　03 so that he could buy new shoes
　04 She started jogging so that she could lose weight

C 01 He borrowed some books so that he could write an essay.
　　그는 에세이를 쓰기 위해 책을 좀 빌렸다.
　02 Sharon went to Peru so that she could see Machu Picchu.
　　Sharon은 마추픽추를 보기 위해 페루에 갔다.
　03 I bought a new camera so that I could take good pictures.
　　나는 좋은 사진을 찍기 위해 새 카메라를 샀다.

08-06 so ··· that ~
p. 60

A 01 He is so kind that everybody likes him.
　02 The soup was so hot that I couldn't eat it.
　03 Her story was so funny that I laughed for ten minutes.
　04 The house is so expensive that they can't buy it.

B 01 so busy that he could not[couldn't] spend
　02 so poor that people complained
　03 so dirty that we should clean
　04 He is[He's] so strong that he can lift the rock

C 01 It was so windy that I could not[couldn't] stand up
　02 The mountain was so high that they could not[couldn't] climb to the top.
　03 Ted ran so fast that I could not[couldn't] catch up with him.

08-07 if
p. 61

A 01 If you buy one, you get one free.
   [You get one free if you buy one.]

   02 If you know the answer, tell me quickly.
   [Tell me quickly if you know the answer.]

   03 If you have a toothache, you should go to the dentist.
   [You should go to the dentist, if you have a toothache.]

   04 If you can't fall asleep, drink some warm milk.
   [Drink some warm milk if you can't fall asleep.]

B 01 If he has a car

   02 if you press this button

   03 If you want to play outside

   04 If it rains, they will[they'll] cancel the concert
   [They will[They'll] cancel the concert if it rains]

C 01 will get → gets
   그는 Jenny의 전화번호를 알면 그녀에게 전화할 것이다.

   02 will snow → snows
   크리스마스이브에 눈이 오면 환상적일 것이다.

   02 won't → doesn't
   Daniel이 그 수업에 오지 않으면 나는 실망할 거야.
   해설 조건을 나타내는 부사절에서는 현재시제가 미래시제를 대신한다.

08-08 though/although
p. 62

A 01 Though he loves sports, he's not good at them.
   [He's not good at sports though he loves them.]

   02 Although the building is old, it is clean.
   [The building is clean although it is old.]

   03 Though my dad was sick, he went to work.
   [My dad went to work though he was sick.]

   04 Although I studied hard, I didn't get good grades.
   [I didn't get good grades although I studied hard.]

B 01 although our visit was short

   02 Though chickens have wings

   03 although she caught a cold

   04 Though she was poor, she enjoyed her life

C 01 My sister speaks well though she is only three years old.
   나의 여동생은 겨우 3살이지만 말을 잘한다.

   02 Though he played well, his team lost the game.
   그는 잘했지만 그의 팀은 경기에서 졌다.

   03 He didn't wake up though the alarm rang many times.
   그는 알람이 여러 번 울렸지만 일어나지 않았다.

08-09 명사절 접속사 that
p. 63

A 01 I hope that your sister will get better.

   02 I learned that she is a famous painter.

   03 She felt that she was very hungry.

04 Did you know that the largest continent is Asia?
   [Did you know that Asia is the largest continent?]

B 01 He guessed (that)

   02 told her (that) it could happen

   03 I did not[didn't] know (that) you liked

   04 Some people say (that) reading is boring

C 01 I heard that he left for Spain.

   02 We think that it will[it'll] snow tonight.

   03 People did not[didn't] believe that he stole a car.

08-10 both A and B
p. 64

A 01 This shirt is both unique and stylish.

   02 Both Tom and Ben liked the travel plan.

   03 I have to do both the dishes and the laundry.

   04 This restaurant is popular with both tourists and locals.
   [This restaurant is popular both with tourists and locals.]

B 01 Both May and October have

   02 both play the guitar and write

   03 Both she and I are interested

   04 Minho is both a singer and an artist

C 01 Emily is both cute and smart.
   Emily는 귀엽고 똑똑하다.

   02 Both Jinho and Yumi play the violin.
   진호와 유미 둘 다 바이올린을 연주한다.

   03 You can use both paints and crayons in art class.
   너는 미술 수업에 물감과 크레용 둘 다 사용할 수 있다.

08-11 either A or B / neither A nor B
p. 65

A 01 Neither Jake nor I have breakfast.

   02 Either you or she has to wait for me.

   03 I like neither hamburgers nor pizza.

   04 We will either rent a car or take a taxi in Jeju Island.

B 01 either on Sunday or

   02 neither sings nor dances

   03 Either pink or red is

   04 Neither she nor he met me yesterday

C 01 and → or
   너나 그녀가 그를 돌봐야 한다.
   해설 내용상 「either A or B」의 구문이 되어야 한다. 동사가 has to take로 단수라는 것에서 「both A and B」가 답이 될 수 없음을 알 수 있다.

   02 either → neither
   그들은 여행할 시간도 돈도 둘 다 없었다.
   해설 내용상 「neither A nor B」의 구문이 되어야 한다.

   03 to donate → donate
   나는 가난한 사람들을 돕거나 그들을 위해 돈을 기부하고 싶다.
   해설 「either A or B」에서 A와 B의 문법적 형태는 동일해야 하므로, want to 뒤의 help에 맞춰 원형인 donate로 써야 한다.

08-12 not A but B
p. 66

A 01 My dad can speak not Japanese but Chinese.
02 Life is not a sprint but a marathon.
03 He played not the piano but the cello.
04 Cathy hasn't lived in France but in Italy.

B 01 Not Timmy but I am[I'm]
02 not on Tuesday but
03 not at night but
04 I did not[didn't] take a bus but a taxi

C

이름 \ 가장 좋아하는 것	음식	색깔	과목
Eric	샌드위치	파란색	음악
David	스파게티	녹색	과학

01 Not Eric but David likes spaghetti.
Eric이 아니라 David가 스파게티를 좋아한다.
02 Eric's favorite color is not green but blue.
Eric이 가장 좋아하는 색은 녹색이 아니라 파란색이다.
03 David is interested not in music but (in) science.
David는 음악이 아니라 과학에 관심이 있다.
04 Eric's favorite subject is not science but music.
Eric이 가장 좋아하는 과목은 과학이 아니라 음악이다.

08-13 not only A but (also) B / B as well as A
p. 67

A 01 He skipped lunch as well as breakfast.
02 He not only woke up late but also took the wrong bus.
03 Not only plastic bags but also paper cups aren't good for the environment.
04 Koreans as well as tourists enjoy visiting the palace.

B 01 not only delicious but (also)
02 but (also) her friends are tall
03 some flowers as well as a cake
04 The movie is not only boring but (also) long

C 01 I can play not only the piano but (also) the flute.
나는 피아노뿐만 아니라 플루트도 연주할 수 있다.
02 Baseball is very popular in America as well as (in) Korea.
야구는 한국에서뿐만 아니라 미국에서도 매우 인기가 있다.
03 Our teacher is kind as well as brave.
우리 선생님은 용감할 뿐만 아니라 친절하시다.

Unit 09 ▶ 대명사와 형용사

09-01 some/any
p. 68

A 01 You can't buy any toys at this store.
02 I want to eat some ice cream.

03 Do you have any plans for vacation?
04 There are some messages for you.

B 01 hear any news
02 Some people like
03 bought some eggs
04 Tom could not[couldn't] solve any problems

C 01 A: Can you lend me a pen?
나에게 펜을 빌려줄래?
B: I'm sorry. I don't have any pens.
미안해. 나는 펜을 하나도 가지고 있지 않아.
02 A: Are there any tickets left for the closing ceremony?
폐회식 표가 좀 남아 있나요?
B: Sorry. The tickets are sold out.
죄송해요. 표가 다 팔렸어요.
03 A: Would you like some pie, Mom?
파이 좀 드실래요. 엄마?
B: No, thanks. I already had some.
아니, 괜찮단다. 이미 좀 먹었어.

09-02 something/anything/nothing+형용사
p. 69

A 01 He did something wonderful on the stage.
02 Is there anything else?
03 There is nothing interesting on TV.
04 Someone famous appeared at the party.

B 01 something big
02 nothing special
03 anything strange
04 I found something wrong in her report

C 01 The children are shivering with cold. They need to drink something hot.
그 아이들은 추위에 떨고 있다. 그들은 뜨거운 무언가를 마셔야 한다.
02 He started his new project. He's looking for someone smart to work with.
그는 새로운 프로젝트를 시작했다. 그는 함께 일할 똑똑한 누군가를 찾고 있다.
03 I saw something amazing earlier. I couldn't believe it.
나는 이전에 놀라운 어떤 것을 봤다. 나는 그것을 믿을 수 없었다.

09-03 few/little
p. 70

A 01 There is little water in the lake.
02 Few students can pronounce the word.
03 I had little time to sleep.
04 He made few mistakes in the game.

B 01 There is[There's] little juice
02 have little interest
03 Few people wanted to buy
04 You have little time

C 01 have little scent

02 There are few old buildings

03 Few people had the chance

09-04 a few/a little
p. 71

A 01 I saw a few celebrities in the building.

02 He gave her a little advice on her diet.

03 Can you come back in a few minutes?

04 Jack found a few coins in the drawer.

B 01 put a little sugar

02 There are[There're] a few animals

03 need a few people

04 I had a little money in my wallet

C 01 little → few

나는 며칠 전에 그를 봤다.

해설 day는 셀 수 있는 명사이므로 a few를 써야 한다.

02 apple[a few] → apples[an]

나의 남동생은 저녁 식사 후에 사과를 조금 먹었다. / 나의 남동생은 저녁
식사 후에 사과를 한 개 먹었다.

해설 a few는 '조금 있는'이라는 뜻으로 뒤에 셀 수 있는 명사의 복수형이 오므로
apple이 아닌 apples로 써야 한다. 또는, 단수형 명사 apple 앞에 관사 an
을 붙여 단수형 명사로 써야 한다.

03 comes → come

몇 명의 사람들이 주말에 여기로 온다.

해설 A few people(몇 명의 사람들)은 복수형 취급하여 복수형 동사 come으로
써야 한다.

09-05 each/every/all
p. 72

A 01 Each person has his own goal.

02 Every dog has his day.

03 Each food on the menu was delicious.

04 Each apple in the box looks fresh.

B 01 Every student has

02 All (the) speakers[All of the speakers] have

03 Every house, is near the river

04 Each story in[of] this book is interesting

C 01 name has[of the names has]

각각의 이름에는 고유한 의미가 있다.

해설 each는 셀 수 있는 명사의 단수형과 함께 쓰이므로 name으로 고친다.
또는, 「each of+셀 수 있는 명사의 복수형+단수동사」 형태로 쓴다.

02 All (the) beds[All of the beds]

이 방의 모든 침대는 편안하지 않다.

해설 복수형 동사 aren't에 맞춰 Every bed를 All (the) beds로 고친다. 또는 「all
of+셀 수 있는 명사의 복수형」 형태로 쓴다.

03 windows have

저 창문들에는 모두 커튼이 있다.

해설 「all of+셀 수 있는 명사의 복수형」 형태로 써야 하므로 복수형 명사
windows로 고친다. 또한, 이에 맞춰 동사도 복수형 동사 have로 고쳐야 한
다.

09-06 one/another/the other
p. 73

A 01 One was Jim, and the other was his brother.

02 One is table tennis, another is golf, and the other is
bowling.

B 01 One is, another is an orange, the other is a kiwi

02 One was tall, the other was big

03 another was a wallet, the other was sneakers

04 One is wild, and the other is gentle

C 01 One is from China, and the other is from Taiwan.

02 One was wearing a hat, and the other was wearing
glasses.

09-07 물질명사의 수량 표현
p. 74

A 01 I bought three bottles of mango juice.

02 Would you like a cup of tea?

03 The waiter served four glasses of wine.

04 My brother ate a slice of bread for lunch.

B 01 a sheet of newspaper

02 a piece of advice

03 two spoonfuls of sugar

04 I baked three loaves of bread

C 01 five sheets[pieces] of paper

02 two pieces[slices] of cake

03 three bottles of coke

04 ten slices[pieces] of cheese

05 a bowl of soup

09-08 재귀대명사
p. 75

A 01 Make yourself at home.

02 Did you enjoy yourself at the concert?

03 You'd better not go there by yourself.

04 My father fixed my bike himself.
[My father himself fixed my bike.]

B 01 love ourselves

02 looked at herself

03 dressed herself

04 Why do you always talk to yourself

C 01 listen to music by himself

02 Help yourself to

03 said to herself

10-01 원급 p. 76

A 01 My brother is as short as you are.
02 The dog is as smart as a five-year-old child.
03 His new book is as popular as the old one.
04 The elephant isn't as heavy as the blue whale.

B 01 as famous as
02 as much as
03 as creative as
04 My grandmother is as old as this house (is)

C 01 Alex is not[isn't] as[so] diligent as Brain (is).
02 A[The] zebra runs as fast as a[the] tiger (does).
03 Time is as important as money (is).

10-02 원급 표현「배수사+as ～ as」 p. 77

A 01 He has five times as many books as I do.
02 Russia is almost twice as large as the U.S.
03 Jiho scored four times as many points as I did.
04 Strawberries have ten times as much vitamin C as apples.

B 01 twice as close as
02 half as long as
03 three times as much money
04 Gold is almost twice as heavy as silver (is)

C

특성 타입	요금	승객 수	편안함
고속버스 A	48,000원	15	★★★★
고속버스 B	24,000원	45	★

01 Express bus A is twice as expensive as Express bus B.
고속버스 A는 고속버스 B보다 2배 더 비싸다.
02 Express bus B carries three times as many people as Express bus A does.
고속버스 B는 고속버스 A보다 3배 더 많은 사람들을 태운다.
03 Express bus A is four times as comfortable as Express bus B.
고속버스 A는 고속버스 B보다 4배 더 편안하다.

10-03 비교급 표현「less ～ than」 p. 78

A 01 The movie is less exciting than the original novel.
02 My brother spends less than I do.
03 Is Mars less dense than Mercury?
04 Seoul is less expensive to live in than Jeju island.
[Seoul is less expensive than Jeju island to live in.]

B 01 was less impressive than

02 is less rainy than
03 is less effective than
04 Today is less windy than yesterday (was)

C 01 is less delicious than
02 less bored than Fred (does)
03 was less clean than my room (was)
[was less clean than mine]

10-04 비교급 표현「비교급+and+비교급」 p. 79

A 01 This book is getting more and more interesting.
02 Fewer and fewer people use digital cameras.
03 The horse began to run faster and faster.
04 The flowers are getting bigger and bigger.

B 01 more and more
02 dirtier and dirtier
03 busier and busier
04 My memory got worse and worse

C 01 My computer is getting slower and slower.
내 컴퓨터가 점점 더 느려지고 있다.
02 This restaurant is becoming more and more crowded.
이 식당은 점점 더 붐비고 있다.
03 My knitting skills are getting better and better.
나의 뜨개질 실력이 점점 더 좋아지고 있다.
04 If you exercise every day, you will get healthier and healthier.
매일 운동하면, 당신은 점점 더 건강해질 것이다.

10-05 비교급 표현 「Which/Who+동사+비교급, A or B?」 p. 80

A 01 Which is heavier, the desk or the table?
02 Who is kinder, Judy or Sophie?
03 Which city is larger, Seattle or New York?
04 Who plays the piano better, Henry or Brian?

B 01 Who is more sociable
02 Who is more beautiful
03 Which exercise is better
04 Which is faster, light or sound

C 01 A: Which is longer, the snake or the worm?
뱀과 지렁이 중 어느 것이 더 기니?
B: The snake is longer.
뱀이 더 길어.
02 A: Which building is taller, the N Seoul Tower or the Shanghai Tower?
N 서울 타워와 상하이 타워 중 어느 건물이 더 높니?
B: The Shanghai Tower is taller.
상하이 타워가 더 높아.

03 A: Who has more friends, Mina or Yuri?

미나와 유리 중 누가 더 친구가 많니?

B: Yuri has more friends.

유리가 더 친구가 많아.

10-06 최상급 표현「one of the＋최상급＋복수명사」 p. 81

A 01 Chicago is one of the richest cities in America.

[One of the richest cities in America is Chicago.]

02 One of my best friends is from New Zealand.

03 Shakespeare is one of the most famous writers in history. [One of the most famous writers in history is Shakespeare.]

B 01 one of the smallest countries

02 one of the largest department stores

03 one of the most famous Korean dishes

04 Today is one of the happiest days of my life

C 01 more → most

모로코는 방문하기에 가장 흥미로운 국가 중 하나이다.

해설 「one of the＋최상급＋복수명사」의 구조가 되어야 하므로 the most interesting이 알맞다.

02 most cold → coldest

시베리아는 세계에서 가장 추운 곳 중 하나이다.

해설 cold의 최상급은 coldest이다.

03 tree → trees

이것은 우리 마을에서 가장 키가 큰 소나무 중 하나이다.

해설 「one of the＋최상급」 뒤에는 복수명사가 와야 하므로 trees가 알맞다.

Unit 11 ▶ 의문사 주요 구문

11-01 간접의문문 p. 82

A 01 Mary wants to know why they like him.

02 I didn't know who cleaned my room.

03 Mike asked me when they left for Toronto.

04 Please tell me where the food court is in this building.

B 01 where I lived

02 how this dress looks on me

03 what her favorite food is

04 She asked me when the concert started

C 01 I want to know why I got a C on my paper.

나는 왜 내 과제물이 C를 받았는지 알고 싶다.

02 I remember when Daniel came to my club.

나는 언제 Daniel이 우리 동아리에 왔는지 기억한다.

03 Please tell me who makes this robot.

누가 이 로봇을 만드는지 알려주세요.

11-02 간접의문문「Do you know＋의문사」구문 p. 83

A 01 Do you know how old she is?

02 Can you tell me what the problem is?

03 Do you know who painted this picture?

04 What do you think your brother is doing now?

B 01 how she got there

02 what his name is

03 Who(m) do you think I saw

04 Do you know when the first train left

C 01 Can you tell me when the libarary is open?

도서관이 언제 여는지 알려주겠니?

02 Do you know who built this tower?

누가 이 탑을 세웠는지 아니?

03 Can you tell me what you did after school?

네가 방과 후에 무엇을 했는지 알려주겠니?

11-03 what 주요 구문 p. 84

A 01 What sport do you want to learn?

02 What role did she play in the musical?

03 What kind of lecture is he listening to?

04 What season do you like best?

B 01 What number is

02 What application do you use

03 What channel do you want

04 What food do horses eat

C 01 A: What train should Nick take to go to Mokpo?

Nick이 목포에 가려면 어느 열차를 타야 하나요?

B: He should take KTX 415.

그는 KTX 415를 타야 해요.

02 A: What platform does the train leave from?

열차가 어느 플랫폼에서 출발하나요?

B: The train leaves from platform 10.

열차는 10번 플랫폼에서 출발해요.

03 A: What time does the train depart?

열차가 몇 시에 출발하나요?

B: The train departs at 10:30 a.m.

열차는 오전 10시 30분에 출발해요.

11-04 which 주요 구문 p. 85

A 01 Which do you prefer, a text message or a phone call?

02 Which clothes does she prefer, skirts or pants?

03 Which country do you prefer, Vietnam or Thailand?

B 01 Which does he prefer, novels

02 Which character do you prefer

03 Which do you prefer, sandwiches

04 Which animal do you prefer, tigers or lions

C 01 Which does he prefer, skating or skiing?

02 Which flavor do you prefer, vanilla or chocolate?

03 Which flower does she prefer, a rose or a lily?

11-05 how 주요 구문

p. 86

A 01 How often does your mother bake bread?

02 How often do you text your friends?

03 How often do they do volunteer work?

04 How often do you meet your cousins?

B 01 How often does he walk

02 How often does the ship sail

03 How often did you practice soccer

04 How often does your father go abroad

C 01 How often does he get a haircut, once a month

02 How often do you drink water, every two hours

03 How often do you take piano lessons[a piano lesson], twice a week

MEMO

중학 내신
서술형 완벽대비

· **중학 교과서 진도 맞춤형** 내신 서술형 대비
· **한 페이지로 끝내는 핵심 영문법 포인트별 정리+문제 풀이**
· 효과적인 **3단계 쓰기 훈련**: 순서 배열 → 빈칸 완성 → 내신 기출
· 서술형 만점을 위한 **오답&감점 피하기 솔루션** 제공
· **최신 서술형 유형 100% 반영**된 <내신 서술형 잡기> 챕터별 수록
· 서술형 추가 연습을 위한 **워크북 제공**

부가자료 다운로드
www.cedubook.com

쎄듀 초·중등 커리큘럼

초등

영역	예비초	초1	초2	초3	초4	초5	초6
구문		천일문 365 일력 |초1-3| 교육부 지정 초등 필수 영어 문장		초등코치 천일문 SENTENCE 1001개 통문장 암기로 완성하는 초등 영어의 기초			
문법				초등코치 천일문 GRAMMAR 1001개 예문으로 배우는 초등 영문법			
			왓츠 Grammar Start (초등 기초 영문법) / Plus (초등 영문법 마무리)				
독해				왓츠 리딩 70 / 80 / 90 / 100 A / B 쉽고 재미있게 완성되는 영어 독해력			
어휘				초등코치 천일문 VOCA&STORY 1001개의 초등 필수 어휘와 짧은 스토리			
		패턴으로 말하는 초등 필수 영단어 1 / 2 문장 패턴으로 완성하는 초등 필수 영단어					
ELT	Oh! My PHONICS 1 / 2 / 3 / 4 유·초등학생을 위한 첫 영어 파닉스						
		Oh! My SPEAKING 1 / 2 / 3 / 4 / 5 / 6 핵심 문장 패턴으로 더욱 쉬운 영어 말하기					
		Oh! My GRAMMAR 1 / 2 / 3 쓰기로 완성하는 첫 초등 영문법					

중등

영역	예비중	중1	중2	중3
구문		천일문 STARTER 1 / 2		중등 필수 구문 & 문법 총정리
문법		천일문 GRAMMAR LEVEL 1 / 2 / 3		예문 중심 문법 기본서
		GRAMMAR Q Starter 1, 2 / Intermediate 1, 2 / Advanced 1, 2		학기별 문법 기본서
		잘 풀리는 영문법 1 / 2 / 3		문제 중심 문법 적용서
		GRAMMAR PIC 1 / 2 / 3 / 4		이해가 쉬운 도식화된 문법서
			1센치 영문법	1권으로 핵심 문법 정리
문법+어법		첫단추 BASIC 문법·어법편 1 / 2		문법·어법의 기초
문법+쓰기	EGU 영단어&품사 / 문장 형식 / 동사 써먹기 / 문법 써먹기 / 구문 써먹기			서술형 기초 세우기와 문법 다지기
				올씀 1 기본 문장 PATTERN 내신 서술형 기본 문장 학습
쓰기	거침없이 Writing LEVEL 1 / 2 / 3			중등 교과서 내신 기출 서술형
		중학 영어 쓰작 1 / 2 / 3		중등 교과서 패턴 드릴 서술형
어휘	천일문 VOCA 중등 스타트 / 필수 / 마스터			2800개 중등 3개년 필수 어휘
		어휘끝 중학 필수편	중학 필수어휘 1000개	어휘끝 중학 마스터편 고난도 중학어휘 +고등기초 어휘 1000개
독해	ReadingGraphy LEVEL 1 / 2 / 3 / 4			중등 필수 구문까지 잡는 흥미로운 소재 독해
		Reading Relay Starter 1, 2 / Challenger 1, 2 / Master 1, 2		타교과 연계 배경 지식 독해
		READING Q Starter 1, 2 / Intermediate 1, 2 / Advanced 1, 2		예측/추론/요약 사고력 독해
독해전략			리딩 플랫폼 1 / 2 / 3	논픽션 지문 독해
독해유형			Reading 16 LEVEL 1 / 2 / 3	수능 유형 맛보기 + 내신 대비
			첫단추 BASIC 독해편 1 / 2	수능 유형 독해 입문
듣기	Listening Q 유형편 / 1 / 2 / 3			유형별 듣기 전략 및 실전 대비
		쎄듀 빠르게 중학영어듣기 모의고사 1 / 2 / 3		교육청 듣기평가 대비